Studien zur Literatur der Moderne
Herausgegeben von Helmut Koopmann
Band 15

Zeitgeschichte in Geschichten der Zeit

Deutschsprachige Romane im 20. Jahrhundert

von Paul Michael Lützeler

1986

Bouvier Verlag Herbert Grundmann · Bonn

CIP-Kurztitelaufnahme der Deutschen Bibliothek
LÜTZELER, PAUL MICHAEL:
Zeitgeschichte in Geschichten der Zeit: dtsprach. Romane im 20. Jh./von Paul Michael Lützeler. — Bonn: Bouvier, 1986.
(Studien zur Literatur der Moderne; Bd. 15)

ISBN 3-416-02004-9

NE: GT

ISSN 0340-9023

 Umschlaggestaltung: Anna Braungart. Druck und Einband: Druckerei Plump KG, Rheinbreitbach.

INHALTSANGABE

VORBEMERKUNG

Geschichten in der Verflechtung mit Geschichte, Romane in der Auseinandersetzung mit der Historie unseres Jahrhunderts, darum geht es in diesem Band. Das Spektrum reicht von der Wirkung Zolas im Ersten Weltkrieg bis zum Bild der USA, wie es in der Gegenwartsliteratur entworfen wird. Zur Sprache kommt die Aufarbeitung imperialer Geschichte in der Literatur zwischen 1918 und 1933, die Gegnerschaft zum Nationalsozialismus bei den Exil-Autoren, es geht um Themen des Romans in der DDR und um literarische Rückblicke auf die 'heißen Sommer' der Studentenbewegung. Im Roman wird Wirklichkeit nicht einfach 'gespiegelt'; er fängt - auf andere Weise als die Historiographie - Tendenzen der Zeit ein: Davon handelt die einleitende theoretische Studie zu den Interdependenzen von Roman und Geschichtsschreibung.

Nur wenige andere Länder haben wie Deutschland und Österreich in diesem Jahrhundert mehrfach historische Diskontinuitäten und Katastrophen erlebt. Kaum einer anderen Literatur wurden solche Anstrengungen bei der Auseinandersetzung mit der eigenen Zeitgeschichte abverlangt wie der deutschsprachigen. Gerade dem zeitkritischen Roman aber ist es immer wieder gelungen, zur Sprache zurückzufinden, Möglichkeiten und Perspektiven zu eröffnen, Erinnerung an Vergangenheit und Zukunft zu sein. Deshalb gilt das Augenmerk in diesem Band jenen Autoren, die zur literarisch-gesellschaftskritischen Avantgarde ihrer Generation gehörten.

Die meisten dieser Aufsätze sind im Lauf der letzten zehn Jahre bereits erschienen; teils an prominenter, teils an entlegener Stelle. Sie waren von Anfang an als Kapitel eines Buches gedacht. Den Verlegern und Zeitschriften-Herausgebern bin ich für die freundliche Erlaubnis zum Wiederabdruck dankbar verpflichtet. Der Hinweis auf die Erstveröffentlichung erfolgt bei jedem Aufsatz am Schluß der Anmerkungen. Mein besonderer Dank gilt Helmut Koopmann, der mich bat, den Plan zu diesem Buch endlich zu verwirklichen.

P.M.L.

GESCHICHTSSCHREIBUNG UND ROMAN: INTERDEPENDENZEN UND DIFFERENZEN

I.

Aristoteles wußte Bescheid. Die Antwort auf die Frage nach der Arbeitsteilung zwischen Geschichtsschreiber und Dichter lag für ihn auf der Hand: Ersterer erzählt "was geschehen ist", letzterer "was geschehen könnte".[1] Unselig die Zeiten - um Lukács' Preislied auf die Antike abzuwandeln -, deren Wege das Licht der Sterne nicht mehr erhellt.[2] In der Verfinsterung moderner Verhältnisse ist kaum noch auszumachen, ob es Kalliope oder Klio ist, die auf Pegasus über den Helikon sprengt. Kein Wunder, die zwei Musen sahen einander schon immer zum Verwechseln ähnlich, und auch die ihnen beiden eigenen Statussymbole von Buchrolle und Griffel trugen nicht dazu bei, sie voneinander zu unterscheiden. Die Vermutung ist nicht von der Hand zu weisen, daß Kalliope und Klio so genau nicht darauf achteten, ob sie von Rhapsoden oder Historiographen angerufen wurden; offenbar leisteten sie ihren inspirativen Beistand - häufig sogar gemeinsam - großzügig in dem einen wie dem anderen Fall. Als hätten sie sich gegen ihren zeitgenössischen Philosophen verschworen, brachten die Göttertöchter das schöne Differenzierungsschema des Aristoteles durcheinander, schlimmer noch, sie überantworteten es der Vergessenheit. Davon zeugt nicht zuletzt das deutsche Homonym 'Geschichte', das sowohl die Form eines fiktiven wie eines wirklichen Geschehens bezeichnet. Bis vor gut zweihundert Jahren galt die Geschichtsschreibung als Teilgebiet der Literatur. Leibniz hatte Poesie und Historiographie als moralische Lehrkünste verstanden und begriff die Geschichte des Menschengeschlechts als Roman Gottes. Seit dem 18. Jahrhundert betont man die Unterschiede der beiden Disziplinen, und der Begriff 'Literatur' wird erst jetzt zu einem Synonym von 'Dichtung', 'Poesie', 'Fiktion'.

Heute wirft der Zusammenhang von epischer Dichtung und Geschichtsschreibung eine Reihe hermeneutischer Fragen auf, und einen Aristoteles der Moderne, der für unsere Zeit die so einfache wie plausible Lösung des Problems anböte, gibt es nicht. Ich möchte das Thema von zwei Gesichtspunkten aus betrachten, von einem erzähltheoretischen und einem funktionalen. Erzählen kann als eines der primären Erkenntnisinstrumente überhaupt verstanden werden, und es bestimmt - wenn auch nicht ausschließlich und unangefochten - Struktur und ästhetische Form bei der Darstellung eines wirklichen und fiktiven Geschehens. Erzählen erschließt sowohl die Dimension geschichtlicher Wirklichkeit als auch den Bereich dichterischer Fiktion. Die Logik des Erzählens eröffnet den Zugang zur Logik der Historiographie wie zur Logik der Dichtung, macht die Strukturen von historischem Bewußtsein und Phantasie faßbar. Durch Erzählen werden konsistente Zusammenhänge aufgedeckt, übergreifende Konzepte sichtbar gemacht und Sinnbildung ermöglicht. Jede Erzählung unterlegt wirklichen oder erdachten Ereignissen eine Struktur, mit der nach dem Gesetz der Relevanz Geschehnisse akzentuiert, ausgewählt oder eliminiert werden. Weder beim historiographischen noch beim dichterischen Erzählen handelt es sich um eine Reproduktion oder Duplikation von Ereignissen, sondern um eine bestimmte Organisation tatsächlicher oder erdachter Vorfälle bzw. Zeiterfahrungen. Kennzeichnend ist das Prinzip der Selektion, und so handelt es sich bei jeder Erzählung um etwas Unvollständiges und Unabgeschlossenes. Gemeinsam ist allem Erzählen der retrospektive Standpunkt, wenngleich diese Retrospektion in Dichtung und Geschichtsschreibung im Hinblick auf den Rezipienten etwas sehr Unterschiedliches ist. Während nämlich durch historiographisches Erzählen ein geschichtlicher Sachverhalt der Vergangenheit bewußt gemacht wird, geht es - wie Käte Hamburger nachgewiesen hat - beim fiktionalen Erzählen nicht um Vergangenes. Durch die Fiktionalisierung wird hier die temporale Bedeutung des Präteritums aufgehoben; was evoziert wird, ist die Teilnahme des Lesers am Jetzt und Hier der fiktiven Personen.[3]

Das Erzählen ist gleichermaßen in Literatur und Geschichtsschreibung in eine Dauerkrise geraten. Vielleicht gerade weil es so schwierig ist, sich seiner Formen zu entledigen, wird ständig der Aufstand gegen das Erzählen geprobt. Noch größer als bei den Schriftstellern ist das Unbehagen am Erzählen bei den Geschichtswissenschaftlern. Hier wird als "offenes Problem" herausgestellt, daß die Historiographie sich noch "narrativer Deutungsschemata aus der Literatur des 19. Jahrhunderts" bediene. Es wird gefragt, warum die zeitgenössische Geschichtsschreibung "die strukturellen Veränderungen der Erzählschemata des fiktionalen Erzählens vom 19. ins 20. Jahrhundert" in ihrer wissenschaftsspezifischen Narration nicht mitvollzogen habe.[4] Der Ruf nach einer Virginia Wolfe, einem Joyce, Döblin oder Broch der Historiographie wird aber ganz vergeblich erklingen. Bewußtseinsstrom und erlebte Rede sind nämlich Techniken, die nur in fiktionalen, auf die inneren Erlebnisse der Figuren abgestellten Erzählungen möglich sind. Dem Historiker bleibt nichts anderes übrig, als Erzählverfahren zu wählen, die sich auf die Beschreibung äußerer Vorgänge beschränken. Während sich fiktionale Erzählverfahren relativ gefahrlos anderen Diskursformen - etwa der Historiographie oder der Philosophie - nähern dürfen, wird ein Historiker nur um den Preis der Aufgabe seiner wissenschaftlichen Grundsätze moderne literarische Erzähltechniken imitieren können. Dazu in der Folge noch im einzelnen mehr. Hiermit habe ich aber nur ein Nebenthema der Erzählkrise in der Geschichtsschreibung angesprochen. Auf dem Hauptschauplatz des Kampfes um eine zeitgemäße Historiographie wird mit zwei schweren Geschützen gegen die Bastion 'Erzählen' gefeuert, nämlich mit 'Beschreiben' und 'Erklären'. Beschreiben ist - um im Bilde zu bleiben - gleichsam die 'Dicke Berta', die gegen das Erzählen ins Feld geführt wird. "Die Geschichtsschreibung" müsse sich, so wird gefordert, "zunehmend ihres erzählenden Charakters entledigen"; narrative Historiographie habe "in Beschreibung überführt" zu werden, "wenn eine neue Historie unserer Erfahrung von Geschichte als anonymem Prozeß, als Folge von Zuständen und Veränderungen von Systemen gerecht werden soll".[5] Die narrative Ereignisgeschichte des Historismus sei davon ausgegangen, daß Individuen Geschichte machten. Mit dieser Rankeschen Stilisierung bekäme man aber den Ablauf sozialer Prozesse nicht in den Griff; Prozesse und Strukturen könnten nicht erzählt, sondern nur konzeptualisierend beschrieben werden. Die neue 'histoire structurale' löse die alte 'histoire événementielle' ab. Besonders die 'nouvelle histoire' französischer Historiker mit ihrer Betonung von Diskontinuitäten, mit ihren synchronen Querschnittanalysen, mit ihrer Beschreibung von Langzeitstrukturen, mit ihren generalisierenden, typologisierenden und quantifizierenden Verfahren haben das alte Paradigma der erzählenden Ereignis-Geschichtsschreibung in eine apologetische Position gedrängt.[6] Erzählende Ereignisgeschichte und beschreibende Strukturgeschichte schließen sich nach Auffassung einiger Historiker aber nicht aus. Zwar wird konzediert, daß die Ereignisgeschichte nicht mehr im Mittelpunkt historiographischer Arbeit stehe, daß sie nicht mehr das evidente Rückgrat historischer Darstellungen bilde,[7] aber sie wird als Möglichkeit neben der Prozeß- und Strukturgeschichte gelten gelassen. Andere Geschichtswissenschaftler wiederum wollen von einer strikten Trennung der beiden Verfahrensweisen nichts wissen. "Der

Prozeßcharakter der neuzeitlichen Geschichte", so wird argumentiert, sei "gar nicht anders erfaßbar, als durch die wechselseitige Erklärung von Ereignissen durch Strukturen und umgekehrt. (...) Erzählung und Beschreibung verzahnen sich, wobei das Ereignis zur Voraussetzung strukturaler Aussagen wird". Zwar sei es richtig, daß Strukturen eher durch Beschreiben und Ereignisse mehr durchs Erzählen zugänglich würden, doch lasse sich in der Praxis eine Grenze zwischen Erzählung und Beschreibung nicht einhalten.[8] Die Komplementarität von strukturaler Beschreibung und narrativer Aussage wird zunehmend betont.[9] Die Verfechter der Beschreibungsverfahren werfen den Geschichtenerzählern unter den Historikern gerne ihr Theoriedefizit vor. Der Historiograph habe nicht nur zu erzählen, sondern auch zu erklären, und dies sei nur möglich durch eine theoretische Erfassung der Realitäten, wie sie in den Sozialwissenschaften längst praktiziert werde. Gegen den Vorwurf des Theoriedefizits verwahren sich die Vertreter eines narrativen Geschichtsmodells mit Vehemenz. Aus ihrer zunächst defensiven Haltung sind sie zum Angriff übergegangen. Ihr prominentester Sprecher ist Arthur C. Danto. Er vertritt die Meinung, daß Erzählen unabdingbar für Beschreibung und Erklärung sei, daß die Form der Erzählung zugleich eine Form der Erklärung bilde: Die narrative Form gehe immer schon erklärend über das Gegebene hinaus und verwende grundsätzlich übergreifende Konzepte.[10] Dantos Thesen fanden Zustimmung. Auch andere Historiker vertreten die Meinung, daß Erzählen zur logischen Struktur der Geschichte gehöre, und daß daher "die Momente des Beschreibens und Erklärens eine dem Erzählschema untergeordnete Funktion" besäßen.[11] Zudem wird festgehalten, daß das historische Erzählen eine besondere Form der Erklärung sei, die auf keine andere Weise - etwa sozialwissenschaftlich - geleistet werden könne. Nur durch Erzählen sei es möglich, geschichtliche Vorgänge als "Prozesse der Systemindividualisierung"[12] präsent zu machen. Es kann festgestellt werden, daß sich - gegen alle Angriffe von seiten der Beschreibungs- und Erklärungsfront - die These durchsetzt, daß "Erzählung für Geschichte unverzichtbar" ist.[13]

Ist aber das Erzählen auch für den Roman unverzichtbar? Die Krise des Erzählens ist ebenso symptomatisch im Bereich des Fiktionalen wie in dem der Historiographie. Die Absage von Romanciers ans Erzählen verschreckte in den fünfziger Jahren so manchen Germanisten. "Der Tod des Erzählers ist der Tod des Romans", hieß es in einem der prominenteren literaturwissenschaftlichen Berichte zur Lage der Fiktion, einem Bericht, der sich wie eine Mischung aus Zusammenbruchs-Diagnose und Totenklage las. "Das ganze Gefüge der Romanform aber gerät ins Wanken, wenn solche Formen wie 'Handlung' oder 'Geschichte' oder 'Strukturgesetz von Räumlichkeiten' als ungültige Konventionen hingestellt werden",[14] hieß es dort. Für jenen Romantypus, aus dem der Erzähler verschwunden war, wurde - in Anlehnung an Gottfried Benns Poetik - die Gattungsbezeichnung "Roman des Phänotyp" bzw. "Roman nach Innen" geprägt,[15] womit die Tendenz zur Handlungs- und Figurenlosigkeit angedeutet wurde. Welt und Geschehen sind hier verbannt; bezeichnend ist die Reduktion auf das Ich, das isolierte Subjekt: das Ich erzählt nur noch sich selbst. In Rilkes 'Malte' heißt es bezeichnenderweise: "Daß man erzählte, wirklich erzählte, das muß vor meiner Zeit gewesen sein. Ich habe nie jemanden erzählen hören".[16] Die an Romanen von Virginia Wolfe, Benn, Carl Einstein und Rilke gewonnene ästhetische Bestimmung des phänotypischen Romans trifft auch auf Erzählwerke von Gegenwartsautoren zu; man denke an Botho Strauß' 'Die Widmung' (1977). Im Roman der Avantgarde (Joyce, Gide, Döblin, Musil, Broch) wurde Narration durch Montage-Techniken und kognitive Darstellungsmittel, durch Reflexion, Essayistik entweder ergänzt oder abgelöst; es ging hier weniger um Geschehniserzählung, Handlungsaktivität und Mimesis als um Ideenbewegung und Erkenntnisleistung. Auch bei Peter Handke liegt seit der 'Langsamen Heimkehr' (1979) der Schwerpunkt nicht auf einer berichteten Fabel, sondern auf dargestellten Ideen. Bereits in einer früheren Phase hatte er sich den Einflüssen des 'nouveau roman' mit dessen anti-narrativen Tendenzen geöffnet. Die traditionelle Romankonzeption mit Erzählung und Handlung ist aber keineswegs so brüchig wie oft vermutet, und der Totenschein wurde ihr zu früh ausgestellt. Robbe-Grillets These, daß das Erzählen eigentlich unmöglich geworden sei, hat sich nicht bewahrheitet. Gerade die renommiertesten deutschsprachigen Romanciers der Nachkriegszeit (wie Böll, Walser, Grass, Neutsch, Kant und Wolf) halten sich an die bewährten überlieferten Erzählmodelle. Wenn Michael Scharang 1970 einen Erzählband mit dem Titel 'Schluß mit dem Erzählen' vorlegt, so wird hier die ganze Paradoxie erzählerischer Selbstaufhebungsversuche deutlich. Fest steht, daß man einen rein narrativen Roman schreiben kann; die durchgängig nicht-narrative epische Dichtung aber gibt es nicht. Wie in der Historiographie kommt man offenbar auch im Roman nicht ohne Erzählen aus, und so ist es nach wie vor sinnvoll, sich auf die Wissenschaft der Erzähltechnik einzulassen.

Für das Gebiet der Romandichtung hat Franz K. Stanzel drei typische Erzählsituationen herausgearbeitet: die auktoriale, die personale und die Ich-Erzählsituation.[17] Vergleichbare, wenn auch nicht identische, Erzählsituationen gibt es auch in der Historiographie. Der auktoriale Erzähler stellt sich als Vermittler und Kommentator der Geschichte vor; besonders bekannt geworden ist dieser Erzählertypus durch die Geschichtsschreibung und Literatur des 18. Jahrhunderts. In beiden Disziplinen - sei es etwa in David Humes 'History of England' (1754 ff.) oder in Henry Fieldings 'The History of Tom Jones, a Foundling' (1749) - macht sich der auktoriale Erzähler mit (ironischen) Kommentaren bemerkbar. Während in der Geschichtsschreibung Autor und auktorialer Erzähler identisch sind, ist dies im auktorial erzählten Roman nicht der Fall. Hier ist der auktoriale Erzähler eine eigenständige fiktive Gestalt, ist wie die übrigen Figuren des Romans vom Autor geschaffen. In Stanzels Ich-Erzählsituation gehört der Erzähler zur Welt der berichteten Geschichte. Auch diese Erzählsituation gibt es gleichermaßen in der Historiographie wie im Roman. Hier liegt ebenfalls ein grundsätzlicher Unterschied in beiden Bereichen vor: Bei einem historischen Ich-Bericht - etwa im Fall einer Autobiographie - sind Autor und Ich-Erzähler identisch. Der Ich-Erzähler in einem Roman - man denke an Thomas Manns 'Doktor Faustus' (1947) oder Marcel Prousts 'A la recherche du temps perdu' (1913 ff.) - ist jedoch eine fiktionale Gestalt, die als solche leicht zu erkennen ist. Sowohl in Literatur wie Geschichte ist zwischen erinnerndem und erinnertem Ich zu unterscheiden; das Wechselspiel zwischen ihnen bestimmt in weiten Teilen den historiographischen wie den fiktionalen Ich-Bericht. Bei der dritten, der personalen Erzählsituation verzichtet der Erzähler auf Einmengungen in das Berichtete; er tritt so weit hinter das Geschilderte zurück, daß seine Anwesenheit vom Leser nicht mehr wahrgenommen wird. In diesem 'erzählerlosen' Bericht ist aber eine persona als Romanfigur vorhanden, in der sich das Geschehen spiegelt, aus deren Perspektive wir es kennenlernen. Diese Erzählsituation ist uns aus zahlreichen historiographischen Biographien bekannt. Die personale Erzählsituation findet sich häufig seit dem 19. Jahrhundert. Sie hat gleichermaßen mit den historistischen und später positivistischen Tendenzen in der Historiographie wie mit dem Realismus in der Literatur jener Zeit zu tun. In beiden Fällen will man so exakt, unparteiisch und unpersönlich wie möglich die vorgeführten historischen bzw. fiktionalen Figuren aus ihren Anlagen, Voraussetzungen und Intentionen begreifen. Gustave Flauberts 'Madame Bovary' (1857) und Leopold von Rankes 'Geschichte Wallensteins' (1869) seien hier stellvertretend genannt. Die personale Erzählsituation kann im Roman allerdings viel ausgeprägter und differenzierter gestaltet werden als im Bericht des Historikers, bei dem sie unvermischt kaum vorkommt. Der Dichter kann die intimsten inneren Vorgänge der Romanfigur gestalten; der Historiker muß sich hingegen bei seiner Registrationsarbeit vornehmlich an die Beschreibung äußerer Vorgänge halten, kann - im Gegensatz zum Romancier - z. B. nicht mit der Technik des Bewußtseinsstroms arbeiten. Gipfelpunkte hat die Entwicklung des personalen Romans in Werken wie James Joyce' 'Ulysses' (1922) und Hermann Brochs 'Der Tod des Vergil' (1945) erreicht. Eine Theorie des Erzählens, wie Stanzel sie im Hinblick auf den Roman für die Vergleichende Literaturwissenschaft erarbeitet hat, steht für die Geschichtsschreibung noch aus.

Hayden White zieht interessante Parallelen zwischen Historiographie und Dichtung. Er bemüht sich um eine Poetik der Geschichtsschreibung, sucht die Formen historischer Darstellung zu beschreiben und sie mit literarischen Formen zu vergleichen.[18] Er geht von der Tatsache aus, daß keine Folge von Ereignissen von selbst eine Geschichte ergibt, daß der Historiker die Geschehnisse, die überlieferten Fakten in den Erzählzusammenhang einer story überführen muß. Die Beziehungen zwischen Ereignissen stellen sich nicht von selbst her; sie sind Ergebnis der Reflexion des Historikers. White ist nicht der einzige, der gesehen hat, daß Verwandtschaften zwischen historiographischem und fiktionalem Erzählen bestehen,[19] aber er hat als erster systematisch versucht, den fiktionalen Anteil und seine formalen Äußerungen in der Geschichtsschreibung nachzuweisen. Bei der Definition von Erzählsituationen unterscheidet er in Anlehnung an Northrop Fryes Idee von den in der Geschichts- und Kulturphilosophie wirksamen Mythen[20] vier Kategorien: die tragische, die komische, die romantische und die ironische. Je nach Ideologie und Einstellung des Historikers würde eine dieser 'literarischen' Erzählweisen gewählt, um aus den res gestae die historia rerum gestarum zu formen. Die Verwandlung des quellenmäßig gegebenen Materials in eine story tragischen, komischen, romantischen oder ironischen Charakters bezeichnet White als literarischen, als 'fiktionalisierenden' Vorgang.[21] Jules Michelets 'Histoire de la Révolution française' (1847 ff.) sei ein Beispiel romantischer Fiktionalisierung; Alexis de Tocqueville dagegen habe bei der Behandlung des gleichen Themas in seinem Werk 'L'Ancien Régime et la Révolution' (1856) tragische Geschichtsschreibung praktiziert. Die Hinweise Whites auf gewisse strukturelle Ähnlichkeiten zwischen Tragödien- bzw. Komödienverläufen und historischen Darstellungen sind sicher interessant, aber von einer wirklichen 'Fiktionalisierung' - dazu in der Folge mehr - kann hier nicht die Rede sein. Eher ließe sich von einem Perspektivismus sprechen. Fruchtbarer als die Typologie von White sind wohl die Erzählweisen, die Rüsen unterscheidet: die traditionale, exemplarische, kritische und genetische Erzählweise.[22] Für den Geschichtsschreiber wie für den Literarhistoriker dürfte es schwierig sein, nachzuweisen, wie sehr im einzelnen literarische Erzählweisen auf historiographische und umgekehrt abgefärbt haben. Es "verschränkten sich die Ansprüche von Historik und Poetik, das eine wirkte in das andere hinein".[23] Forderungen der Poetik beeinflußten die Historie, und umgekehrt stand zweitweise der Roman unter dem Zwang, sich als 'histoire véritable' ausgeben zu müssen. Wer wagt schon zu entscheiden, ob die narrativen Plot-Schemata der Historiker ursprünglich in einer fiktionalen Gattung beheimatet waren, oder ob die Dichtung Anleihen bei den Erzählweisen der Historiker machten. Beide Erzählformen haben ihren Ursprung im Mythos, und ihre strenge Unterscheidung ist eine relativ junge Errungenschaft. Alexander Demandt hat nachgewiesen, wie sich in den von Historikern verwendeten poetischen Metaphern Denkstrukturen spiegelten, und wie ihre Ideologien wiederum den Gebrauch ihrer rhetorischen Figuren steuerten. Er folgert: "Die Geschichte ist kein Fluß, kein Weg, kein Buch und keine Tragödie. (...) Das einzige, was man über die Geschichte an sich aussagen kann, ist, daß sie geschieht. Und damit sagt man gar nichts".[24] Auch der Metapherngebrauch bedeutet keine 'Fiktionalisierung' der Geschichte. Es gibt narrative Grundeigenheiten, die gleichermaßen für das geschichtliche wie das poetische Erzählen gelten. Ohne Handlung, Bilder, Metaphern ist Erzählen an sich nicht denkbar. In Erzählungen werden Ereignisse in Episoden mit Anfang, Mitte und Schluß verpackt, obgleich Vorgänge eigentlich nie abgeschlossen sind. Der Wunsch nach Einheit und Klarheit der Erzähllinie führt zur Selektion, zur Ausschließung von Einzelheiten. Im Erzählvorgang wird immer ein Konstrukt aufgebaut, und jeder Historiker ist sich bewußt, daß er keine unmittelbare Repräsentation der Wirklichkeit zu liefern vermag. Um auf Whites Beispiel der unterschiedlichen Darstellungsweise und Deutung der Französischen Revolution zurückzukommen: Hier handelt es sich deswegen keineswegs um Fiktionalisierung, weil ja dieser geschichtliche Vorgang nicht dargestellt wird wie "ein 'Als ob', sondern als etwas, von dem die Leser wissen, daß es sich tatsächlich ereignet hat".[25] Der 'objektive' Charakter des geschichtlichen Stoffes steht durchaus fest. Niemand wird leugnen, daß die "Übertragung der Sprache geschichtlicher Quellen in die Sprache historischer Darstellung ein grundsätzliches Problem von äußerster Schwierigkeit" ist,[26] und daß Geschichtsdarstellung ein Stück Kreativität ist - nur bleibt der qualitative Unterschied zum fiktionalen Erzählen auch bei der Anwendung literarischer Deutungsmuster und blumenreicher Metaphorik bestehen: Historisches Erzählen behandelt res factae; nicht-historisches Erzählen bezieht sich auf res fictae.[27] Während der epischen Fiktion die sogenannte "Als-Struktur"[28] zugrunde liegt und sie sich damit als Schein, als Illusion, als Nicht-Wirklichkeit erweist, bezieht sich Historiographie immer auf tatsächliches Geschehen. Käte Hamburger verdeutlicht den Unterschied am Beispiel eines historischen Berichts über Napoleon und einen Napoleon-Roman. Der Geschichtsschreiber kann Napoleon nicht "in der Subjektivität, der Ich-Originität seiner inneren Vorgänge, seiner 'Existenz'" schildern. Tut er es, so "befinden wir uns in einem Napoleonroman, in einer Fiktion".[29] Auch E. M. Forster betonte, daß ein Schriftsteller nur dann einen Roman über die Queen Victoria schreiben solle, wenn er uns mehr über die Königin berichten will als ein Historiker kann, wenn er uns ihre verborgenen psychischen Regungen und Motive zu vermitteln sucht. Dann aber wiederum werde uns eine Queen Victoria vorgestellt, die mit jener der Historiker nicht identisch sein kann.[30] Auf ähnliche Weise grenzt Ortega y Gasset die Möglichkeiten des Historikers von denen des Romanciers ab.[31] Schon einer der ersten Romantheoretiker überhaupt, Friedrich von Blanckenburg, hatte 1774 in seinem 'Versuch über den Roman' den Romancier als Schöpfer des "Inneren seiner Personen"[32] bezeichnet. Die Erzähltechniken, mit denen Autoren das Seelenleben ihrer Figuren darstellen, hat am genauesten Dorrit Cohn analysiert. Sie unterscheidet zwischen Psycho-Narration (der Erzähler berichtet über das Bewußtsein seiner Figur), zitiertem Monolog (der innere Monolog einer Figur wird direkt wiedergegeben) und der erlebten Rede (der innere Monolog einer Figur wird übergangslos in den Diskurs des Erzählers integriert).[33] Hier handelt es sich um genuin fiktionale Erzähltechniken, die in dieser Form in der Geschichtsschreibung nicht vorkommen können (oder sollten). Der qualitative Unterschied zwischen Historiographie und Roman wird deutlich, wenn Käte Hamburger definiert: "Die epische Fiktion ist der einzige erkenntnistheoretische Ort, wo die Ich-Originität (oder Subjektivität) einer dritten Person als einer dritten dargestellt werden kann".[34] So wie die Anwendung eines literarischen (etwa tragischen oder komischen) Deutungsschemas aus einer historischen Erzählung noch keine fiktionale macht, so wird aus einem historischen Roman nicht dadurch ein Stück Historiographie, daß geschichtliche Wirklichkeit ins Fiktionsfeld einbezogen wird. Käte Hamburger hat die Grenze zwischen Dichtung und Wirklichkeit, "an der es keine Übergangspunkte von der einen zur anderen Kategorie gibt", noch immer gültig definiert, wenn sie auf die unterschiedlichen Mimesis-Auffassungen in Roman und Geschichtsschreibung eingeht: Während der Historiker ein Aussagesubjekt ist, das von Personen und Dingen erzählt, während also in der Geschichtsschreibung ein Relationsverhältnis zwischen dem Erzählen und dem Erzählten besteht, sind die vom Dichter erschaffenen Romanfiguren erzählte Personen. In der Dichtung besteht also kein Relations- und Aussageverhältnis, sondern nur ein Funktionszusammenhang zwischen dem Erzählen und dem Erzählten. Die Fiktionalisierung geschilderter Personen besteht nach Hamburger darin, daß die Figuren hier nicht als Objekte, sondern als Subjekte, d.h. als "Ich-Origines" geschildert werden.[35] Auch Arthur C. Danto betont diesen Unterschied, wenn er hervorhebt, daß die Erklärungen des Historikers in der Geschichte stehen, daß sie derselben temporalen Reihenfolge wie die Ereignisse angehören, durch die sie bewahrheitet werden. Gerade dies gilt für die Romanliteratur nicht.[36] Damit wird nicht die Richtigkeit von Whites Feststellung geleugnet, daß sich ein Element des Historischen in aller Dichtung, und ein Element des Poetischen in jeder Geschichtsschreibung findet.[37] Um die Zusammenhänge der beiden Bereiche besser beschreiben zu können, ist neuerdings ein Dreistufen-Modell des Erzählens vorgeführt worden. Darin wird unterschieden zwischen nicht-fiktivem Erzählen, das sich ausschließlich auf den Erfahrungsraum der Alltagswelt des Lesers bezieht; schematischem Erzählen, das die Alltagsrealität benutzt, um fiktionale Ereignisse zu berichten (etwa im Detektivroman oder in der Trivialliteratur) und der poetischen Fiktion, die im Bereich des Möglichen jenseits empirischer Überprüfbarkeit angesiedelt ist.[38] Dabei verläuft nach wie vor die Trennungslinie zwischen historischem und fiktionalem Erzählen zwischen der ersten Stufe und den beiden letzten Stufen.

Im Bereich der Erzählforschung lassen sich die Grenzlinien zwischen Literatur und Geschichte noch relativ klar ausmachen. Schwieriger wird es, wenn wir Historiographie und Roman auf ihre Funktionen hin befragen.

II.

"Historia vero testis temporum, lux veritas, vita memoriae, magistra vitae, nuntia vetustatis" - diese klassische Funktionsbestimmung der Geschichtsschreibung durch Cicero[39] gilt - mit einigen Abstrichen und Einschränkungen - auch heute noch. Die aktuellen Formulierungen lauten anspruchsloser, aber mit Begriffen wie Wahrheitsorientierung, Sinnbildung, Identitätsstiftung und Erinnerungsleistung ist die Funktion der Historiographie so sehr anders als bei Cicero nicht bestimmt. Nur dem Postulat "magistra vitae" gegenüber sind wir skeptischer geworden. Im vorigen Jahrhundert war Johann Gustav Droysen noch davon überzeugt, daß man in der Gegenwart politisch klug handeln lerne, wenn man eine Perspektive über die Vergangenheit gewonnen habe. Heute findet die Exempla-These nur noch wenig Anklang und vielleicht zeugt es von allzu großer, von geradezu Montaignescher Skepsis, wenn resigniert festgestellt wird, daß aus der Geschichte "eben nur Geschichte" zu lernen sei.[40] Analog ließe sich argumentieren, daß man aus Literatur halt nur Literatur lerne. Wie die Historiographie ist aber auch der Roman an Wahrheitssuche, Sinnbildung, Identitätsstiftung und Erinnerungsleistung beteiligt. Auf diese Qualitäten seien Literatur und Geschichte hin befragt. Zunächst zum Wahrheitspostulat.

"Insofern die Historie auf Erkenntnis und Wahrheit ausgeht, nähert sie sich der Wissenschaft, insofern sie aber auch Darstellung und Sage ist, steht sie in Beziehung auf die Kunst", schrieb Friedrich Schlegel in seiner Einleitung zur "Geschichte der europäischen Literatur".[41] Hier ist das Janusköpfige der Historiographie auf eine prägnante Formel gebracht. Kein Geschichtsschreiber wird so vermessen sein, anzunehmen, daß sein Bericht die ganze 'Wahrheit' eines historischen Vorfalls aufdecken könne. Auch der Historismus eines Ranke war von solcher Hybris weit entfernt. Rankes Absicht zu zeigen, "wie es eigentlich gewesen"[42] ist oft mißverstanden worden. Er wollte sich lediglich von der 'uneigentlichen' Darstellungsweise der Geschichte abgrenzen, wie sie im seinerzeit populären historischen Roman vorgenommen wurde.[43] Was die Geschichtsforschung mit Recht beanspruchen kann, ist ihre Aussagen insofern als 'wahrheitsgemäß' zu bezeichnen, als sie auf 'wissenschaftlichem' Weg, d.h. prüfbar zustande gekommen sind. Sie sind deshalb prüfbar, weil ihre Widerlegung möglich ist: "Die Wahrheitsfähigkeit der erzählenden Aussagen der Geschichtsschreibung basiert auf deren Falsifizierbarkeit".[44] In dieser Hinsicht ist ein größerer Unterschied als der zur Dichtung kaum denkbar. Romanaussagen als von vornherein fiktionale sind nicht 'falsifizierbar'. Während der Romanschriftsteller sich ein Bild der Vergangenheit mit Phantasie ersinnen kann, ist dem Historiker die Quellenkontrolle auferlegt. Sie schreibt ihm vor, was nicht gesagt werden darf. Die 'Wahrheit' einer poetischen Aussage kommt nicht dadurch zustande, daß Dichtung den Prinzipien der Historiographie zu entsprechen versucht. Wahrheitsfähigkeit und Wahrhaftigkeit sind auf unterschiedliche Weise in beiden Erzählarten zu finden. Die Wahrheitsabsicht ist in Literatur und Geschichtsschreibung gleichermaßen gegeben, nur zielt sie in verschiedene Richtungen. Der Historiograph strebt eine möglichst genaue Erfassung und Darstellung tatsächlichen geschichtlichen Geschehens der Vergangenheit an; dieser Ehrgeiz liegt dem Romancier fern.[45] Im Gegenteil, nicht der Bereich des Faktischen, sondern des Möglichen ist sein Feld. Das wußte schon Aristoteles, der - im Gegenzug zu Platons vernichtender Kritik an ihr - die Dichtung als "philosophischer und bedeutender als die Geschichtsschreibung" bezeichnete. Denn, so fährt er fort, "die Dichtung redet eher vom Allgemeinen, die Geschichtsschreibung vom Besonderen".[46] Und da die Literatur vom Allgemeinen berichte, sei sie auch zeitüberdauernder, von längerer Gültigkeit als die Historiographie. Die These von der Widerständigkeit des Kunstwerks gegenüber der Zeitverfallenheit des faktischen Geschehens ist seit Aristoteles oft wiederholt worden. Sie liegt auch den Auffassungen von Adorno und Roland Barthes zugrunde. Nach Adorno ist die Kunst als schöpferische, nicht entfremdete Arbeit in ihrer Autonomie die letzte Rückzugsmöglichkeit der Freiheit; sie alleine könne enthüllen, was in der Realität verdeckt ist, nur sie könne Ideologie und Lüge zerstören. Durch die gestaltete Negation der Wirklichkeit sei die Kunst darüber hinaus in der Lage, die Widersprüche zu versöhnen, einen Traum von Glück hervorzubringen. Der Romancier, der sagen wolle, "wie es wirklich" in der

Gesellschaft zugehe, muß nach Adorno "auf einen Realismus verzichten, der, indem er die Fassade reproduziert, nur dieser bei ihrem Täuschungsgeschäfte hilft".[47] Was Adorno als ideologischen Verblendungszusamenhang kritisierte, kommt dem sehr nahe, was Roland Barthes unter der Mythisierung des Alltags versteht. Barthes zufolge ist unsere Alltagswelt mit anonym produzierten Mythen durchsetzt und erfüllt, die sich als naturhaft, naturwüchsig maskieren. Wie bei Adorno ist es bei Barthes die dichterische Sprache, die in ihrer Authentizität den direkten Kontakt zur Realität behalten hat, die der Mystifizierung entgeht. Dichtung wird hier als Gegenteil und Opposition zum Alltagsmythos definiert. Die Geschichtsschreibung dagegen trägt nach Barthes zur Mythisierung und Verfälschung der Wirklichkeit bei.[48] Im Gegensatz zu Aristoteles ist es bei Adorno und Barthes nicht die Historiographie, die beschreibt, was 'wirklich' ist, sondern die Dichtung.

Das Thema der Dialektik von historiographischer Wahrheit und poetischer Fiktion bzw. dichterischer Wahrhaftigkeit und ideologisierender Geschichtsschreibung ist unendlich variierbar. Mario Vargas Llosa ist der Meinung, daß Literatur und Geschichte zwei unterschiedliche Wahrheitsauffassungen zugrunde liegen. Vom Standpunkt des Historikers aus betrachtet, verbreite der Romancier 'Lügen', denn ihre Phantasieprodukte korrespondierten nicht tatsächlichen Ereignissen. Aber diese 'Lügen' decken nach Vargas Llosa fundamentale Wahrheiten auf. Durch Dichtung würden die Träume einer Generation, einer Klasse oder einer Nation artikuliert, Träume vom besseren Leben, welche die Insuffizienzen der Gesellschaft erkennbar machten (die Nähe zu Ernst Bloch ist unverkennbar). Die nachvollziehende Teilhabe an diesen Träumen durch das lesende Publikum mache dessen Leben erträglicher. Zudem erhalte der Leser durch die Romane die Chance, an vielerlei Leben, die er selbst gerne leben möchte, teilzunehmen: Der Roman sei Ausdruck eines Protests, einer Rebellion gegen die Tatsache, daß es dem Menschen nur vergönnt sei, ein einziges Leben mit begrenzter Erfüllung von Möglichkeiten zu führen. Schon immer hätten autoritäre Regierungen den Romanen und ihren Verfassern mißtraut. Wem es um die völlige Kontrolle der Gesellschaft geht, der wird ein Medium, das sich durch Protest und den Hinweis auf Potentielles auszeichnet, zu eliminieren oder zu zensieren versuchen. So verboten die spanischen Inquisitoren die Ausfuhr von Romanen in die latein-amerikanischen Kolonien, ein Verbot, das bis 1816 eingehalten wurde.[49]

Die Erschließung von Möglichem, von Potentiellem, steht im Mittelpunkt der Ästhetik des modernistischen bzw. avantgardistischen Romans unseres ersten Jahrhundertdrittels. Die modernistische Literatur will sich absetzen vom mimetisch-realistischen Dichtungsprinzip, das in der zweiten Hälfte des 19. Jahrhunderts vorherrschte. Robert Musil z.B. spielt im Mann ohne Eigenschaften (1930) verschiedene Utopien durch und findet zur Kategorie der 'Möglichkeit', die er historistischer Geschichtsgläubigkeit entgegensetzt. Der junge Elias Canetti suchte die Tendenzen einer 'zunehmenen Wirklichkeit', einer 'Wirklichkeit des Kommenden' herauszuarbeiten, und ihm gelang in der 'Blendung' (1936) ein Blick in die bedrohliche Potentialität der folgenden Jahrzehnte. Auch Anna Seghers lag nichts an einem schematischen Realismus im Sinne der Widerspiegelungstheorie; ihr ging es ebenfalls um Potentielles. Das Prinzip ihrer Ästhetik faßte sie zusammen: "Wenn man schreibt, muß man so schreiben, daß man hinter der Verzweiflung die Möglichkeit und hinter dem Untergang den Ausweg spürt".[50] Die Fortwirkungen des Möglichkeitsprinzips in der Literatur der Gegenwart sind nicht zu übersehen. Bei Autoren bzw. Autorinnen wie Max Frisch, Ingeborg Bachmann, Thomas Bernhard, Dieter Kühn, Christa Wolf und Peter Handke ist das Konzept eines Widerspiels von Wirklichkeit und Möglichkeit zum wichtigen Bestandteil ihrer jeweiligen Werkstatt-Poetiken geworden.

Prüft man das Wahrheitspostulat in Literatur und Geschichtsschreibung, kommt man nicht an einer Untersuchung der Prämissen herum, von denen historisches wie romanhaftes Erzählen ausgeht. Beim traditionellen Erzählen läßt der Romancier sich wie der Historiograph von Totalitätsvorstellungen leiten, wie wir sie u.a. einerseits aus der Ästhetik von Hegel bis Lukács und andererseits aus der substantialistischen Geschichtsphilosophie von Hegel und Marx kennen. In beiden Fällen wird versucht, Ereignisse so zu sehen, daß sie im Kontext eines Ganzen Sinn ergeben. Dabei sind geschichtliches und künstlerisches Ganzes strukturell identisch. Danto hat die substantialistische Geschichtsphilosophie mit ihren universalhistorischen Vorstellungen einer teleologischen Entwicklungskontinuität als überholt kritisiert. In ihr werde nämlich so getan, als wisse man um einen 'göttlichen Plan' der Geschichte, als könne man aus der Perspektive der Zukunft Gegenwart und Vergangenheit deuten. Die erklärende, spekulative, letzlich geschichtstheologische substantialistische Geschichtsphilosophie will

Danto durch eine analytische, d.h. beschreibende und koordinierende Geschichtstheorie abgelöst sehen. Dabei geht der Blick nicht von einem postulierten zukünftigen Telos zurück in Gegenwart und Vergangenheit, sondern von der Vergangenheit aus zur Gegenwart, wobei über die Zukunft nichts Definitives gesagt werden kann.[51] Das antike, von Nietzsche erneut beschworene Vertrauen in die geschichtliche Immergleichheit ist ebenso in Frage gestellt wie christliche oder marxistische Überzeugungen von der eschatologischen bzw. utopischen Gerichtetheit der Geschichte. Derlei Vorstellungen gaben ehedem das Gerüst für historische Kontinuitätsvorstellungen ab. Auf diese Raster verzichtet der heutige Historiker, und dabei ist er vor die Wahl gestellt, Kontinuitätsvorstellungen überhaupt aufzugeben, oder aber sie aus der Tradition der Historiographie zu übernehmen bzw. durch eigene Induktionen neu zu entwickeln. Die Geschichtswissenschaftler sind sich des heuristischen Charakters von Kontinuitätsvorstellungen bewußt, verstehen sie als 'regulative Ideen' bei der Erfahrungsdeutung im Vollzug historischen Erzählens.[52] Momentan ist das Augenmerk mehr auf Diskontinuität als auf Kontinuität gerichtet. Michel Foucault diagnostiziert - nicht als erster und nicht als einziger - zwei große Diskontinuitäten in der abendländischen Kultur und ihrer Geschichtsschreibung: jene am Beginn der Moderne mit ihrer Doppelrevolution von Reformation und neuer Wissenschaft im 16. und 17. Jahrhundert (siehe dazu auch Benjamin Nelson[53]) und jene am Anfang des Modernismus im frühen 19. Jahrhundert. Beide Zeitphasen können als Schwellenepochen bezeichnet werden. Die heutige Geschichtstheorie scheint sich dadurch auszuzeichnen, daß sie in immer neuen Ansätzen aus dem Kontinuitätsdenken vorhergehender Epochen ausbricht. Während früher die Diskontinuität dasjenige war, "was durch die Analyse umgangen, reduziert und ausgelöscht werden mußte, damit die Kontinuität der Ereignisse" gewahrt blieb, ist Diskontinuität "jetzt eines der grundlegenden Elemente historischer Analyse geworden".[54] Foucault bemüht sich um eine Theorie der Diskontinuität, welche die Begriffe "der Schwelle, der Veränderung, der unabhängigen Systeme, der begrenzten Serien" umgreift.[55]

Eberhard Lämmert beobachtete richtig, daß "die Frage nach einem einheitsstiftenden Prinzip in der Geschichtsschreibung wie in der Dichtung (...) erst aufgeworfen werden kann, wenn über den geschichtstranszendenten Zweck der Erzählung keine Sicherheit mehr besteht".[56] In der zeitgenössischen Geschichtsschreibung glaubt man nicht an lenkende Ideen und Kräfte der Historie wie im 19. Jahrhundert, und in der Dichtung sind frühromantische Vorstellungen von der Poesie als der Bewegerin der Geschichte längst verabschiedet worden. Das Aufgeben von Kontinuitäts- und Ganzheitsvorstellungen hat auch in der Romanliteratur Konsequenzen gehabt. Die Idee vom 'abgeschlossenen' Kunstwerk, das mit Hilfe typischer Figuren Totalität vermitteln könne, ist tot. Was sich durchsetzt ist der 'offene' Roman, wie er in seiner Unabschließbarkeit etwa mit Musils 'Mann ohne Eigenschaften' vorliegt. Georg Lukács hatte in seiner 'Theorie des Romans' (1916) der Überzeugung Ausdruck verliehen, daß der moderne Romancier den Historiker überbieten könne, indem er nach dem Verlust von Sinn- und Seinstotalität den nurmehr partikularen Einsichten in den Geschichtsverlauf die Bemühung um eine neue einheitliche Kosmologie entgegensetze. Der moderne Roman spielt aber im Gegenteil als Erkenntnisinstrument gerade deshalb eine so große Rolle, weil Systemkonzepte unglaubwürdig geworden sind: Nicht die neue Seinskosmologie, sondern eine Sicht von der Disparatheit des Seienden, von der Mannigfaltigkeit des überhaupt Möglichen vermag dieses Medium zu leisten. Es gibt zwar avantgardistische Schriftsteller wie Hermann Broch, die in ihrer Romantheorie[57] den neuen Mythos zum Wunschziel erklären, aber er tut es mit einer solchen Skepsis, daß er in seiner literarischen Praxis dieses Ziel nur äußerst vorsichtig angeht, ja - so mit der Romantrilogie 'Die Schlafwandler' (1930-1932) - ein Buch vorlegt, das als Satire auf Lukács' 'Theorie des Romans' gelesen werden kann. Musils 'Mann ohne Eigenschaften', Brochs 'Schlafwandler' und Heißenbüttels 'D' Alemberts Ende' (1970) sind "allesamt Konsequenzen aus der Aporie, die Geschichte des Zeitalters im Roman noch totalisieren zu sollen, ohne daß irgend etwas mehr unbegründet erzählt werden kann".[58]

Zur Funktion von Historiographie und Roman gehören neben der Wahrheitsfindung auch Sinnbildung, Erinnerung und Identitätsstiftung. Sinnbildung "ist etwas, was diesseits der Unterscheidung zwischen Faktizität und Fiktionalität des Erzählens liegt".[59] An Sinnbildung sind Historiographie und Roman gleichermaßen beteiligt. Sinnbildung ist weit davon entfernt, Sinnstiftung zu sein. Sicher gibt und gab es Geschichtsschreiber und Romanciers, die sich mit prophetischer Attitüde zu ideologischen Sinngebern erklären (aus der Geschichte des Nationalismus im 19. und 20. Jahrhundert etwa ließen sich zahlreiche Beispiele anführen); dem modernen Roman sowie der kritischen Geschichtsschreibung liegen solche ehrgeizigen Ziele fern. Als Postulat bleibt beiden allerdings die Aufgabe, Sinnzusammenhänge aufzudecken; darin liegt ihre Erkenntnisleistung. Entziehen sie sich dieser Forderung, wird einer Ideologisierung und Irrationalisierung Tür und Tor geöffnet. Für beide Bereiche gilt, daß Erzählen "eine Sprachhandlung" ist, durch die - mit unterschiedlichen Mitteln - "über Zeiterfahrungen Sinn gebildet wird".[60] Die Sinnbildung geschieht beim historischen Erzählen ausschließlich durch Erinnerung. Romanhaftes Erzählen läßt sich zwar nicht auf Erinnerung reduzieren, aber auch hier spielt sie eine entscheidende Rolle. Das wird besonders deutlich in jenen Fällen, wenn die Historiker - sei es aus Ignoranz, moralischer Gleichgültigkeit oder aus Zensurgründen - es unterlassen, bestimmte Bereiche historischer Erfahrung erinnernd zu vergegenwärtigen. Dann ist es oft der Romancier, der diese Aufgabe übernimmt. Erinnert sei an die fünfziger Jahre in der Bundesrepublik Deutschland. Statt Trauer war Verdrängungsarbeit im Hinblick auf die nationalsozialistische Vergangenheit vorherrschend. Es war ein Roman, mit dem das Tabu gebrochen wurde, mit der 'Blechtrommel' (1959) von Günter Grass. Die Mittel, die Grass anwandte, um die Hitlerzeit zur Sprache zu bringen, waren durchaus nicht die des Historiographen, nicht einmal die des realistischen Schriftstellers. Mit seinem phantastische Züge aufweisenden Roman übernahm Grass die Aufgaben der Historiker, an die historischen Vorgänge in der jüngsten Vergangenheit zu erinnern. Bald schlossen sich Hochhuth, Kipphardt und Weiss der Aufarbeitung der verdrängten Schreckensjahre an. Nach diesem literarischen Durchbruch folgten auch die historiographischen Darstellungen der Zeitgeschichtler. George Steiner hat eine Reihe weiterer Beispiele für diese Funktion des "Writer as Remembrencer"[61] angeführt. Sie beziehen sich besonders auf Fälle bewußter Geschichtsverfälschung durch Historiker.

Dichter und Historiker sind an der Identitätsbildung einer Generation, einer Nation, eines Kulturkreises und letztlich der Menschheit beteiligt. Seit Aufklärung und Säkularisation kommen (anstelle der Religion) Geschichtsschreibung und Dichtung in immer stärkerem Maß die Funktion der Identitätsbildung zu. Gegenwartserfahrungen werden durch Erinnerungsarbeit mit kohärenten Perspektiven versehen, die dem Leser eine Orientierung für die Zukunft vermitteln. Indem immer erneut Erfahrungen der Gegenwart mit jenen der Vergangenheit in Beziehung gesetzt werden, können erstarrte Identitätsmuster ideologiekritisch aufgelöst werden. Sowohl die Faktizitätsorientierung der Geschichtsschreiber als auch das Potentialitäts-Interesse der Romanciers sind an der Identitätsbildung beteiligt. Durch Erinnerung wird ein historisches und literarisches Deutungspotential aktiviert, das mit dem Aufweis von tatsächlichen Grenzen und dem Hinweis auf nicht erprobte Potenzen Identitätsbildung ermöglicht. Geschichtliches und literarisches Bewußtsein sind komplexe Zusammenhänge von Erinnerung an die Vergangenheit, Deutung der Gegenwart und Erwartung der Zukunft, Zusammenhänge, in denen die Erinnerung die Voraussetzung von Deutung und Erwartung ist. Identitätsbildung heißt, sich mit Geschichten identifizieren. Besteht hier eine Identifikationsunsicherheit, ist der Fall einer Identitätskrise gegeben. In dieser Krise kann die Gesellschaft stärker an historischer Erinnerung interessiert sein (was im Europa des 19. Jahrhunderts der Fall war) oder mehr nach fiktionaler Identitätsbildung verlangen (wie es derzeit in den lateinamerikanischen Ländern zu beobachten ist). Je geringer die Bindung an die historische Vergangenheit ist, je suspekter sie erscheint, desto stärker wird der Wunsch nach fiktionalen Identitätsmustern sein. Durch Identitätsbildung sind Geschichtsschreibung und Dichtung Teil der Integrationsleistung in sozialen Einheiten.

Erinnerung spielt in der Dichtung und in der Historiographie auch in einem weniger konkreten, in einem quasi mystischen Sinn eine Rolle. Erst die Erinnerung verwandelt die neutrale, naturhafte, sozusagen statische Zeit in eine menschliche mit den Dimensionen humaner Zeiterfahrung von vergangenem, gegenwärtigem und zukünftigem Leben. In diesem Sinne bedeutet Erinnerung die Aufhebung naturaler in humane Zeit. Volker Klotz hat vom "Ent-töten" des Erzählens qua Erinnerungsleistung gesprochen, davon, daß Erzählen letztlich der Versuch sei, den Tod zu überwinden (versinnbildlicht in der Erzählsituation der Scheherezade aus 'Tausendundeiner Nacht').[62] Der Tod lauert an jener sich permanent verschiebenden Zeitgrenze, an der die Zukunft zur Gegenwart wird, und an der die Gegenwart in Vergangenheit umschlägt. Je weiter unser Bewußtsein von diesem Punkt aus zurück in die Vergangenheit mittels historischer Erinnerung und vorwärts in die Zukunft qua poetischer Imagination reicht, je mehr wir vom wirklich erfahrenen und potentiell zu erfahrenden Leben wissen, desto kleiner ist in unserem Bewußtsein der Herrschaftsbereich des im Augenblick drohenden Todes, ein Thema, das dichterisch in Hermann Brochs Roman 'Der Tod des Vergil' (1945) gestaltet worden ist.

III.

Nachdem wir Roman und Geschichtsschreibung miteinander verglichen haben, sei abschließend die Frage gestellt, ob sich literarische und historische Reihen nicht auch auf anderen Ebenen parallelisieren lassen. Ist es nicht legitim und sinnvoll, das Kunstwerk selbst als historisches Ereignis zu behandeln, über das historiographisch genau so gut berichtet werden kann wie über ein Ereignis aus der politischen oder sozialen Geschichte? Läßt sich dem Erscheinen eines Buches die gleiche Qualität beimessen wie einem politischen Ereignis? Jauss stellt die Gemeinsamkeit von literarischem Werk und historischem Ereignis heraus, wenn er betont, daß beide keinen unveränderlich objektiven Sinn besitzen, sondern einen Horizont möglicher Bedeutung, einen Horizont, dessen Bedeutungspotential durch die Auffassung späterer Betrachter oder Handelnder verschieden konkretisiert werden könne. Der Historiker schreibt geschichtliche Vorgänge um, sobald er spätere Folgeentwicklungen übersieht; und die unterschiedlichen Rezeptionen literarischer Werke hängen ebenfalls von jeweils neuen literarischen und sozialgeschichtlichen Voraussetzungen ab.[63] Historisches Ereignis und Kunstwerk sind also - weil interpretationsabhängig - bedeutungsoffen. Weiter läßt sich die Analogie nicht treiben. Während ein Kunstwerk nur durch immer erneute Rezeption lebt, während man sich seinem Einfluß aussetzen oder entziehen kann, wirken politische Geschehnisse - wie ein Kriegsbeginn oder die Wahl einer Regierung - auch dann in der Geschichte fort, wenn man sich ihrer nicht erinnern will oder wenn sie bereits vergessen wurden. Grenzfälle gibt es auch hier. Es kommen politische Ereignisse vor, die mittels wiederholter Erinnerung so wirksam sind wie durch ihr ursprüngliches Geschehen (man denke etwa an Revolutions-Jahrestage); und es gibt literarische Erscheinungen, die gleichzeitig politische Ereignisse sind, wie z.B. Arthur Koestlers 1945 veröffentlichter Zeitroman 'Le Zero et l' Infini', der einen direkten Einfluß auf die Wahlen im Nachkriegsfrankreich hatte. Letztlich aber bleibt der Unterschied ein fundamentaler: Bei andauernder Rezeption kann das Kunstwerk gleichsam eine ständige Neugeburt erleben - ein historisches Ereignis dagegen bleibt als solches unwiederholbar und vergangen.

Noch ein Wort zur Analogie von Geschichtsschreibung und Literarhistorie. In beiden Disziplinen wird in wissenschaftlicher Prosa über politische Vorfälle bzw. literarische Erscheinungen sowie deren Zusammenhänge und Wirkungen analysierend und erzählend berichtet. Historiographie hat mit literaturwissenschaftlicher Arbeit das Sekundäre gemeinsam, die Eigenschaft, daß in ihr etwas über bereits Geschehenes referiert wird. In beiden Bereichen werden Quellen benutzt: im Fall des Geschichtsschreibers vor allem Dokumente wie Verträge, Briefe, Statistiken etc.; im Fall des Literarhistorikers in erster Linie dichterische Zeugnisse. Beiden wird ein synthetisches Vermögen abverlangt, beide versuchen Entwicklungslinien und Sinnzusammenhänge in der politisch-sozialen bzw. in der Kunstgeschichte aufzuzeigen. Überschneidungen im Aufgabenbereich gibt es in jenen Fällen, wenn Historiker literaturgeschichtliche Vorgänge in ihre Darstellungen miteinbeziehen bzw. wenn Vertreter einer Sozialgeschichte der Literatur die Wechselbeziehungen zwischen Gesellschafts- und Dichtungsgeschichte berücksichtigen.

Die literarischen und historischen Reihen lassen sich auf den verschiedensten Ebenen zueinander in Beziehung setzen: Es gibt Gemeinsamkeiten zwischen Historiographie und Literarhistorie, zwischen Geschichtsschreibung und Romandichtung sowie zwischen literarischen und geschichtlichen Ereignissen. Hier ging es uns um das Herausstellen von Ähnlichkeiten und Unterschieden zwischen Historiographie und Roman, um den Aufweis einer Interdependenz historiographischer und ästhetischer Strukturen bzw. Deutungsmuster. Die Kluft zwischen Literatur und Geschichte ist zwar vorhanden, aber sie wird durch eine Vielzahl von Gemeinsamkeiten überbrückt.

ANMERKUNGEN

1 Aristoteles, 'Poetik' (9). Übersetzung von Olof Gigon (Stuttgart: Reclam, 1961).

2 Georg Lukács, 'Die Theorie des Romans' (Neuwied und Berlin: Luchterhand, 1963), S. 22.

3 Käte Hamburger, 'Die Logik der Dichtung'. Zweite, stark ver-

änderte Auflage (Stuttgart: Klett, 1968), S. 84.

[4] Hans Michael Baumgartner, Jörn Rüsen, "Erträge der Diskussion". In: 'Erzählforschung. Ein Symposium', hrsg. v. Eberhard Lämmert (Stuttgart: Metzler, 1982), S. 695.

[5] Peter Szondi, "Für eine nicht mehr narrative Historie". In: 'Geschichte - Ereignis und Erzählung', hrsg. v. Reinhart Koselleck, Wolf-Dieter Stempel (München: Fink, 1973), S. 540, 541.

[6] Vgl. dazu die neueren theoretischen Arbeiten von Georges Duby, Paul Veyne, Jacques LeGoff und François Furet.

[7] Christian Meier, "Narrativität, Geschichte und die Sorgen des Historikers"; Arno Borst, "Das historische 'Ereignis'". In: 'Geschichte' (siehe Anm. 5), S. 580, 538.

[8] Reinhart Koselleck, "Ereignis und Struktur". In: 'Geschichte' (siehe Anm. 5), S. 565, 654, 560.

[9] Hans Robert Jauss, "Versuch einer Ehrenrettung des Ereignisbegriffs", Harald Weinrich, "Narrative Strukturen in der Geschichtsschreibung". In: 'Geschichte' (siehe Anm. 5), S. 554, 521.

[10] Arthur C. Danto, 'Analytische Philosophie der Geschichte' (Frankfurt a.M.: Suhrkamp, 1974), u.a. S. 371 ff. Vgl. dazu auch Werner Schiffer, 'Theorien der Geschichtsschreibung und ihre erzähltheoretische Relevanz' (Danto, Habermas, Baumgartner, Droysen) (Stuttgart: Metzler, 1980), S. 27 ff.

[11] H.M. Baumgartner, J. Rüsen (siehe Anm. 4), S. 697.

[12] Hermann Lübbe, "Was heißt: 'Das kann man nur historisch erklären'?". In: 'Geschichte', (siehe Anm. 5), S. 550.

[13] Siehe Anm. 11.

[14] Wolfgang Kayser, 'Entstehung und Krise des modernen Romans' (Stuttgart: Metzler, 1955), S. 34, 29.

[15] Reinhold Grimm, "Romane des Phänotyp", in: R.G., 'Strukturen. Essays zur deutschen Literatur' (Göttingen: Sachse & Pohl, 1963), S. 74-94.

[16] Rainer Maria Rilke, 'Die Aufzeichnungen des Malte Laurids Brigge' (Leipzig: Insel, 1910), S. 23.

[17] Franz K. Stanzel, 'Theorie des Erzählens' (Göttingen: Vandenhoeck & Ruprecht, 1979), S. 68 ff.

[18] Hayden White, 'Metahistory. The Historical Imagination in Nineteenth-Century Europe' (Baltimore: Johns Hopkins University Press, 1973).

[19] Vgl. Louis O. Mink, "Narrative Form as a Cognitive Instrument". In: 'The Writing of History. Literary Form and Historical Understanding' (Madison: The University of Wisconsin Press, 1978),

S. 143. Ferner auch H.M. Baumgartner, J. Rüsen (siehe Anm. 4), S. 63.

[20]Northrop Frye, 'Fables of Identity' (New York: Harcourt, Brace & World, 1963), S. 52 ff.

[21]Vgl. auch Hayden White, "The Historical Text as Literary Artifact". In: 'The Writing of History' (siehe Anm. 19), S. 47.

[22]Jörn Rüsen, "Die vier Typen des historischen Erzählens". In: 'Formen der Geschichtsschreibung', hrsg. v. Reinhart Koselleck u.a. (München: dtv, 1982), S. 536 ff.

[23]Reinhart Koselleck, "Historia Magistra Vitae. Über die Auflösung des Topos im Horizont neuzeitlich bewegter Geschichte". In: R.K., 'Vergangene Zukunft. Zur Semantik geschichtlicher Zeiten' (Frankfurt a.M.: Suhrkamp, [3]1984), S. 52.

[24]Alexander Demandt, 'Metaphern für Geschichte. Sprachbilder und Gleichnisse im historisch-politischen Denken' (München: Beck, 1978), S. 453.

[25]H.M. Baumgartner, J. Rüsen (siehe Anm. 4), S. 693.

[26]Theodor Schieder, "Die Darstellungsformen der Geschichtswissenschaft". In: Th. Sch., 'Geschichte als Wissenschaft. Eine Einführung' (München, Wien: Oldenbourg, 1965), S. 114.

[27]Jörn Rüsen (siehe Anm. 22), S. 525.

[28]Käte Hamburger (siehe Anm. 3), S. 55.

[29]Ibid., S. 73.

[30]E.M. Forster, 'Aspects of the Novel' (Harmondsworth: Penguin, 1966), S. 52-53.

[31]Ortega y Gasset, 'La deshumanización del arte. Ideas sobre la novela' (Madrid: Revista de Occidente, [2]1928), S. 120 ff.

[32]Friedrich von Blanckenburg, 'Versuch über den Roman'. Faksimiledruck (Stuttgart: Metzler, 1965), S. 264.

[33]Dorrit Cohn, 'Transparent Minds. Narrative Modes for Presenting Consciousness in Fiction' (Princeton: Princeton University Press, 1978).

[34]Käte Hamburger (siehe Anm. 3), S. 73.

[35]Ibid., S. 113, 114.

[36]Arthur C. Danto, "Erzählung, Erkenntnis und die Philosophie der Geschichte". In: 'Erzählforschung' (siehe Anm. 4), S. 658.

[37]Hayden White (siehe Anm. 21), S. 59.

[38]Johannes Anderegg, "Fiktionalität, Schematismus und Sprache der Wirklichkeit: Methodologische Überlegungen". In: 'Erzählforschung 2. Theorien, Modelle und Methoden der Narrativik', hrsg. v. Wolfgang Haubrichs (Göttingen: Vandenhoeck & Ruprecht, 1977), S. 141-160.

[39]Cicero, zitiert nach R. Koselleck (siehe Anm. 23), S. 41.
[40]R. Koselleck (siehe Anm. 23), S. 49.
[41]Friedrich Schlegel, 'Wissenschaft der europäischen Literatur', hrsg. v. Ernst Behler (Bd. 11 der Kritischen Friedrich Schlegel-Ausgabe) (München, Paderborn, Wien: Schöningh, 1958), S. 10.
[42]Leopold von Ranke, "Vorrede der ersten Ausgabe October 1824". In: L. v. R., 'Geschichten der romanischen und germanischen Völker von 1494 bis 1514' (Leipzig: Duncker & Humblot, [2]1874), S. VII.
[43]Vgl. Th. Schieder (siehe Anm. 26), S. 113.
[44]Hans-Jörg Porath, "Narratives Paradigma, Theorieproblem und historische Objektivität". In: 'Erzählforschung' (siehe Anm. 4), S. 662.
[45]Vgl. dazu Louis O. Mink (siehe Anm. 19) und ferner: John Lukács, "Facts and fictions or describing the past". In: J. L., 'Historical Consciousness or the Remembered Past' (New York: Harper & Row, 1968), S. 98-127.
[46]Aristoteles (siehe Anm. 1).
[47]Theodor W. Adorno, "Standort des Erzählers im zeitgenössischen Roman". In: Th. W. A., 'Noten zur Literatur I' (Frankfurt a.M.: Suhrkamp, 1958), S. 64.
[48]Roland Barthes, 'Mythen des Alltags' (Frankfurt a.M.: Suhrkamp, 1964), S. 85 ff.
[49]Mario Vargas Llosa, "Is Fiction the Art of Lying?". In: 'The New York Times Book Review' (October 7, 1984), S. 1, 40.
[50]Anna Seghers, "Selbstanzeige". In: A. S., 'Über Kunstwerk und Wirklichkeit. Essays, Aufsätze, Notate in drei Bänden', hrsg. v. Sigrid Bock (Berlin: Akademie-Verlag, 1970), Bd. II, S. 11.
[51]Arthur C. Danto (siehe Anm. 10), S. 23 ff.
[52]Jörn Rüsen (siehe Anm. 22), S. 531.
[53]Benjamin Nelson, 'Der Ursprung der Moderne' (Frankfurt a.M.: Suhrkamp, [3]1984).
[54]Michel Foucault, 'Die Ordnung der Dinge. Eine Archäologie der Humanwissenschaften' (Frankfurt a.M.: Suhrkamp, 1974), S. 17.
[55]Ibid., S. 23. Vgl. dazu ferner: Hans Michael Baumgartner, 'Kontinuität und Geschichte' (Frankfurt a.M.: Suhrkamp, 1972).
[56]Eberhard Lämmert, "Zum Wandel der Geschichtserfahrung im Reflex der Romantheorie". In: 'Zeitgestaltung in der Erzählkunst', hrsg. v. Alexander Ritter (Darmstadt: Wissenschaftliche Buchgesellschaft, 1978), S. 325.
[57]Hermann Broch, 'Schriften zur Literatur 2' (Frankfurt a.M.: Suhrkamp, 1975), S. 177 ff.

[58] Eberhard Lämmert (siehe Anm. 56), S. 333.
[59] Jörn Rüsen (siehe Anm. 22), S. 526.
[60] Ibid., S. 520.
[61] George Steiner, "The Writer as Remembrencer: A Note on 'Poetics' 9". In: 'Yearbook of Comparative and General Literature' 22 (1973), S. 51-57.
[62] Volker Klotz, "Erzählen als Enttöten". In: 'Erzählforschung' (siehe Anm. 4), S. 319-334.
[63] H.R. Jauss (siehe Anm. 9), S. 535, 346. Vgl. dazu ferner: Hinrich C. Seeba, "Literatur und Geschichte. Hermeneutische Ansätze zu einer Poetik der Geschichtsschreibung". In: 'Akten des VI. Internationalen Germanisten-Kongresses Basel 1980' (Bern: Peter Lang, 1980), S. 201-208.

ZOLA IM ERSTEN WELTKRIEG: HEINRICH MANN UND HERMANN BROCH

> Der Buchnaturalismus, des Romans und der Novelle, gehört schon wieder der Geschichte. Sein Kampf, sein Sieg, seine Überwindung liegen hinter uns: der Geschmack und das Bedürfnis des Geistes sind über ihn schon wieder hinaus. Sein erledigtes Schicksal werden nun wohl die Professoren in ihre Vorlesungen setzen.[1]

Dieser unsentimentale, fast triumphierende Nekrolog auf den naturalistischen Roman, 1891 verfaßt von dem sich zum wortführenden Neoromantiker und "Überwinder des Naturalismus" aufschwingenden Hermann Bahr, war nur der scheinbare Abgesang auf eine literarische Epoche. Was hier in der aktuellen ästhetischen Diskussion den Totenschein ausgestellt erhält, wem hier lediglich ein Scheinleben in germanistischen Vorlesungen prophezeit wird, das hat sich als lebendiger, anregender und fruchtbarer erwiesen als die Theorie und Praxis ihrer neoromantischen 'Überwinder'. Die Vertreter des modernen gesellschaftskritischen Romans, des Reportageromans, der neonaturalistischen amerikanischen Literatur und der Arbeiterdichtung haben an die naturalistische Tradition angeknüpft und sie weiterentwickelt: In den Erzählwerken von Heinrich Mann, Hermann Broch, Oskar Maria Graf und Egon Erwin Kisch, von Theodore Dreiser, Thomas Wolfe und Norman Mailer, von Paul Zech, Willi Bredel, Hans Marchwitza und Max von der Grün – um nur einige Namen zu nennen – wirken die Grundsätze der naturalistischen Romantheorie nach. Am Beispiel von Werk und Theorie eines dieser Autoren, Hermann Brochs, soll hier die Rezeption und Weiterentwicklung der naturalistischen Programmatik, wie sie von ihrem Hauptvertreter, Emile Zola, dargelegt wurde, verfolgt werden.

I

"Dès que la guerre est déclarée, impossible de tenir les poètes. La rime, c'est encore le meilleur tambour"[2] läßt Jean Giraudoux Hécube in 'La guerre de Troie n'aura pas lieu' räsonieren. Diese Wahrheit bestätigte sich auch 1914, als alle möglichen Vertreter der europäischen Literatur ihr Weltbürgertum zu vergessen schienen und in ihren chauvinistischen Versen oder Essays den nationalen Sieg bereits errungen hatten: Gabriele d'Annunzio in Italien, Maurice Barrès in Frankreich, in Österreich Hermann Bahr, Richard Schaukal und Hugo von Hofmannsthal und in Deutschland Gerhart Hauptmann, Rudolf Alexander Schröder, Thomas Mann etc. zeichnen mit ihren teils naiven, teils törichten nationalistischen Parolen dichterische Kriegsanleihen, die wie ihre fiskalischen Pendants im Verlauf des Krieges immer wertloser und unsinniger werden. Aber diesen militant-nationalen Dichtergruppen stand auch eine Fronde europäisch-gesonnener, pazifistischer Schriftsteller gegenüber, die von Anfang an die Kriegsjubler angriffen und die Verantwortungslosigkeit ihrer literarischen Exzesse verurteilten. Léon Bloy und Romain Rolland in Frankreich, Heinrich Mann und Hermann Hesse in Deutschland und Karl Kraus und Hermann Broch in Österreich warnten vor der nahenden Katastrophe. Der Konflikt zwischen Kriegsjublern und Kriegsgegnern, zwischen nationaler Reaktion und weltbürgerlicher Progressivität kulminierte damals, was die Situation in Deutschland anbetraf, in dem ideologischen Streit der Brüder Heinrich und Thomas Mann, ein Streit, der zum Symbol der Zwietracht innerhalb der europäischen Intelligenz wurde. Kaum ist der Krieg ausgebrochen, veröffentlicht Thomas Mann im September den Aufsatz 'Gedanken im Kriege' in der 'Neuen Rundschau', worin enthusiastisch beschrieben wird, wie "die Herzen der Dichter sogleich in Flammen standen, als jetzt Krieg wurde!"[3] Den 'Gedanken' läßt Thomas Mann, im gleichen kriegsbejahenden Ton geschrieben, die Studie 'Friedrich und die große Koalition. Ein Abriß für den Tag und die Stunde'[4] folgen, die u.a. eine "ideologische Rechtfertigung des Einmarsches der kaiserlichen Armeen in das neutrale Belgien"[5] darstellte. Für die Vertreter der europäisch-gesonnenen und kriegsfeindlichen Fronde war das Maß voll. Soviel glorifizierte Rechtsbeugung, derlei machtgeschützte Äußerlichkeiten forderten zur scharfen Entgegnung und Zurechtweisung heraus. Heinrich Mann machte sich in Deutschland zu ihrem Sprecher und veröffentlichte 1915 in den 'Weißen Blättern' den 'Zola'-Aufsatz, eine "politische Allegorie und verkappte Selbstdarstellung".[6] Es ist der frontale Angriff auf "jene Tiefschwätzer [...], die gedankliche Stützen liefern für den Ungeist; die sich einbilden, sie hätten Erkenntnisse, und jenseits aller Erkenntnisse könnten sie die Ruhmredner der ruchlosen Gewalt sein".[7] Hatte Thomas Mann in seinem 'Friedrich'-Essay "das Recht der aufsteigenden Macht" gegen das Recht als "Konvention" oder als "Stimme der 'Menschheit'"[8] ausgespielt, so entgegnet Heinrich Mann im 'Zola'-Aufsatz: "Was ist Macht, wenn sie nicht Recht ist [...]?"[9] Er führt seine Anklagerede fort: "Sie, die geistigen Mitläufer, sind schuldiger als selbst die Machthaber, die fälschen und das Recht brechen. [...] Durch Streberei Nationaldichter werden für ein halbes Menschenalter, wenn der Atem so lange aushält; unbedingt aber mitrennen, imer anfeuernd, vor Hochgefühl von Sinnen, verantwortungslos für die heranwachsende Katastrophe, und übrigens unwissend über sie wie der Letzte!"[10] Den kriegsfreudigen Barden hält Heinrich Mann seine Auffassung von der Funktion der Intelligenz als kritischem Ferment der Gesellschaft entgegen: "Der Intellektuelle erkennt Vergeistigung nur an, wo Versittlichung erreicht ward."[11] In Emile Zola sah er diese Vorstellung vom verantwortungsbewußten Schriftsteller am reinsten verkörpert, und deshalb wählte er die Darstellung von Zolas Biographie als Anklageschrift gegen die systemkonformen Chauvinisten. Wie Emile Zola das Ende des Regimes Napoleon III. vorausgesehen hatte, so prophezeit Heinrich Mann die Katastrophe des deutschen Kaiserreiches. Wenn im Zola-Essay vom "Kaiserreich" die Rede ist, so spricht Heinrich Mann zwar von Napoleon III., aber er meint Wilhelm II.:

> Niemand im Grunde glaubt an das Kaiserreich, für das man doch siegen soll. Man glaubt zuerst noch an seine Macht, man hält es für fast unüberwindlich. [...] Ein Reich, das einzig auf Gewalt bestanden hat und nicht auf Freiheit, Gerechtigkeit und Wahrheit, ein Reich, in dem nur befohlen und gehorcht, verdient und ausgebeutet, des Menschen aber nie geachtet ward, kann nicht siegen, und zöge es aus mit übermenschlicher Macht.[12]

Verfolgt man die Entwicklung des jungen Hermann Broch, so überrascht es nicht, daß er gleich nach Erscheinen von Heinrich Manns 'Zola'-Aufsatz den Essay 'Emile Zola und Heinrich Mann'[13] verfaßt und publiziert. Auch Broch hatte zu Beginn des Ersten Weltkrieges in seinem Frühwerk 'Cantos 1913'[14] aufs schärfste die Kriegsbegeisterung der Dichter und Philosophen gegeißelt, auch er hatte das imperialistische Regime Wilhelm II. verurteilt. Im Frühjahr 1917 erscheint Brochs 'Zola'-Essay in der 'Summa', einer von seinem Freund Franz Blei herausgegebenen und damals führenden literarisch-philosophischen Zeitschrift. Wenn Broch in dieser Studie auch philosophische und ästhetische Einwände gegen Zola ins Feld führt, so geht er doch mit der politischen Aussage von Hein-

rich Manns 'Zola'-Aufsatz völlig konform: "Das Denkmal, das ihm Heinrich Mann errichtet, gilt [...] dem Menschen, hingegeben seinem Tun und erfüllt von römischer Rechtlichkeit. [...] Daß hier ein Mensch mit seinem Tun so tief verwachsen war, daß er zum Typus wurde, verdient ihm die gestaltende Liebe des Romanschriftstellers, steht als Movens zu Heinrich Manns Zolaaufsatz."[15] Wirklichkeitssinn, politische Weitsichtigkeit und humanes Engagement sind die Tugenden, die auch Broch an Zola als beispielhaft und vorbildlich herausstellt: In seinen Romanen erreiche Zola "ein Maximum [...] von Wirklichkeit"[16], das von ihm geschilderte "Leben" sei, "schön durch seine Wirklichkeit".[17] Wie Heinrich Mann stellt Broch die richtige Prognose vom Untergang des Regimes Napoleon III. heraus: "Entrückt der Kategorie des Zufalls trifft des Kaiserreiches Débâcle mit der von Zola als notwendig vorausgenommenen Lösung seines Werkes zusammen; bestätigt das 'Leben' das, was Zola zu erschaffen hatte."[18] Und ebenfalls wie Heinrich Mann versteht er als "Zolas Größe: das fürchterliche J'accuse, das [...] sein Werk durchhallt".[19] "Zola sah den Hunger, die Bedrückung und den Jammer und wünschte dem Menschen Unabhängigkeit und Hilfe", so fährt Broch fort; er sei "fruchtbar und wahrhaftig in seinem Willen zur Hilfe und Gerechtigkeit" gewesen, "erschüttert von seiner belle émotion der Humanität".[20]
In der gleichen Woche als Brochs Antwort auf Heinrich Manns 'Zola'-Aufsatz erschien, wurde auch Thomas Manns erste Reaktion darauf publiziert, und zwar als der Essay 'Einkehr' in der 'Neuen Rundschau', wobei es sich um einen Vorabdruck zu den ein Jahr später erscheinenden 'Betrachtungen eines Unpolitischen' handelt. Sprach Broch in seiner Studie anerkennend von "Heinrich Manns kürzlich erschienenem schönen Zolaaufsatz"[21], so ist hier Thomas Manns Meinung extrem entgegengesetzt. Statt sich auf die Thesen Heinrich Manns einzulassen, wird eine defensive Apologetik des eigenen Standpunktes unter Anrufung der führenden Geister des deutschen Konservatismus als "Eideshelfer"[22] geboten; statt eine mögliche Annäherung der Standpunkte ins Auge zu fassen, empfiehlt er den "Zivilisationsliteraten"[23] eine "Generalrevision der eigenen Grundlagen anzusetzen"[24]; statt - wie Heinrich Mann - die globale politische Krise zum eigentlichen Vorwurf seiner Auseinandersetzungen zu machen, personalisiert er die Problematik und sieht in dem 'Zola'-Essay seines Bruders primär auf ihn gerichtete "französische Bösartigkeiten"[25], denen er nur ein Referat seiner Biographie, einen privaten "Bildungsroman als politisches

Manifest"[26] entgegenzusetzen hat. 1918, zur Zeit der vollständigen Publikation der 'Betrachtungen' Thomas Manns, war die politische Entwicklung so verlaufen, wie sie von Heinrich Mann wie auch von Hermann Broch in etwa vorausgesehen worden war. Die sich etablierenden neuen demokratisch-republikanischen Regierungen erforderten die Mitarbeit sowohl Heinrich Manns wie Brochs, und zu einer Entgegnung auf die überholten 'Betrachtungen' kam es nicht mehr. Heinrich Mann stellte sich der sozialistischen Regierung Kurt Eisners[27] in München[28] zur Verfügung, wurde zeitweise Kopf des "Politischen Rats geistiger Arbeiter" und unterstützte als solcher die Versöhnungsbemühungen Eisners mit Frankreich, indem er Henri Barbusses Idee einer "Internationale der Menschlichkeit"[29] aufgriff und förderte. Zur gleichen Zeit - nach kurzer anfänglicher Skepsis[30] - unterstützte Broch die neue sozialistische Regierung in Wien und trat in der Zeitschrift 'Der Friede' publizistisch für die Schaffung eines "demokratischen Rätesystems"[31] ein. Schließlich konnte sich auch Thomas Mann den republikanisch-demokratischen Ideen nicht verschließen und bekundete in seiner Rede 'Von deutscher Republik'[32] seine neue politische Überzeugung, mit der er nun solchen Auffassungen nahestand, wie sie Jahre vorher bereits von Heinrich Mann in dem 'Zola'-Aufsatz vertreten worden waren, und wie Broch sie in seinem 'Zola'-Essay unterstützt hatte.

Besteht in den 'Zola'-Aufsätzen Heinrich Manns und Hermann Brochs ein Konsensus über die positive Beurteilung Zolas als politischem Schriftsteller und Kritiker, so divergieren sie doch im Urteil über die Brauchbarkeit seiner romantheoretischen Konzeption und der ästhetischen Qualität seiner Romane. Zwar räumt Broch von vornherein ein, daß Heinrich Manns Essay prinzipiell "nicht einer Künstlerschaft"[33] Zolas, sondern dessen politischer Wirkung gelte, doch immer dann, wenn es um die "ästhetische Würdigung" Zolas gehe, reiche Heinrich Manns Analyse "nicht über die Grenzen [...] des Kunsthandwerks hinaus".[34] Hier wirft er ihm mangelnde Kritikbereitschaft vor, und diese Kritik holt Broch nach. Romantische Klischees in seinen Romanen, eine falsche Parallele zum naturwissenschaftlichen Experiment in seiner Literaturtheorie und ein enger Determinismusbegriff in seinen philosophischen Ansichten - das sind die Komponenten in Werk und Theorie Emile Zolas, die den Protest des ästhetisch, naturwissenschaftlich und philosophisch geschulten jungen Broch herausfordern. Zola, der "den Romantismus schmähe"[35], komme selbst "ohne kitschigsten Romanzenapparat"[36] nicht aus. "Zolas Werk" sei "gefüllt mit theatralischen Staffagen und Regiebemerkungen" und seine "Kapitelschlüsse" würden "als Aktschlüsse auf der Szene zur Unerträglichkeit lebender Bilder".[37] Dabei benutze Zola diesen "Romanzenapparat" ganz bewußt, denn "die Verlegung des dichterisch Schönen in das Arrangement des Objektes" spreche Zola "geradewegs aus"[38], und zwar in einem - von Broch zitierten - Brief an Paul Cézanne, wo es heißt:

> Je prends le sujet le plus réaliste du monde, une cour de ferme. Du fumier, des canards barbotant dans un ruisseau, un fuguier à droite, etc., etc. Voilà bien un tableau qui semble dénué de toute poésie. Mais qu'il vienne un rayon de soleil qui fasse scintiller la paille jaune d'or, miroiter les flaques d'eau, [...] on fasse passer dans le fond une leste fillette, [...] jetant du grain [...]: dès ce moment, ce tableau n'aura-t-il pas, lui aussi, sa poésie.[39]

Zolas Naturalismus brauche, so fährt Broch fort, "wo er auf's Gemüt geht, ebenso den Mondschein [...] samt den übrigen Theatermätzchen [...] wie der vorausgegangene Romantismus".[40] In diesem Urteil wurde Broch unterstützt von seinem Freund und Förderer Franz Blei, in dessen Zeitschrift Brochs Essay erschien. "Ein kleiner Mond aus Silberpapier", so Blei, mache auf der "Versuchsbühne" der Zolaschen Romane "die nötige Sentimentalität".[41] Zola war selbstkritisch genug, diese Nicht-Identität von theoretischem Vorwurf und Romanpraxis in seinem eigenen Werk zu sehen. Obgleich er, besonders in seinem 'Lettre à la Jeunesse'[42] vor der "dangereuse" und "détestable influence" des Romantizismus auf die junge Generation gewarnt hatte, mußte er von sich zugeben: "Je suis trempé jusqu'au ventre dans le romantisme."[43] Am deutlichsten geht dieses selbstkritische Bekenntnis Zolas aus seinem Roman 'L'Oeuvre' hervor, wo es an einer Stelle, die auch biographische Aussage ist, ähnlich heißt:

> Mais son mal n'était pas en lui seulement, il a été victime d'une époque. [...] Qui, notre génération a trempé jusqu'au ventre dans le romantisme, et nous en sommes restés imprégnés quand même, et nous avons eu beau nous débarbouiller, prendre des bains de réalité violente, la tache s'entête, toutes les lessives du monde n'en ôteront pas l'odeur.[44]

Stimmte Broch in der politischen Beurteilung von Zolas Werk mit Heinrich Mann überein, so teilt er die ästhetische Kritik mit der Thomas Manns. Broch und Thomas Mann ziehen - zur genau gleichen Zeit und völlig unabhängig voneinander - eine Parallele zwischen den Romanen Zolas und den Opern Wagners und argumentieren mit dem "ethischen Kunstwerk"[45] Dostojewskis gegen den "roman moral"[46] Zolas. "Sein Rationalismus" schreibt Broch, "ist stark mit dem Wagners verwandt. Sie lebten in der gleichen Zeit [...] unter oft gleichen Einflüssen."[47] Wie bei Zola schlage auch bei Wagner immer wieder die romantisierende "Mache und Rezeptur"[48], die "nach dem Pol des 'Eindruckes' [...] orientiert"[49] sei, durch. Ähnlich sieht auch Thomas Mann in seiner 'Einkehr' die "artistische Verwandtschaft" von Wagners "Wirkungsmitteln mit denen Zolas".[50] Der "westliche Romancier" Zola sei wie Wagner "Naturalist und Romantiker" gewesen, und insofern seien "die 'Rougon-Macquart' und der 'Ring des Nibelungen'"[51] miteinander verwandt. Im Roman Dostojewskis dagegen, so fährt Broch fort, gäbe es keinen "Romanzenapparat"; hier werde die Realität "unter stärkster künstlerischer Wirkung [...] direkt aus dem Buchtext auf die Szene gebracht".[52] Während Zolas Romangestalten nach einer übergreifenden Theorie, der "dogmatischen Ideologie" der "Vererbungstheorie" in "mechanischer Kausalität"[53] konstruiert seien, bleibe umgekehrt "die Wirklichkeit, die Situation, [...] in der Welt Dostojewskis stets eine Funktion, eine Determinante des lebendigen Menschen".[54] Im Gegensatz zu Zola sei "Dostojewskis Intuition [...] ganz auf das Wunder des seienden Ichs gerichtet"; er habe "um die Freiheit des Ichs" gewußt und "das Ethos" seines "ethischen Kunstwerks" aus "letzter Entfaltungsmöglichkeit der lebenden Seele"[55] gewonnen. Aus gleichen Gründen stellt auch Thomas Mann den Roman Dostojewskis über den Zolas. Das wird deutlich, wenn er in den 'Betrachtungen' hervorhebt, daß es dem "Ethiker" Dostojewski um "die sittliche Vervollkommnung des Einzelnen"[56] gegangen sei, und er sich mit einem Dostojewski-Zitat gegen die naturalistische Milieu-Theorie Zolas wendet: "Wenn wir selbst besser werden, machen wir das Milieu besser."[57]
Stärker noch als den "Romantismus" kritisiert Broch Zolas Determinismustheorie, d.h. seine Milieu- und Vererbungslehre:

> Seinem atomistischen Weltbild gemäß darf er den Menschen von allen Seiten determinieren und ihn zum Akteur der Situation hinabdrücken. Die Situation, selbst aus der dogmatischen Ideologie der sozialen Gesetzmäßigkeit und Vererbungstheorie

gezogen, schematisiert die Gruppe ihrer Stichwortträger: das Menschentier wird zum homme machine mit tierischen Attributen, schematisiert im 'Ventre de Paris' auf der Leitlinie der Ernährung, in der 'Page d'amour' auf den Begriff der Liebe und des Sentiments, in der 'Nana' orgiastisch, in 'Pot-Bouille' bürgerlich-geil, im 'Eugène Rougon' machtgierig, in der 'Bête' mordlüstern und so fort. Innerhalb dieser An-sich-Stellungen [...] verwischt sich das Individuum vollkommen; mit dem Augenblick, da es von der Szene abtritt, keinerlei Regiebemerkungen des Autors zu befolgen mehr hat, ist es glattwegs tot.[58]

Broch geht hier auf die wichtigsten Thesen der Zolaschen Romantheorie ein. In seinen Werken will Zola "la machine humaine soumise à certaines influences"[59] beschreiben, und diese "machine humaine" ist einem "déterminisme absolu"[60] unterworfen, der gelte "dans les conditions d'existence des phenomènes naturels, aussi bien pour les corps vivants que pour les corps bruts".[61] Integrierender Bestandteil des "déterminisme des phénomènes sociaux"[62] ist das "milieu social"[63]. Broch argumentiert, daß Zola Teilaspekte des menschlichen Lebens, nur mitwirkende Komponenten einer komplexen Realität, zu einer "rational-dogmatischen Ideologie"[64] verallgemeinere, wobei ein "Banalisieren der Idee der Wahrheit"[65] herauskomme, und zwar deshalb, weil in Zolas Determinismustheorie die Idee der menschlichen Freiheit nicht Platz greifen könne. Als Konsequenzen dieser "Weltanschauung [...] erreicht Zola für seine Gestalten ein Minimum von Ich-Möglichkeit".[66]

II

Um zu demonstrieren, daß es "der anmaßende Irrtum der Naturalisten ist, daß sie den Menschen aus Milieu, Stimmung, Psychologie und ähnlichen Ingredienzen eindeutig determinieren zu können vermeinen"[67], schreibt Broch zur gleichen Zeit, als er den 'Zola'-Aufsatz verfaßt, an einer Erzählung, die er als Parodie auf die Zolasche Naturalismustheorie anlegt. Er betitelt sie 'Eine methodologische Novelle'[68], stellt sie im Juni 1917[69] fertig und publiziert sie 1918 in der gleichen Zeitschrift, in der auch sein 'Zola'-Essay erschien. Zunächst läßt Broch sich in dieser "Novelle" ganz auf die Prinzipien des naturalistischen Romans ein, auf "Determinismus", "Experiment" und "Beobachtung". Getreu der Zolaschen

These vom Romancier als Beobachter: "Il est indéniable que le roman naturaliste [...] est une expérience veritable que le romancier fait sur l'homme, en s'aidant de l'observation"[70]; gemäß seinem Experimentier-Grundsatz: "Il faut que nous produisions et que nous dirigions les phénomènes"[71] und schließlich entsprechend der Devise "Le déterminisme domine tout"[72], führt Broch zur Beobachtung einen "Helden" vor, der "vollständig determiniert (ist) von den Dingen einer ebenen Außenwelt"[73], und dessen Schicksal nun "planmäßig"[74] im literarischen Experimentierlabor aufgebaut wird. Wie Zola bündig feststellt: "Le naturalisme n'était pas une fantaisie personnelle"[75] und "insiste sur cette déchéance de l'imagination"[76], so lehnt es auch Broch ab, sich einer "zufällig [...] von der Phantasie uns zugewehten Geschichte hinzugeben"[77] und betont die "bewußte Konstruktion"[78] seines Experiments. Bis ins Detail läßt Broch sich auf die Prämissen der naturalistischen Theorie ein. Nach dem Postulat Zolas "L'intérêt n'est plus dans l'étrangeté de cette histoire; au contraire, plus elle sera banale et générale, plus elle deviendra typique"[79], wählt auch Broch, "annehmend, daß Begriffe mittlerer Allgemeinheit eine allseitige Fruchtbarkeit zeitigen", den "Helden" aus dem "Mittelstande einer größeren Provinzstadt [...] in der Person eines Gymnasialsupplenten".[80] Das "Minimum von Ich-Möglichkeit"[81], das Broch in seinem Essay bei Zolas Romanfiguren konstatierte, findet sich als "Minimum von Persönlichkeit"[82] wieder beim Novellenhelden, der geradezu als "Non-Ich"[83] vorgestellt wird. Nachdem Broch die notwendigen Angaben zur Person des Protagonisten gemacht hat, hält er sich auch beim weiteren Aufbau der Erzählung an Zolas Anweisungen. "Le roman naturaliste", schreibt Zola, "est impersonnel, je veux dire que le romancier n'est plus qu'un greffier, qui se défend de juger et de conclure, le rôle strict d'un savant est d'exposer les faits, d'aller jusqu'au bout de l'analyse, sans se risquer dans la synthèse."[84] Und an anderer Stelle ergänzt er: "Et, une fois les documents complétés, son roman [...] s'établira de lui-même. Le romancier n'aura qu'à distribuer logiquement les faits."[85] Objektivität, Unpersönlichkeit und Distanz des Erzählers sowie die Eigenständigkeit der Novellen-Entstehung werden von Broch akzeptiert und hervorgehoben. Von vornherein lehnt er es ab, als "auktoriales Erzähl-Ich"[86] aufzutreten, sichert sich größere Objektivität dadurch, daß er als "Erzähl-Wir"[87] die Geschichte gemeinsam mit dem Leser entwickelt. Die Eigenständigkeit der Erzählung zeigt sich darin, daß, nachdem Charakter und Milieu des Helden skizziert sind, passagenweise Details aus dem Leben

des Protagonisten berichtet werden, die sich sämtlich aus den ihn bestimmenden Determinanten ableiten. Um nun überhaupt eine erzählbare Handlung, d.h. eine Experimentier-Situation zu erhalten, muß der Protagonist konfrontiert werden mit einem weiteren Determinantenbündel, einer Protagonistin. Der Held wird "in die Konstruktion einer erotischen Begebenheit hineingesetzt"[88], auf daß die Entwicklung des nunmehrigen "Dilemmas seiner Determinanten"[89] beobachtet und beschrieben werde. Broch folgt der Zolaschen Devise: "L'expérimentateur paraît et institue l'experience, je veux dire fait mouvoir les personnages dans une histoire particulière, pour y montrer que la succession des faits y sera telle que l'exige le déterminisme des phénomènes mis à l'étude."[90]
Brochs anfängliche Intention war jedoch, die Unhaltbarkeit der Zolaschen Verfahrensweise aufzudecken, und die naturalistischen Prämissen akzeptiert er daher nur zum Schein. Bereits der Titel seiner Erzählung soll als contradictio in adiecto erkannt werden und die satirische Absicht deutlich machen. Für Broch kann eine nach der Methodologie Zolas gebaute Erzählung nicht die Form der Novelle annehmen, denn nach dem Selbstverständnis des Novellisten von der Klassik über den bürgerlichen Realismus bis zum Impressionismus gehören die Goethesche "unerhörte Begebenheit"[91] und der Tieck-Schlegelsche "Wendepunkt"[92] zu den Charakteristika der Novelle. Nach der Zolaschen Experimentiermethode und seiner Determinismustheorie sind aber weder "Wendepunkte" noch "unerhörte Begebenheiten" zu erwarten, vielmehr kann sich bei ihrer Anwendung "der Leser [...] nach den gelieferten Materialien zum Charakteraufbau [...] auch allein ausdenken"[93] wie die Story fortzuführen ist. Ein einziges Mal hat Broch diese Methode der bloßen Materiallieferung und Nichtausführung der Erzählhandlung angewandt, und zwar am Schluß des 'Pasenow'-Teils der 'Schlafwandler', d.h. nachdem der novellistische[94] Kern dieses Romanteils berichtet war und die Erzählung weiterhin nichts Berichtenswertes mehr hergab. In der 'Methodologischen Novelle' läßt Broch jedoch nicht wie im 'Pasenow' die Prinzipien novellistischen und naturalistischen Erzählens aufeinander folgend und sich ergänzend zur Wirkung kommen, sondern bedient sich ihrer simultan und bringt sie zur Kollision, wobei sich erweist, daß sich die Story nicht zu Ende führen läßt. Broch bleibt nur die Möglichkeit, die Fortführung der Erzählung zum einen als naturalistische und zum anderen als novellistische theoretisch zu skizzieren. Er entwickelt einerseits die von der Determinismustheorie sich anbietende, jeder novellistischen Bearbeitung sich sperrende

Lösung der "kleinen spießbürgerlichen Befreiung"[95] in einer Ehe der Protagonistin mit dem "pensionsfähigen"[96] Helden; und andererseits die novellistisch konzipierte, nämlich "Wendepunkt" und "unerhörte Begebenheit" liefernde, aber völlig undeterministische Fassung von einer "absoluten" Liebeserfahrung der Protagonisten im gemeinsamen "Liebestod". Diese aus entgegengesetzten Prämissen abgeleiteten Erzählschlüsse lassen sich nicht zu einer Synthese verbinden, und Broch legt sich weder auf den einen noch auf den anderen Schluß fest, referiert sie beide im modus irrealis und demonstriert so am Beispiel der Novelle das Versagen der naturalistischen Methodologie bzw. an der streng durchgeführten naturalistischen Methodologie die Unmöglichkeit ihrer Legierung mit der Novellentheorie. Gerade die ästhetische Geschlossenheit der Erzählung hatte Broch aber wenige Jahre zuvor bei einer Besprechung von Thomas Manns 'Der Tod in Venedig' als conditio sine qua non der novellistischen Form postuliert:

> Alle Motive führen gleich einem edlen Kuppelbau [...] und voll Tektonik, zur Spitze. [...] Und dadurch tut sich die Novelle als Kunstwerk kund, im Gegensatz zur landläufigen Schriftstellerei, bei der bloß eine oder wenige dieser Linien [...] sich kraus und unvermittelt, ungestützt, in den leeren Raum hineinbiegen.[97]

Genau dies, das ungestützte Hineinbiegen der Erzähllinien in den leeren Raum, geschieht in der 'Methodologischen Novelle', die keinen Abschluß findet, in der nur zwei getrennte, entgegengesetzte Möglichkeiten der erzählerischen Fortsetzung skizziert werden können. Das ästhetische Postulat, das Broch am Anfang und am Ende seiner Experimentier-Novelle aufstellt, daß nämlich "jedes Kunstwerk [...] exemplifizierenden Gehalt haben" solle, daß es in seiner "Einmaligkeit [...] die Einheit und Universalität des Gesamtgeschehens aufweisen"[98] müsse, wird demonstrativ in Brochs Novelle nicht erfüllt. Eine "Einmaligkeit" des Geschehens kann aufgrund der antagonistischen Erzählprinzipien und ihrer divergierenden Ausführungen gar nicht erreicht werden.
Implizite und explizite wendet Broch sich also gegen das naturalistische Experimentier-Verfahren, legt bloß, wie die Aporien der Zolaschen Erzähltheorie ofenbar werden, wenn man ihre Thesen beim Wort nimmt. Der Behauptung Zolas: "Nous devons opérer sur les caractères, sur les passions, sur les faits humains et sociaux, comme le chimiste et le physicien opèrent sur les corps

bruts, comme le physiologiste opère sur les corps vivants. Le déterminisme domine tout"[99], hält Broch in seiner 'Methodologischen Novelle' abschließend entgegen, daß es "der anmaßende Irrtum der Naturalisten" sei, eine Parallele zwischen dem Naturgegenstand und dem Menschen ziehen und letzteren aus sozialen und psychologischen "Ingredienzen eindeutig determinieren zu können".[100] Lange vor Broch hatte Arno Holz Zola bereits vorgeworfen, daß er allzu starr an den aus der Naturwissenschaft stammenden Theorien Hippolyte Taines und Claude Bernards gehangen hätte und stellte die wichtige Differenz zwischen dem naturwissenschaftlichen Experiment und der literarischen Theorie heraus: "Ein Experiment, das sich bloß im Hirne des Experimentators abspielt, ist eben einfach gar kein Experiment."[101] Zur selben Zeit als Broch seine 'Methodologische Novelle' verfaßt, reflektiert er, gleichsam als Fortsetzung und zur philosophischen Untermauerung seiner Kritik an Zola, über den Unterschied zwischen Natur- und Geisteswissenschaft in seinem Essay 'Zum Begriff der Geisteswissenschaften', den er ebenfalls in der 'Summa' publiziert. Hier stimmt er - wenn auch modifizierend - grundsätzlich den Unterscheidungen Rickerts und Diltheys[102] bei. Holz und Broch zogen aus ihrer Kritik am Zolaschen Naturalismus allerdings je verschiedene Folgerungen. Während Holz Zola radikalisierte und sich mit seiner Formel "Kunst = Natur - X"[103] als Vertreter des "konsequenten Naturalismus"[104] verstand, entwickelte Broch die Theorie eines "erweiterten Naturalismus"[105], in dem die äußere naturalistische Darstellung den Stellenwert einer Ausgangsbasis erhält, über die dann während des weiteren Erzählverlaufs in utopischem Vorgriff hinausgegangen wird.

III

Die Theorie des "erweiterten Naturalismus" baute Broch zu Anfang der dreißiger Jahre aus, während und nach Abschluß der Arbeit an der 'Schlafwandler'-Trilogie. Dabei stehen im Mittelpunkt von Brochs Interesse die Fragen nach dem "Was" der Darstellung, nach der im Roman zu schildernden Objektwelt, und nach dem "Wie" des Beschreibens, nach der romantechnischen Verfahrensweise. Die Antworten auf die Fragen nach diesem "Was" und "Wie" bedingen und erhellen sich wechselseitig. In seinen poetologischen Äußerungen aus dieser Zeit hebt Broch ständig hervor, daß "der Nährboden, in dem" bei der Dichtung "allein alles ruht, immer nur im Naturalistischen zu sehen"[106] sei. "Tatsachenhunger"[107] und eine "genaue naturalistische Kenntnis"[108] des behandelten Stoffes seien die unabdingbaren Voraussetzungen des Romanschriftstellers. "Was immer er schildert", fügt er hinzu, "steht unter der obersten Leitung der Wahrheit".[109] Gerade "jene Wahrhaftigkeit und jener Tatsachenhunger" seien es gewesen, "aus dem heraus die großen realistischen Weltbilder des Romans entstanden" seien, "die Weltausschnitte äußern Geschehens wie die Balzacs und Zolas".[110] "Wahrheit" und Sinn für "Tatsachen" hatte auch Zola als die Haupttugenden des Schriftstellers angesehen: "La verité est [...] le chef-d'oeuvre du roman contemporain"[111], und er fügt an anderer Stelle hinzu: "Aujourd'hui la qualité maîtresse du romançier est le sens du réel."[112] Wie Zola, der postulierte, daß "der naturalistische Schriftsteller [...] die ganze Gesellschaft zur Domäne seiner Beobachtung, vom Salon bis zur Kneipe"[113] haben müsse, so fordert auch Broch "'naturalistische' Totalität"[114] als Ziel des Romans; will ihn als "'Ausdruck' der Epoche geschaffen"[115] haben, als Spiegel der "historischen Realität"[116] und des "Weltalltags der Epoche".[117] Weil ihm in diesem Sinne die "Sozialtotalität [...] in den Zolaschen Romanen"[118] durchaus Vorbild ist, plant Broch zunächst den Titel "Historischer Roman"[119] für die 'Schlafwandler'-Trilogie, in der ebenfalls eine Gesellschaft, die deutsche zwischen 1888 und 1918, querschnittartig "vom Salon bis zur Kneipe" geschildert wird, und die in ihrem Aufbau gewisse Ähnlichkeiten mit der 'Kaiserreich'-Trilogie des Zola-Verehrers Heinrich Mann aufweist. "Hat die Kunstgattung Roman noch ihre Lebensberechtigung", so faßt Broch diese Überlegungen zusammen, "so bezieht sie diese aus der Darstellung einer Welttotalität".[120] Nachdem derart das Objekt der Darstellung im Roman umrißhaft klar geworden ist, bleibt die Frage nach dem "Wie" der Darstellung noch offen. So lapidar wie Zola beantwortet auch Broch diese Frage zunächst. Hatte Zola festgehalten: "Le naturalisme dans les lettres, c'est [...] la peinture de ce qui est"[121], so bezeichnet auch Broch als die "Alltagsaufgabe des Romans" seines "erweiterten Naturalismus", die "Welt [...] so zu schildern, wie sie ist".[122] Die Absicht von Brochs darstellerischer Verfahrensweise wird erst deutlich, wenn er näher erläutert, was er unter der "Welt wie sie ist" versteht. Unter dem "Romanschreiben", erklärt Broch ganz allgemein, verstehe er "ein Stück Außen- und Innenwelt oder beides zusammen so zu schildern wie es ist".[123] Als Romanciers, die in ihren Werken die "Außenwelt" festgehalten hätten, führt Broch immer wieder Balzac und Zola[124] an, als Vertreter des Romans der "Innenwelt" Dostojewski und Kafka[125], und dem Ideal der simultanen Darstellung von "Außen"- und "Innenwelt" strebt Broch selbst nach, wobei er zuweilen Joyce[126] als sein Vorbild gelten läßt. Die Frage nach dem "Wie" der Darstellung lenkt hier zurück auf die Frage nach der beschriebenen Objektwelt. War diese mit der Forderung nach naturalistischer Darstellung nur umrißhaft deutlich geworden, so erscheint sie nun klarer nach Brochs Antwort auf seine Frage: "Aber was ist naturalistisch?"[127] Die Objektwelt umfasse nämlich neben der äußeren Realität auch die "Sphäre der traumhaft erhöhten Realität"[128]; eine "Welt, wie sie wirklich ist", enthalte "auch das Phantastische [...], das das Subjekt in ihr zu erfassen vermag".[129] "Erweiterter Naturalismus" besagt also, daß beides, "äußere" Tatsachenwelt und "innere" Traumwelt in ihrer Realität im Roman geschildert werden sollen. Hatte Zola primär die "äußere" soziale Wirklichkeit geschildert, und war diese "Tendenz" von Arno Holz radikalisiert worden mit dem Postulat "Die Kunst hat die Tendenz, wieder die Natur zu sein"[130], war also im Holzschen Naturalismus die dichterische Darstellung ganz und gar auf die Wiedergabe der "Außenwelt" beschränkt worden, so schlägt Broch - von Holz aus gesehen - die entgegengesetzte Richtung ein. Er fügt nämlich - offenbar unter bewußter Anlehnung an die Holzsche Terminologie - der "naturalistischen Tendenz"[131] eine weitere "dichterische Tendenz"[132], nämlich eine "utopische"[133] hinzu. In dieser neuen von Broch proklamierten 'utopischen Tendenz' geht es zum einen darum, "die Welt zu zeigen, wie sie gewünscht" und zum anderen "wie sie gefürchtet"[134] wird. Das heißt, die "innere" Welt oder "Traumwelt" wird gestaltet unter einem positiv und unter einem negativ utopischen Aspekt. Es geht dabei aber wohlgemerkt nicht um die Utopien des Schrifstellers, sondern um die Darstellung subjektiver Wünsche und Befürchtungen der Romanfiguren": "Der Roman", so stellt Broch fest, hat "innerhalb seines eigenen Bereiches weder Wünsche noch Befürchtungen, er muß diese genau so wie alles andere aus der geschilderten Welt entnehmen."[135] Beim Abbilden der "übernaturalistischen Wirklichkeit"[136] geht es Broch um das Einfangen der "vorauseilenden Realität"[137] wie sie als vielfache "Klein-Utopie", als "konkrete Utopie"[138] in den Köpfen der aus der Realität entnommenen Romanfiguren vorhanden ist. Mehrmals bekräftigt er, daß es dem Vertreter des "erweiterten Naturalismus" verwehrt sei, "die Objekte" seiner Schilderung anders zu zeigen als sie der Wirklichkeit entsprechen: "Er muß sie [...] zeigen, 'wie sie wirklich sind', nicht aber 'wie er sie wünscht'."[139]

Von diesem Grundsatz aus gesehen, wird es auch verständlich, warum Brochs Urteil über Zolas utopisches Spätwerk von dem Heinrich Manns divergiert. Während für Heinrich Mann 'Les Quatre Evangiles' "eine Utopie" ist, die als "Heldengedicht" auf die "Kraft und Herrlichkeit" der "Arbeit" den "Entwurf des neuen Erdenbundes"[140] darstelle, lehnt Broch das Werk als "großes künstlerisches Sakrileg"[141] ab, weil hier "im Rahmen eines naturalistischen Romans ein völlig utopischer Zustand geschildert" werde, "wie er auch nach Erreichung der klassenlosen Gesellschaft sicherlich niemals eintreten wird".[142] Zola nämlich pervertiere das "Prinzip der echten Utopie", indem er das in "Entwicklung befindliche sozialistische Wertsystem"[143] als bereits realisiertes ansetze, "in einer Weise konkretisiert", wie es "sich niemals konkretisieren könne".[144] In 'Les Quatre Evangiles' habe Zola nicht die Wirklichkeit seiner Zeit mit ihren positiven und negativen utopischen Erwartungen gezeigt, sondern seine subjektive Sozialutopie mit den um "1880 bestandenen moralischen Begriffen"[145] in Romanhandlung umgesetzt. (Aus ähnlichen Gründen lehnte übrigens auch Thomas Mann dieses Spätwerk Zolas ab.)[146] Wenn Broch eine Welt schildern will, die "aus Jetzt und aus Zukunft"[147] besteht, so müsse beides, Beschreibung der Gegenwart und Darstellung der Zukunftserwartungen der geschilderten Realität entnommen und nicht der Phantasie des Autors entsprungen sein. Von einem ähnlichen Standpunkt aus lehnte bereits Friedrich Engels ganz allgemein Zolas Romane ab, wenn er sich gegen den "Tendenzroman" wandte, in dem es lediglich darum gehe, "die sozialen und politischen Anschauungen des Autors zu verherrlichen". Er stellte daher den Realismus Balzacs über den aller "Zolas passés, présents et à venir".[148] Wie Broch sich die Darstellung der sozialistischen Utopie vorstellte, hat er selbst exemplarisch an der Gestalt des Gewerkschaftssekretärs Martin Geyring[149] in den 'Schlafwandlern' vorgeführt. Hier wird kein sozialistischer Endzustand vorweggenommen, sondern gezeigt, wie sich der Verwirklichung der sozialistischen Utopie in ständiger Kleinarbeit genähert wird.
Wieder auf das Problem des romantechnischen "Wie" der Darstellung zurückkommend, führt Broch diese Zola-Kritik weiter und vermag bloßzulegen, wieso diese Fehlentwicklung des Romans in Zolas Theorie begründet liegt. 'Les Quatre Evangiles' konnten "unter Zolas Händen [...] zum großen Hoffnungstraum aller Zukunftsromantik"[150] werden, weil - im Gegensatz zu dessen Radikalisierer Arno Holz - seine Auffassung vom Autor als "Beobachter" des im Roman gestalteten Geschehens zu subjektivistisch war. "Je

suis simplement un observateur qui constate des faits"[151] stellt Zola fest, und daraus könnte man den Willen zu objektiver Berichterstattung ableiten. Doch gesteht Zola dem "observateur" gleich Verfügungsgewalt über diese "Fakten" zu, wenn er fortfährt: "Nous avons beau déclarer que nous acceptons le tempérament, l'expression personnelle" und räumt "l'impossibilité d'être strictement vrai"[152] ein. Völlig offenbar wird der Subjektivismus des Autors als Beobachter schließlich, wenn es weiter heißt: "L'intensité avec laquelle il la voit, la façon puissante dont il la déforme pour la faire entrer dans son moule, l'empreinte enfin qu'il laisse sur tout ce qu'il touche, telle est la véritable création humaine, la véritable signature du génie."[153] Dieses stark subjektivistische Verständnis des "Beobachters" muß man im Auge behalten, wenn man Zolas Kurzformel von der Leistung des Kunstwerks im allgemeinen referiert: "Il est certain qu'une oeuvre ne sera jamais qu'un coin de la nature vu à travers un tempérament."[154] Hier hakt Broch mit seiner Kritik am naturalistischen Roman ein, wenn er schreibt, daß bei ihm "einfach die Forderung (galt): ein Stück Natur zu sehen durch ein Temperament", daß man sich begnügte, "mit der Beobachtung von realen und psychologischen Lebensumständen", um sie "mit den Mitteln der Sprache zu beschreiben", wobei "die Sprache als fix und fertig gegebenes Instrument"[155] betrachtet wurde. Das "Mittel der Sprache" prüft Broch nun auf seine Brauchbarkeit hin als "Medium" der objektiven Realität. Was Zola von seinem wissenschaftlichen Standpunkt aus noch nicht bedachte und noch nicht bedenken konnte, war, daß das "Beobachtungs- und Darstellungsmedium" eine "prinzipielle Fehlerquelle"[156] darstellt. Dieses Thema ist Kernproblem der Heisenbergschen Theorie der "Unschärferelation" und nicht - wie Broch irrtümlich annimmt - der Einsteinschen Relativitätstheorie.[157] Broch zeigt nun nach dem Referieren der Heisenbergschen Theorie eine Parallele zwischen dem "Beobachter" in der theoretischen Physik und dem "Beobachter" als Romanautor auf und meint, daß auch letzterer "das Objekt nicht einfach in den Beobachtungskegel stellen und einfach beschreiben dürfe, sondern daß das Darstellungssubjekt, also ein 'Erzähler als Idee' und nicht minder die Sprache, mit der er das Darstellungsobjekt beschreibt, als Darstellungsmedien hineingehören. Was er (der Autor) zu schaffen trachtet, ist eine Einheit von Darstellungsgegenstand und Darstellungsmittel."[158] Wie dieser eine größere Darstellungsobjektivität garantierende "Erzähler als Idee" nun in Brochs Romanpraxis wirksam wird, braucht hier nicht vorgeführt zu werden, da es von Leo Kreutzer[159] bereits detailliert beschrieben worden ist. Deutlich geworden ist, daß Broch in seinen Ausführungen über den "Beobachter" im Gegensatz zu seiner früheren diesbezüglichen ablehnenden Haltung an die "wissenschaftliche Methode [...] Zolas"[160], naturwissenschaftliche Erkenntnisse für die Romantheorie fruchtbar zu machen, anknüpft und sie weiterentwickelt. Brochs Kritik an Zolas subjektivistisch-utopischem Spätwerk ist letztlich eine Kritik an Zolas Auffassung vom Romancier als "observateur". Der "Primat des wissenschaftlichen Denkens", die "methodologische Unterordnung der Kunst unter die Wissenschaft", die Broch bei Zolas "Aufbau der 'Rougon-Maquart'" noch wirksam sah, konnte "für die 'Quatre Evangiles' nicht mehr gelten"[161], weil Zola in ihnen diesen Primat im Grunde aufgegeben hatte. Und dies brauchte nicht bewußt geschehen zu sein, sondern ergab sich aus Zolas Verständnis vom "Beobachter", den er von Anfang an als potentiell subjektivistisch sehen mußte, und dem er lediglich in seinem Alterswerk größere Subjektivität einräumte, woraus dann die Entstehung eines subjektiv-utopischen Romans resultierte. Konnte bei Zola aufgrund seines wissenschaftlichen Begriffsapparates das Verständnis vom Beobachter gar nicht anders als subjektivistisch gefärbt sein, so ist Broch nun nach Kenntnis der Heisenbergschen Theorie in der Lage, die "wissenschaftliche Methode" Zolas zu verfeinern und zu entsubjektivieren.

Einem möglichen Mißverständnis muß an dieser Stelle entgegengewirkt werden: Es geht Broch nicht um eine Neuformulierung der bereits erwähnten Formel von Arno Holz. Zwar ist beiden, Broch und Holz, gemein, daß sie "die Welt, wie sie ist" so objektiv wie möglich darstellen wollen, aber zum einen spricht Broch sich expressis verbis gegen einen bloßen "Photographennaturalismus"[162] à la Holz aus, will also neben der Holzschen "äußeren" Realität auch die "innere" utopisch-traumhafte Wirklichkeit erfassen und sprachlich artikulieren: und zum anderen räumt Broch - ganz im Gegensatz zu Arno Holz - dem Autor ein, "seine Weltanschauung oder [...] seine politische Meinung [...] in das Kunstwerk eingehen"[163] zu lassen. Die Stellenwerte der Bereiche "innere" Welt und "Autorenmeinung" in Brochs Romantheorie des "erweiterten Naturalismus" bedürfen noch der weiteren Klärung, womit nun wiederum auf das "Was" der Darstellung eingegangen wird. Zu der "Objektbedingtheit"[164] der "naturalistischen Tendenz", so hatte Broch ausgeführt, tritt - in bezug auf die Romanfiguren gesehen - die "subjektive Bedingtheit"[165] der "utopischen Tendenz" hinzu. Entsprechend der "naturalistischen Tendenz" wird der Roman zum "Spiegel aller [...] großen Weltbilder der Zeit" und "damit zur soziologischen Funktion der Umwelt".[166] Das heißt für Broch: "Der moderne Roman ist polyhistorisch geworden."[167] Während Broch öfters betont, daß ihm bei der Herstellung eines Romans dieser naturalistisch "deskriptive" und "rationale" Teil "leicht fällt"[168], ist ihm die Darstellung der "inneren" Welt in seinen Briefen und Essays ein ständig reflektiertes Problem. Kaum artikulierte Wünsche, Befürchtungen, Träume und Tagträume "zur Formulierung bringen" und aus ihnen "ein neues Realitätsstück erahnen"[169] zu können, ist ungleich schwieriger als die Außenwelt in ihrer Faktizität abzukonterfeien. Es geht ja nicht um die Darstellung der Traumwelt und Innenwelt des A u t o r s. Hierin unterscheidet sich Broch von Kafka. Kafka konstatiert: "Der Sinn für die Dastellung meines traumhaften innern Lebens hat alles andere ins Nebensächliche gerückt und es ist in einer schrecklichen Weise verkümmert und hört nicht auf zu verkümmern."[170] Ganz anders bei Broch: Seiner nichtsubjektivistischen Darstellungsmethode gemäß darf er sich nicht bei seiner eigenen Innenwelt aufhalten, sondern muß die der Romanprotagonisten - vom Großindustriellen über den Kleinbürger bis zum Proletarier - "zur Formulierung bringen". Beim Erforschen dieser Innenwelten wird Broch mit "jenen Problemen" konfrontiert, "deren Erfassung die Wissenschaft in ihrem langsameren, exakteren Fortschritt noch nicht erreicht hat. Der Besitzstand der Literatur zwischen dem 'Nicht mehr' und dem 'Noch nicht' der Wissenschaft [...] umfaßt den ganzen Bereich des irrationalen Erlebens."[171] Es ist offensichtlich, daß Broch auch hier wieder Zolasche Intentionen weiterführt. Ähnlich wie Broch sah bereits Zola in 'Le docteur Pascal' das Verhältnis von Dichtung und Wissenschaft:

> Ah! ces sciences commençantes, ces sciences où l'hypothèse balbutie et où l'imagination reste maîtresse, elles sont le domaine des poètes autant que des savants! Les poètes vont en pionniers, à l'avantgarde, et souvent ils découvrent les pays vierges, indiquent les solutions prochaines. Il y a là une marge qui leur appartient, entre la vérité conquise, définitive, et l'inconnu, d'on l'on arrachera la vérité demain.[172]

Broch wird nicht müde, seine Thesen zu wiederholen, daß "der künstlerische Fortschritt [...] Aufdeckung neuer Realitäten"[173] heiße, daß "Dichtung, die nicht neue Erkenntnis"[174] sei, zum

"Kitsch"[175] führe und somit "ihren eigenen Sinn verliere".[176] Für die neu zu entdeckenden Realitäten der "inneren" Welt habe "der Künstler [...] nach einem neuen künstlerischen und sprachlichen Ausdruck"[177] zu fahnden, denn beim "Erahnen neuer Realitätszusammenhänge" könne der Schriftsteller nicht stehen bleiben, er habe für sie "ein Maximum an Rationalität"[178] zu erreichen. Das Problem dabei ist, daß bei der Gestaltung der "inneren" Welt der Romanfiguren "ein 'Geschehen' zu konstituieren [ist], das als solches zwar nicht rational, wohl aber rational ausdrückbar"[179] werden muß. Das Problem des sprachlichen "Wie" der Darstellung löst Broch, indem er überall dort, "wo solcherart die naturalistische Ebene verlassen wird", sich "auch die von den Figuren gesprochene direkte Rede [...] aus dem Bereich der sonst von ihnen gesprochenen naturalistischen Diktion" entfernt: "Was sie reden, ist Ausdruck ihrer innern Gedanken, aber in einer Deutlichkeit, zu der sie ansonsten niemals fähig wären."[180] Doch übernimmt Broch bei der Gestaltung der Innenwelt eben nicht das Verfahren Kafkas, bei dem frei geschaltet wird mit den Fakten der äußeren Realität - man denke an die Tierverwandlung Gregor Samsas oder an das Agieren eines Affen als Mensch[181] - vielmehr besteht er auch hier auf der Verwendung von "Realitätsvokabeln"[182] der äußeren Welt. Das heißt, die "innere" Welt wird zwar "traumhaft erhöht" und "utopisch" vorgreifend dargestellt, zieht aber keine Verkehrung oder völlige Deformation der Außenwelt nach sich, da stets beide Realitätsbereiche in einer Synthese und nicht antagonistisch vermittelt werden sollen. Zu diesem Verfahren merkt Brochs Freund Frank Thiess, mit dem Broch zur Zeit der Arbeit an den 'Schlafwandlern' in regem Gedankenaustausch über die Probleme der Romantheorie stand, treffend an:

> Es ist nichts schwerer, als die Gesetze der Irrealität mit denen der sinnenhaften Welt zu verbinden. Hermann Broch ist es gelungen, seine Werke in einem Zwischenbereich zwischen naturalistischer Wirklichkeit und Irrealität anzusiedeln, aber weit und breit scheint er mir der einzige zu sein, der es zustandebringt.[183]

Um das Bild von Brochs Theorie des "erweiterten Naturalismus" abzurunden, bleibt noch ein letztes zu tun, nämlich die erwähnte "Meinung des Autors" in ihr zu lokalisieren. Broch hat seine Romane ständig in "übereinandergelagerten Schichten konstruiert".[184] In einem seiner literaturtheoretischen Essays aus den

frühen dreißiger Jahren[185] hat er die Architektonik dieser Schichtenkonstruktion durchsichtig gemacht. Anders als Zola, der – trotz zuweilen entgegengesetzter Äußerungen – Romanfiguren öfters zu seinem Sprachrohr machte (so in 'L'Oeuvre' und in 'Le docteur Pascal') lehnt Broch es ab, bei der Darstellung der äußeren und inneren Realität seine eigenen Ansichten einzumischen. Aber anders als Arno Holz, der die Privatmeinung des Künstlers radikal aus dem dichterischen Werk verbannen wollte, besteht er auf dem Recht, im Roman seine Autorenmeinung darzulegen. Neben der "naturalistischen" Ebene des "äußeren Geschehens" und neben der "utopischen" Ebene, in der die "Gedanken der dargestellten Personen" artikuliert werden – Broch nennt sie zuweilen auch die "psychologische" Ebene – tritt eine dritte Ebene, die "Ebene des Kommentars", auf der als der "eigentlichen Ebene des Autors" die "dunkle und allgemeine Logik des Erlebnisses" der Romanfiguren "in die rationale Logik rationalen Verstehens"[186] des Autors umgesetzt wird. Besonders in der 'Schlafwandler'-Trilogie hat sich Broch an diesen Aufbau gehalten: Die Essays 'Zerfall der Werte' stellen die Autorenebene, die "Ebene des Kommentars" dar, auf der er die realen äußeren Geschehnisse des Romans und die nur gedanklichen, traumhaft-utopischen Vorstellungen der Protagonisten in bezug setzt zu seiner Geschichtstheorie und zu seiner kantischen Ethik, von denen aus sie ihre Deutung und ihre Bewertung erhalten.
Es ist deutlich geworden, wie Broch, einer der bedeutenden Vertreter der literarischen Avantgarde der dreißiger Jahre, bewußt an die naturalistische Tradition Emile Zolas anknüpfte, sich kritisch mit ihr auseinandersetzte, sie modifizierte und weiterentwickelte. Und fast scheint es, betrachtet man die Rezeption von Brochs Werk, als erweise sich der der naturalistischen Tradition verhaftete Teil seines vielschichtigen und vielfältigen Oeuvres als der dauerhafteste. Die philosophischen Reflexionen seiner Romane waren zeitverhaftet, haben kaum Schule gemacht und sind groben Mißverständnissen[187] ausgesetzt gewesen; die traumhaft-utopischen Bilder – etwa in den 'Schlafwandlern' – und trancehaft-psychischen Darstellungen – etwa im 'Bergroman'[188] und im 'Tod des Vergil'[189] – können zuweilen den Zug ins schwer nachvollziehbar Abstrakte nicht leugnen; doch ist im Naturalismus zahlreicher Szenen aus seinem Roman-, Novellen- und Dramenwerk Brochs Ziel, die Darstellung der "Welt wie sie ist", auf meisterhafte Weise realisiert.

ANMERKUNGEN

1 Hermann Bahr, Die Überwindung des Naturalismus, Dresden und Leipzig 1891, S. 50.

2 Jean Giraudoux, La guerre de Troie n'aura pas lieu, Paris 1935, S. 105/106.

3 Thomas Mann, "Gedanken im Kriege", in: Die Neue Rundschau, 25. Jg., Bd. 2, 1914, S. 1473.

4 Thomas Mann, Friedrich und die große Koalition, Berlin 1916.

5 Alfred Kantorowicz, Heinrich und Thomas Mann. Die persönlichen, literarischen und weltanschaulichen Beziehungen der Brüder, Berlin 1956, S. 23. Die gleiche Feststellung findet sich auch bei Michel Vanhelleputte, "L'Essai de Heinrich Mann sur Emile Zola", in: Revue des Langues Vivantes, XXIX, 1963, S. 515.

6 André Banuls, Heinrich Mann, Stuttgart 1970, S. 110. Zum gleichen Thema siehe auch Ulrich Weisstein, Heinrich Mann. Eine historisch-kritische Einführung in sein dichterisches Werk, Tübingen 1962, S. 8.

7 Heinrich Mann, "Zola", in: Die weißen Blätter, Bd. IV, Nov. 1915, S. 1356.

8 Th. Mann, Friedrich, a.a.O., S. 99.

9 H. Mann, "Zola", a.a.O., S. 1348.

10 Ibid., S. 1370/71.

11 Ibid., S. 1356. Vgl. auch Heinrich Mann, "Kaiserreich und Republik", in: Essays, Hamburg 1960, S. 33 ff.

12 H. Mann, "Zola", a.a.O., S. 1348.

13 Dies war der ursprüngliche Titel von Brochs "Zola"-Essay, wie er dem maschinenschriftlichen Manuskript des Originals im Broch-Archiv der Yale University Library (= YUL) zu entnehmen ist. Der Herausgeber der Summa, Franz Blei, nahm in dem Aufsatz eine Reihe von Streichungen vor und ließ auch den Titel ändern. Der Essay erschien dann unter dem Titel "Zolas Vorurteil" in Summa, 1. Jg., Erstes Viertel, 1917, S. 155-158.

14 Vgl. die Arbeit des Verfassers, Hermann Broch: Ethik und Politik. Studien zum Frühwerk und zur Romantrilogie 'Die Schlafwandler', München 1973, S. 20-33.

15 So heißt es einleitend und abschließend im maschinenschriftlichen Original. Die Sätze wurden gestrichen und erschienen

nicht in der Druckfassung.

16 H. Broch, "Zolas Vorurteil", a.a.O., S. 158. [Jetzt in: Hermann Broch, Schriften zur Literatur 1: Kritik, kommentierte Werkausgabe (KW 9/I), hg. v. P.M. Lützeler (Frankfurt am Main: Suhrkamp, 1975), S. 34-38].

17 Ibid., S. 155.

18 Ibid.

19 Ibid., S. 158.

20 Ibid.

21 Auch dieser Satz wurde nicht in die Druckfassung aufgenommen. Es wird nach dem maschinenschriftlichen Original (YUL) zitiert.

22 Vgl. Ernst Keller, Der unpolitische Deutsche. Eine Studie zu den 'Betrachtungen eines Unpolitischen' von Thomas Mann, Bern und München 1965, S. 65 ff.

23 Thomas Mann, "Einkehr", in: Die Neue Rundschau, 28. Jg., Bd. I, März 1917, S. 342.

24 Ibid., S. 341.

25 Hans Wysling (Herausgeber), Thomas Mann. Heinrich Mann. Briefwechsel 1900-1949, Frankfurt am Main 1969, S. 113.

26 Thomas Mann über die "Betrachtungen"; zitiert nach A. Kantorowicz, H. und Th. Mann, a.a.O., S. 28.

27 Vgl. dazu meine folgende Studie.

28 Vgl. Heinrich Mann, "Kurt Eisner", in: Essays, a.a.O., S. 386 ff.

29 H. Mann, "An Henri Barbusse und seine Freunde", in: Münchner Neueste Nachrichten, 11. 3. 1919. Vgl. dazu auch A. Banuls, H. Mann, a.a.O., S. 114 ff. und Klaus Schröter, Heinrich Mann. In Selbstzeugnissen und Bilddokumenten, Reinbek bei Hamburg 1967, S. 99 ff.

30 Hermann Broch, "Die Straße", in: Die Rettung, 1. Jg., Nr. 3, 20. Dezember 1918, S. 25-26. [Jetzt in: KW 13/II, S. 30-34].

31 Vgl. H. Broch, "Konstitutionelle Diktatur als demokratisches Rätesystem", in: Der Friede, Bd. 3, Nr. 64 (11. 4. 1919), S. 269-273. [Jetzt in: KW 11, S. 11-23].

32 Thomas Mann, "Von deutscher Republik", in: Schriften zur Politik, hg. von W. Boehlich, Frankfurt am Main 1970, S. 23-64.

[33] Auch diese Stelle wurde für die Druckfassung gestrichen.
[34] H. Broch, "Morgenstern", in: Summa, Jg. 1, 2. Viertel, 1917, S. 154. [Jetzt in: KW 9/I, S. 41-48].
[35] H. Broch, "Zolas Vorurteil", a.a.O., S. 156.
[36] Ibid.
[37] Ibid., S. 157. Vgl. etwa den Schluß in Zolas Roman 'Une Page d'Amour', wenn Hélène und Jeanne auf das Panorama von Paris herabblicken. Ähnliche "Ausblicke" finden sich auch in 'Paris' und 'L'Oeuvre'.
[38] H. Broch, "Zolas Vorurteil", a.a.O., S. 157.
[39] Emile Zola, "Lettres à Cézanne", in: Correspondence, Paris 1907, S. 204, Brief vom 25. 3. 1860. Broch zitiert die Briefstelle auf deutsch, wobei er etwas frei übersetzt: "Zolas Vorurteil", a.a.O., S. 157. Im Manuskript (gestrichen für die Druckfassung) fügte Broch noch hinzu: "Wenngleich Jugendbriefe, werden sie von der weiteren Entwicklung bestätigt."
[40] H. Broch, "Zolas Vorurteil", a.a.O., S. 157.
[41] Franz Blei, Das große Bestiarium der modernen Literatur, Berlin 1922, S. 73.
[42] Emile Zola, "Lettre à la Jeunesse", in: Le Roman expérimental, Paris 1928, S. 56.
[43] Emile Zola in einem Brief vom 28. 12. 1882, zitiert nach Haskell M. Block, Naturalistic Triptych. The Fictive and the Real in Zola, Mann, and Dreiser, New York 1970, S. 10.
[44] Emile Zola, L'Oeuvre, Paris 1929, S. 391.
[45] H. Broch, "Zolas Vorurteil", a.a.O., S. 158.
[46] Ibid., S. 158. Eine ähnliche Gegenüberstellung von Zola und Dostojewski findet sich auch in Bleis Bestiarium, a.a.O., S. 178.
[47] Diese Stelle wurde ebenfalls für die Druckfassung gestrichen.
[48] H. Broch, "Heinrich von Stein", in: Summa, 2. Jg., 3. Viertel, 1918, S. 169. [Jetzt in: KW 9/I, S. 337-341].
[49] Ibid.
[50] Th. Mann, "Einkehr", a.a.O., S. 350.
[51] Th. Mann, "Einkehr", a.a.O., S. 350.
[52] H. Broch, "Zolas Vorurteil", a.a.O., S. 157.
[53] Ibid.
[54] Ibid., S. 158.
[55] Ibid.
[56] Th. Mann, Betrachtungen eines Unpolitischen, Frankfurt

dargestellt an Tom Jones, Moby-Dick, The Ambassadors, Ulysses u.a., Wien 1955, S. 38-97.

87 Vgl. die Arbeit des Verfassers, "Hermann Brochs Novellen", a.a.O., S. 326 ff.

88 H. Broch, "Eine meth. Novelle", a.a.O., S. 9.

89 Ibid.

90 E. Zola, "Le Roman expérimental", a.a.O., S. 16.

91 Vgl. Goethes Gespräch mit Eckermann vom 29. 1. 1827: "Denn was ist eine Novelle anderes als eine sich ereignete, unerhörte Begebenheit."

92 Daß Manfred Schunicht die sehr spezifische und keineswegs allgemein gültige Bedeutung des Tieckschen "Wendepunktes" herausgearbeitet hat, kann in diesem Zusammenhang unbeachtet bleiben, da Broch um diese Zusammenhänge nicht wußte. Vgl. M. Sch., "Der Falke am Wendepunkt. Zu den Novellentheorien Tiecks und Heyses", in: Germanisch-Romanische Monatsschrift, 41, N.F. Bd. X, 1960, S. 44 bis 65.

93 H. Broch, Die Schlafwandler, Zürich 1952, S. 170. [Jetzt in: KW 1, S. 179].

94 "Pasenow" war ursprünglich eine Novelle. Vgl. die Arboit des Verfassers, "Hermann Brochs Novellen", a.a.O., S. 360.

95 H. Broch, "Eine meth. Novelle", a.a.O., S. 20.

96 Ibid.

97 H. Broch, "Philistrosität, Idealismus, Realismus der Kunst", in: Brenner, Jg. 3, Nr. 9, 1. 2. 1913, S. 399-415. Auch in die zehnbändige Werkausgabe des Rheinverlags, Zürich aufgenommen, die in der Folge mit GW 1-10 zitiert wird. Das angeführte Zitat nach GW 10, S. 249/250. [Jetzt in: KW 9/I, S. 13-26].

98 H. Broch, "Eine meth. Novelle", a.a.O., S. 7 und S. 20.

99 E. Zola, "Le Roman expérimental", a.a.O., S. 23.

100 H. Broch, "Eine meth. Novelle", a.a.O., S. 19.

101 Arno Holz, "Zola als Theoretiker", in: Das Werk von Arno Holz, Bd. 10, Berlin 1925, S. 197.

102 H. Broch, "Zum Begriff der Geisteswissenschaften", in: Summa, 1. Jg., 3. Viertel, 1917, S. 199-209. Hier zitiert nach GW 10, S. 267 ff. [Jetzt in: KW 10/I, S. 115-129].

103 Arno Holz, Die Kunst. Ihr Wesen und ihre Gesetze, Berlin 1891, S. 86-146.

104 Ursula Münchow, Deutscher Naturalismus, Berlin 1968, S. 63.

105 GW 6, 227; 326; 343. Daß Broch hier an den Naturalismus

am Main 1956, S. 524.
[57] Ibid., S. 436.
[58] H. Broch, "Zolas Vorurteil", a.a.O., S. 157/158.
[59] E. Zola, "Du Roman", in: Le Roman expérimental, a.a.O., S. 182.
[60] E. Zola, "Le Roman expérimental", in: Le Roman expérimental, a.a.O., S. 13.
[61] Ibid.
[62] Ibid., S. 32.
[63] Ibid., S. 24.
[64] H. Broch, "Zolas Vorurteil", a.a.O., S. 155.
[65] Ibid., S. 156.
[66] Ibid., S. 158.
[67] H. Broch, "Eine methodologische Novelle", zuerst erschienen in: Summa, 2. Jg., 3. Viertel, 1918, S. 151-159. Wiederabgedruckt in Hermann Broch, Barbara und andere Novellen, hg. von Paul Michael Lützeler, Frankfurt am Main 1973, S. 7 bis 20. Dieses Zitat findet sich dort auf S. 19. [Jetzt in: KW 6, S. 11-23].
[68] Ibid.
[69] Vgl. die Studie des Verfassers, "Hermann Brochs Novellen", in: Barbara und andere Novellen, a.a.O., S. 358.
[70] E. Zola, "Le roman expérimental", a.a.O., S. 17.
[71] Ibid., S. 18.
[72] Ibid., S. 23.
[73] H. Broch, "Eine meth. Novelle", a.a.O., S. 8.
[74] Zola betont immer wieder die Bedeutung des "Plans". Vgl. "Du Roman", a.a.O., S. 166: "Le romancier invente bien encore; il invente un plan".
[75] E. Zola, "Le Roman expérimental", a.a.O., S. 41.
[76] E. Zola, "Du Roman", a.a.O., S. 166.
[77] H. Broch, "Eine meth. Novelle", a.a.O., S. 7.
[78] Ibid.
[79] E. Zola, "Du Roman", a.a.O., S. 167.
[80] H. Broch, "Eine meth. Novelle", a.a.O., S. 7.
[81] H. Broch, "Zolas Vorurteil", a.a.O., S. 158.
[82] H. Broch, "Eine meth. Novelle", a.a.O., S. 8.
[83] Ibid.
[84] E. Zola, "Le Naturalisme au Théâtre", in: Le Roman expérimental, a.a.O., S. 103.
[85] E. Zola, "Du Roman", a.a.O., S. 167.
[86] Vgl. Franz Stanzel, Die typischen Erzählsituationen im Roman,

Zolas bewußt anknüpft, wird durch den häufigen Bezug auf Zola klar. Viktor Žmegač kann man deshalb nicht zustimmen, wenn er in seiner ansonsten sehr erhellenden Studie bemerkt: "'Naturalismus' bedeutet in diesem Zusammenhang keineswegs [...] das literarische Programm Zolas und seiner gleichgesinnten Zeitgenossen." Vgl. V. Z., "Realitätsvokabeln. Ästhetik und Romantheorie bei Hermann Broch", in: Kunst und Wirklichkeit. Zur Literaturtheorie bei Brecht, Lukács und Broch, Bad Homburg v.d.H. 1969, S. 57.

[106] GW 10, 346.

[107] GW 6, 220.

[108] Hermann Broch. Daniel Brody: Briefwechsel 1930-1951 (= BB), hg. von Bertold Hack und Marietta Kleiß, Frankfurt am Main 1971, Brief Nr. 17.

[109] GW 6, 220.

[110] Ibid.

[111] E. Zola, "Le Naturalisme au Théâtre", a.a.O., S. 103.

[112] E. Zola, "Du Roman", a.a.O., S. 167.

[113] E. Zola, zitiert nach Hermann Bahr, Die Überwindung, a.a.O., S. 59.

[114] GW 6, 184.

[115] GW 6, 183.

[116] GW 6, 184.

[117] Ibid.

[118] GW 6, 56.

[119] GW 8, 13.

[120] Broch an Gottfried Bermann-Fischer, Brief vom 4.2.1934, uv. YUL.

[121] E. Zola, "Le Naturalisme au Théâtre", a.a.O., S. 95.

[122] GW 6, 218.

[123] Ibid.

[124] GW 6, 220.

[125] Ibid., und GW 6, 227; 326.

[126] GW 8, 14: "Was ich an Joyce bewundere, ist seine weitgehende Annäherung an diesen von mir geforderten Idealzustand." Vgl. ferner: H. Broch "James Joyce und die Gegenwart", GW 6, 183-210. [Jetzt in: KW 9/I, S. 63-91].

[127] GW 6, 227.

[128] Ibid.

[129] Ibid. Vgl. die ähnlich lautenden Argumente bei Richard Brinkmann, Wirklichkeit und Illusion, Tübingen 1957, S. 311 ff.

[130] Arno Holz, Die Kunst, a.a.O., S. 117.

[131]GW 6, 327.
[132]GW 6, 232.
[133]Broch legt den Gebrauch des Terminus "utopische Tendenz" selbst nahe, denn in der Diskussion um die Darstellung der Welt "wie sie gewünscht wird", spielt er die "echte Utopie" (GW 6, 343) gegen Zolas mißverstandenen Utopiebegriff aus.
[134]GW 6, 232.
[135]GW 6, 219.
[136]GW 6, 191.
[137]GW 6, 185.
[138]Diese Termini verwandte Broch mit Vorliebe in seinen politischen Essays. Vgl. dazu die Arbeit des Verfassers "Hermann Brochs politische Pamphlete", in: Literatur und Kritik, Nr. 54/55, S. 198-206.
[139]GW 6, 344.
[140]H. Mann, "Zola", a.a.O., S. 1378.
[141]GW 6, 219.
[142]Ibid., ferner GW 6, 342.
[143]Ibid., ferner GW 6, 220.
[144]GW 6, 343.
[145]Ibid.
[146]Thomas Mann, Betrachtungen eines Unpolitischen, Frankfurt am Main 1919, S. 391/392, 402 etc. Wie Broch 1917 in seinem Zola-Aufsatz von der "kindlichsten Abstraktion" (S. 158) in den "Evangelien" spricht, so nennt auch Thomas Mann diese Romanfolge "Die großen Abstrakta in der Phrygiermütze" (S. 391).
[147]GW 6, 213.
[148]Karl Marx/Friedrich Engels, Über Kunst und Literatur, Bd. 1, Berlin 1967, S. 158.
[149]Vgl. die Arbeit des Verfassers, Ethik und Politik, a.a.O., S. 116 ff.
[150]GW 6, 47.
[151]E. Zola, "Le Naturalisme au Théâtre", a.a.O., S. 92.
[152]E. Zola, "Le Roman Expérimental", a.a.O., S. 18; ferner auch "Du Roman", a.a.O., S. 171: "Un grand romancier doit avoir le sens du réel et l'expression personnelle."
[153]E. Zola, Documents Littéraires. Etudes et Portraits, Paris 1929, S. 204.
[154]E. Zola, "Le Naturalisme au Théâtre", a.a.O., S. 92; ferner: Documents Littéraires, a.a.O., S. 204.

[155]GW 6, 197.
[156]Ibid.
[157]Vgl. Werner Heisenberg, Die physikalischen Prinzipien der Quantentheorie, Leipzig 1930.
[158]GW 6, 197.
[159]Leo Kreutzer, Erkenntnistheorie und Prophetie. Hermann Brochs Romantrilogie 'Die Schlafwandler', Tübingen 1966, S. 40 ff.
[160]GW 7, 84.
[161]Ibid.
[162]GW 6, 226.
[163]U. Münchow, Deutscher Naturalismus, a.a.O., S. 63.
[164]GW 6, 327.
[165]Ibid.
[166]GW 6, 237.
[167]GW 6, 237. Vgl. die zu diesem Thema grundsätzliche Studie von Hartmut Steinecke, Hermann Broch und der polyhistorische Roman, Bonn 1968.
[168]BB 404.
[169]GW 6, 304.
[170]Franz Kafka, zitiert nach Klaus Wagenbach, Franz Kafka in Selbstzeugnissen und Bilddokumenten, Reinbek bei Hamburg, 1964, S. 95.
[171]BB 14 A.
[172]E. Zola, Le docteur Pascal, Paris 1929, S. 107.
[173]Broch an Herbert Zand in einem Brief vom 12. 12. 1947, KW 13/III, S. 200.
[174]GW 8, 78.
[175]GW 6, 304. Zum Thema Kitsch vergleiche auch die Studie von Manfred Durzak, "Der Kitsch. Seine verschiedenen Aspekte", in: Deutschunterricht, Jg. 19, Nr. 1, 1967, S. 93-120.
[176]GW 8, 78.
[177]Broch an Angel Flores in einem Brief vom 16.7.1934, KW 13/I, S. 288.
[178]GW 8, 415.
[179]BB 344.
[180]H. Broch, "Inhalt und Darstellungsmethode der 'Schuldlosen'", zitiert nach der neuen Ausgabe der 'Schuldlosen", KW 5, S. 309.
[181]Franz Kafka, "Die Verwandlung", "Bericht für eine Akademie", in: Sämtliche Erzählungen, hg. v. Paul Raabe, Frankfurt

am Main 1970, S. 56-59 und S. 147 bis 155.

[182] GW 6, 227.

[183] Frank Thiess, "Zum Gestaltwandel des Romans", in: Die Wirklichkeit des Unwirklichen. Untersuchungen über die Realität der Dichtung, Hamburg 1954, S. 32.

[184] BB 380.

[185] H. Broch, "Bemerkungen zu den 'Tierkreis-Erzählungen'", GW 10, 187-193. [Jetzt in: KW 5, S. 293-299].

[186] GW 10, 193.

[187] Vgl. die Studien von Karl Menges, Kritische Studien zur Wertphilosophie Hermann Brochs, Tübingen 1970 und Heinz D. Osterle, "Hermann Broch 'Die Schlafwandler'. Kritik der zentralen Metapher", in: DVjs, Jg. 44, Nr. 2, 1970, S. 229 bis 268.

[188] Vgl. Hermann Krapoth, Dichtung und Philosophie. Eine Studie zum Werk Hermann Brochs, Bonn 1971, S. 153 ff.

[189] Vgl. Wieslawa Erna Wolfram, Der Stil Hermann Brochs. Eine Untersuchung zum 'Tod des Vergil', Diss. Freiburg i.B. 1958.

Nachbemerkung: Der Aufsatz erschien zuerst unter dem Titel "Erweiterter Naturalismus: Hermann Broch und Emile Zola" in: Zeitschrift für deutsche Philologie 93/2 (1974), S. 214-238.

DIE MÜNCHNER REVOLUTION BEI OSKAR MARIA GRAF: ERLEBNIS UND ROMAN

Wenige Monate nach dem Zusammenbruch der Bayrischen Räterepublik entbrannte zwischen zwei ehemaligen Münchner Bohemiens, einem politisch glücklosen Künstler und einem als Künstler gescheiterten Politiker, ein kurzer Streit, in dem sich die ideologischen Fronten der bürgerkriegsmäßigen Auseinandersetzungen im München des Frühjahrs 1919 nochmals verdeutlichten, in dessen Verlauf und handfester Zuspitzung allerdings - anders als im voraufgegangenen Bürgerkrieg - der Vertreter der Reaktion mit einem Hinausschmiß den kürzeren zog.[1] Wer da unsanfter Brachialgewalt weichen mußte, war einer, der gerade beschlossen hatte, Politiker zu werden[2] und dessen militaristischer, antisemitischer und kommunistenfeindlicher Eifer bei seinem pazifistisch, kosmopolitisch und sozialistisch gesonnenen Antipoden und dessen Freunden auf sehr konkreten Widerstand stieß. Eine immerhin denkwürdige Konfrontation: Beide Kontrahenten - sowohl der fünfundzwanzigjährige Oskar Maria Graf wie der dreißig Jahre alte Adolf Hitler - verkörpern in ihren Ideologien wie in ihren Aktionen die beiden politischen Kräfte, die den Verlauf und das Ende der Münchner Revolution von 1918/1919 bestimmten. Beide waren Kriegsteilnehmer, wurden geprägt durch die Fronterlebnisse. Während Graf die Unmenschlichkeiten der Materialschlachten nicht erträgt und noch vor Kriegsende als Pazifist nach München zurückkehrt, macht sich Hitler den während der Kriegsjahre offiziell propagierten Militarismus Ludendorffscher Prägung immer mehr zu eigen und kehrt 1918 als Revanchist in die revolutionäre bayrische Hauptstadt zurück. Unterstützt Graf den Streik der Munitionsarbeiter in München,[3] so diffamiert Hitler ihn im Sinne der Dolchstoßlegende.[4] Während sich Graf - trotz aller ideologischen Verschwommenheiten und aller Schwankungen - die Münchner Revolution in einem pazifistisch-sozialistischen Sinne darstellt, kommt Hitler "der ganze Betrieb" der "Rätediktatur" bzw. der "Judenherrschaft" - wie er sich ausdrückt - nur "widerlich"[5] vor. In den letzten Revolutionstagen will Hitler schließlich nach eigenen Angaben[6] auf Befehl des "Revolutionären Zentralrates" verhaftet worden sein - was zwar nachweislich nicht stimmt,[7] aber durch diese Behauptung drückt er seine Sympathie für die Reaktion aus; Graf wird dagegen von Konterrevolutionären ins Gefängnis gesperrt.[8] Für Graf und seine idealistischen Dichterkollegen bedeutete die gescheiterte Revolution mehr oder weniger das Ende der politischen Aktivitäten überhaupt, für Hitler und seine Gesinnungsgenossen aber Ermutigung zur Formation der politisch-reaktionären Kräfte.

Mit dem Namen Graf und Hitler verbindet sich somit, denkt man an das Jahr 1919, einerseits die Auflösung einer anarchistischen, in ihren politischen Zielen nur schwer faßbaren und äußerst schlecht organisierten Revolution von links und anderseits der Beginn der rapiden Aufwärtsentwicklung einer militärisch straff organisierten revolutionären Rechtspartei. Das glücklose Ende der einen Kraft bedingte den Aufstieg der anderen. München, die erste Residenzstadt, die 1918 ihren Landesmonarchen zur Abdankung zwang[9] und das erste revolutionäre Zentrum in Deutschland war, hätte kaum zur "Hauptstadt der Bewegung" Hitlers werden können, wenn sich die dortigen revolutionären Regierungen von 1918/1919 nicht durch Richtungslosigkeit und Unfähigkeit um den politischen Kredit gebracht hätten. Die Beschreibung der Biographie Oskar Maria Grafs aus dieser Nachkriegszeit vermittelt ein Bild von der inneren Dialektik dieser zum Scheitern verurteilten Revolution und führt in ihre zentrale Problematik, nämlich in die des literarisch-politischen Aktivismus im Spätexpressionismus.

An der vagen, irrationalistischen und im weitesten Sinne "anarchistischen" politischen Position des jungen Graf von 1914 hatte sich auch bei Beginn der Münchner Revolution im Grunde nicht viel geändert. Wohl aber schlug er in seiner Lyrik nun einen anderen Ton an. Waren die Gedichte von 1914 geprägt durch einen zur Passivität verurteilenden Kulturpessimismus, so strotzen die Verse aus den Revolutionstagen nur so vor expressionistisch-aktivistischer Kraftmeierei. Beschrieb Graf z.B. wenige Monate vor Ausbruch des Weltkrieges in seinem Poem 'Knaben'[10] sich und seine Gesinnungsfreunde recht treffend als "verzweifelt in den Himmel jauchzend", als eine Generation, die "traumversunken" nicht "wisse ... wo aus, wo hin!" und deren "Geist" nur "unbestimmte Bilder und verschwommene Formen durchflackern", hinnehmend, daß "endloses Leben stumm verblutet", so wirft er sich jetzt in dem Gedicht-Zyklus von 1918 'Die Revolutionäre'[11] zum Wortführer und Anwalt der großen gesellschaftlichen Veränderung auf: "Wohlan! Horcht auf! Durch mich singt sich das Lied, das Eure Sendung hißt!" (S. 6). Dies "hochtrabende Manifest",[12] das Graf im Rahmen eines "Programms der 'Einzelnen'"[13] herausgeben wollte, enthält in nuce thematisch so ziemlich alles, was die expressionistischen

Aktivisten von ihrem Poeten-Olymp herabdonnerten: Einen irrationalistischen 'Zukunftsglauben' ohne bestimmte und faßbare gesellschaftliche Zielvorstellungen, einen ebenso vagen, in politischen Begriffen kaum formulierbaren "Menschheits"-orientierten "Sozialismus", eine literarisch-politische Sendungs- und Verkündungsbesessenheit mit christlichen Einsprengseln, einen von Landauer[14] inspirierten Kult um den "einsamen" wissenden Dichter als Künder und Propheten, der den Weg weist zur menschheitsverbrüdernden "Wir"-Haltung und schließlich einen - noch am ehesten faßbaren - Anti-Militarismus und Anti-Kapitalismus. Auf fatale Weise werden hier irrationalistisches "Glauben" und "Hoffen" dem rationalen "Beweisen" und "Begründen" entgegengesetzt: "Euch leuchtet mein kristallener Glaube, der allem Beweis und jeder erdachten Begründung den Todesstoß gibt -: Helden des entfachten Himmelreiches, das in uns ist; Euch mein Gruß, meine Hoffnung ...! Wohlan, den unbekannten Fernen zu!" (5).[15] Äußerst dubios wird das Pathos, wenn der Wortschwall dem "Denken" entgleitet und die Richtung ins "Völkische" und "Bluthafte" nimmt: "Wir wissen", so tönt es dort, "daß wir Millionen und Welle und Strom sind, der aus dem Gebraus des sengenden Blutes brach und über die Grenzen des Denkens hinaus sich menschwärts seine eigne Furche schuf. Es singt die Inbrunst ihren frühen Ruf aus uns, der flammende Programme segelnd durch die Städte hißt und die Nationen volkhaft umgestaltet." (10) Hier "braust" und raunt es ganz im Stil der Volkstumsideologie, und die Lukács'sche These[16] vom Expressionismus als einem Vorläufer faschistischer Ideologie scheint sich zu bestätigen. Indes, dieser revolutions-poetische Erguß Grafs ist allzu variationsreich, als daß er sich auf die Formel "Präfaschismus" bringen ließe. Dazu steckt zu viel an Christentum, sozialer Anklage und Pazifismus in ihm. Der "Geist", der verbreitet werden soll, wird in Verbindung gebracht mit dem "Heiligen Geist" der christlichen Lehre, und seine Erneuerung wird im Sinne der imitatio christi[17] verstanden: "Aus Särgen hoch steilt sich der aufgeblühte Geist, um den ein Mensch am Kreuz gebüßt." (7) Auch das Bild des Sämannes gebraucht Graf in diesem christlichen Sinne, wobei - ähnlich wie bei seinem Freund Alfred Wolfenstein[18] - Christus als Revolutionär gesehen wird: "Es ging ein unsichtbarer Säer durch die weite Welt, Aufruhr im Samen, Menschengeist, der sich empört." (8) Am ehesten in einem christlich-brüderlichen Sinne ist auch der "Sozialismus" zu verstehen. Besonders die "Auferstehungs"-Metapher deutet darauf hin: "Es ist die Not von einer ganzen Zeit, die meine auferstandene Seele wundgeschleift, daß sie die wehe Klage in das Dunkel schreit und sich um Brüder willen selbst vergessen will ..." (7). Aus diesem christlich-brüderlichen Solidaritätsgefühl leitet sich auch die massive Kritik an den Kriegsgewinnlern im speziellen und der Bourgeoisie im allgemeinen ab: "Weh über Euch! Verwelkte, die der Überfluß entartet, mit Blindheit schlug, als erster Schrei enttäuscht auf Widerhall gewartet. Weglagrersippschaft, die Blut aus allen jungen Wurzeln saugt und sich verlebt in Hurerei und satter Müßigkeit ...! Ihr gebt Euch selbst dem Fluch, der Eures Schicksals Teppich webt! ... Und mein Gesang ist der nimmervergeßbare Rest des Todesschreis verblichner Helden, denen ihr die Kreuze schuft ..." (7) Dieser beherrschenden, ausbeuterischen Klasse[19] wird mit apokalyptisch-endzeitlichen Drohungen der Kampf angesagt und der Untergang prophezeit: "... die Nacht, die mich umdacht, scheucht dunkle Stimmen auf aus Schlaf und Traum und wetterleuchtet den Beginn der Schlacht, die nimmer ermüdet und Euch überfällt, kaum, daß Ihr Euch besinnt. O, wißt -: Mein Sang ist Odem aus geglaubten Gräbern steigend, die keinen Toten bergen ... Durch angstbeklommne, stillgewordene Städte wolkenhafte Menschenhorden sich vorwärtsschiebend, barbarisch und voll Ungestüm. Aufjauchzend geistergriffne Bataillone, noch im Schrittgemeng den Grimm klaglos gestorbener, vergessener Helden." (7 f.) Doch das ist alles Theaterdonner, hat in der politischen Situation weder Informations- noch Agitationswert, ist lediglich verbale Kühlung eines momentan revolutionär gestimmten Mütchens. Grafs konkrete Aktionen während der revolutionären Geschehnisse in München können mit diesem Wortgepränge nicht in Einklang gebracht werden - es sei denn, man betrachte auch sie als nur theaterhafte Auftritte, was wiederum nicht ganz von der Hand zu weisen ist. Politischer Anspruch im revolutionären Poem und tatsächliche revolutionäre Aktion sind nicht nur nicht deckungsgleich, sondern berühren einander fast kaum. So kann denn Grafs poetische Selbststilisierung zum revolutionären Führer den Zug ins Großsprecherische, ja fast Größenwahnsinnige nicht leugnen, ein - wie ein Kritiker feststellt[20] - in der damaligen expressionistischen Dichtung durchaus verbreiteter Zug. Unter diesem kritischen Aspekt muß denn auch Grafs Identifikation mit dem "menschheitlich"-"geistigen" "Wir" betrachtet werden: "Ich aber bin und bin das Wir." (7) Dieses "Wir" wird - widerspruchsvoll genug - einerseits als Medium verstanden, in dem "der Mensch in sich der (sic!) ganzen Menschen trennungslos begegnet" (10), d.h. es wird als Katalysator der "Menschheits"-Vereinigung gedeutet, dem es gelingt, daß "die

Menschheit" sich "schrittvereint" fühlt, sich "liebt" und "geistgestählt die Hand ... gibt" (12); andererseits aber - entgegen der Beteuerung, daß der "Mund" dieses "wir"-bereicherten "Ich" "die Liebe" (7) sei - enthüllt sich dieses "Wir" als eine Art militärischer Angriffs- und Einschüchterungsformation der "geistesgestählten" "Revolutionäre" gegen die "Ungeistigen": "Ich ... bin das Wir, des tosender Sturmschritt Euch zittern läßt!" Großmannssüchtige Weltbeglückungsgestik ist hier mit militanter Drohgebärde gekoppelt. Das Jugendbewegung wie Expressionismus gleichermaßen beschäftigende "Wir"-Denken findet auch bei Graf - ebenso wie bei Franz Jung und Wolfenstein[21] - seinen Niederschlag. Es ist zu erklären mit dem Versuch dieser Generation, "aus den Zwängen kapitalistischer Wirtschaft und Industrialisierung auszubrechen" in ein Erlebnis, das "die entfremdeten Einzelnen in ein unmittelbares Verhältnis zueinander stellte". Dieser unpolitische Charakter ließ die Möglichkeit offen, "daß man rechts stand und links empfand, daß man links stand und 'völkische Ideale' haben konnte".[22] Genau diese Positionsunsicherheit und -schwankung kennzeichnet auch Grafs Gedicht.
Derlei Wortgetöse, wie es in Grafs Gedicht 'Die Revolutionäre' vorherrscht, mochte zwar dem Kathedergeschmack seines professoralen Gönners Roman Wörner[23] von der Münchner Universität entsprechen und daher Graf ein Poeten-Stipendium sichern, aber darüber hinaus dürfte es - von Kollegen-Akklamationen abgesehen - ohne Wirkung geblieben sein. Dem Inhalt nach gleich epigonal und dem Anlaß nach ähnlich akademisch war auch Grafs zweites "Revolutions"-Opus, sein Drama 'Der Diktator'. 'Eine Tragödie in drei Akten'. Den Anstoß gab Wörner, die Ideen dafür sammelte er sich aus allem damals Bühnengängigen zusammen. Ironisch distanziert berichtet Graf später selbst darüber: "Der Held des Dramas war selbstverständlich eine mit damals moderner Allerweltsethik erfüllte Künstlernatur, ein Mensch also, fast nichts als Idealismus, der sein Volk zur Freiheit führt und dabei umkommt."[24] Wie in seinem Gedicht geht es auch hier wieder um die Glorifizierung der expressionistischen Dichtertypen, "die auf alles Private verzichten, aus ihrer persönlichen Einsamkeit heraustreten und sich zum politischen Führer aufschwingen".[25] Wahrscheinlich handelte es sich bei diesem von Graf bald nach der Fertigstellung selbst vernichteten Drama um eine Nachahmung der "Wandlung" von Ernst Toller, mit dem Graf einen kurzen Gedankenaustausch über dessen Drama hatte.[26] Hier wie dort erhebt sich der in einem Zustand der Dauerekstase befindliche Protagonist zum Messias

der Revolution und will Krieg, Ausbeutung und Gewalt durch die Liebe überwinden. Dieses Konzept vom Dichter, der sich als ein "Volkstribun fühlt, der mit allen ihm gegebenen sprachlichen Mitteln gegen die Mächte des Terrors, des Kapitalismus, des Militarismus und Imperialismus zu Felde zieht",[27] wurde vor allem in Gustav Landauers "Aufruf zum Sozialismus"[28] propagiert; dessen Ideen machten sich Graf[29] wie Toller[30] zu eigen. Bei Landauer heißt es bezeichnenderweise: "... wir sind Dichter; und die Wissenschaftsschwindler, die Marxisten, die Kalten, die Hohlen, die Geistlosen wollen wir wegräumen, damit das dichterische Schauen, das künstlerisch konzentrierte Gestalten, der Enthusiasmus und die Prophetie die Stätte finden, wo sie fortan zu tun, zu schaffen, zu bauen haben; im Leben, mit Menschenleibern, für das Mitleben, Arbeiten und Zusammensein der Gruppen, der Gemeinden, der Völker ... Und was wir dichten, schön machen wollen, ist Praktik, ist Sozialismus, ist Bund der arbeitenden Menschen."[31] Anders aber als die politisch agierenden Schriftsteller vom Schlage Tollers schreibt Graf sein Drama gar nicht für die Öffentlichkeit, will keineswegs damit "aufrütteln", sondern das Ganze ist lediglich eine an den akademischen Gönner adressierte Pflichtübung, der er sich nur ungern unterzieht und die er so schnell wie möglich hinter sich bringen möchte. Daß das Werk, was seine Funktion anbetraf, so gar nichts gemein hatte mit dem literarischen Aktivismus der Zeit, zeigt auch die Tatsache, daß für den verzweifelt nach Stoffen suchenden Dramatiker Graf politische Veranstaltungen herhalten müssen. "Ich suchte", berichtet Graf, "überall nach einem Dramenstoff und wurde förmlich verzweifelt, weil sich alles so schwer anließ ... Endlich fielen mir wieder die Diskussionsabende der Unabhängigen ein. Ah, dachte ich, da kannst du sicher was rausholen."[32] Der objektive Inhalt des Stückes und die subjektive Intention Grafs geraten damit in krassen Widerspruch. Während die Reden des "Diktators" ein mixtum compositum aller aktivistischen Programme zu sein scheinen und dieser seine politische "Sendung" bis in den Tod hinein ernst nimmt, ist für den Autor Graf das Ganze nur ein ungeliebtes Machwerk, das er sofort vernichtet, als es seinen einzigen Zweck verfehlt, nämlich den Beifall seines Literatur-Professors zu finden. Was Frühwald zu Recht allgemein über Grafs Dichtergeneration aussagt: "Dichten ist Tat, nicht Traum; die Aktion steht über dem Kunstverständnis des Anarchismus und des expressionistischen Aktivismus",[33] trifft ganz und gar nicht auf den "Dramatiker" Graf zu. Daß Graf, auch wenn seine Flugblattpoesie im Stil der 'Revolutionäre' das Gegen-

teil zu belegen scheint, durchaus Distanz zu den Literatur-Messiassen hielt, zeigt sein Kommentar zum "Revolutionären Künstlerrat": "Dort saß Wolfskehl; in einer Ecke, sehr bescheiden, lehnte Rilke; der Lyriker Wolfenstein mit seiner schwarzen Hornbrille kam mir zu Gesicht. Lauter feine, gebildete Leute sah ich hier, bei denen man roch, daß sie nie mit dem Volk was zu tun gehabt hatten ... 'Das ist überhaupt nichts als Geschwätz und keine Revolution', schimpfte ich aus purer Abneigung gegen diese Gesellschaft: 'Lauter Literaten!'."[34] Graf steigerte sich während der Revolutionszeit in so starke Aggressionen gegen den Kunst- und Literaturbetrieb hinein, daß er Drohungen ausstieß, die nichts mehr gemein haben mit expressionistischer Weltbeglückung. "Der Kunst geht's am allerersten an den Kragen!' warf ich dreist und bissig dazwischen: 'Die muß ausgerottet werden!'"[35] In gewisser Weise ist er mit diesen rabiaten Verbaldrohungen aber auch ein Kind seiner expressionistischen Zeit; wie Jost Hermand feststellt, ist "das Ergebnis des Expressionismus ... oft gar nicht die Sphäre des Brüderlichen ..., sondern die des ... Barbarischen."[36] Jedoch verfliegen derlei Radikalismen bei Graf schnell wieder und wechseln ab mit Resignation und Passivität: "Geh", so argumentiert er nach den ersten Revolutionswochen gegenüber seinem Freund, dem Maler Georg Schrimpf,[37] "das ist doch keine Revolution! ... Die reden und reden doch bloß, verfassen Artikel und Verordnungen, aber geschehen tut nichts ... Mich kann diese ganze Revolutionsmacherei gerne haben! ... Ich schieb' lieber wieder! Du siehst ja, nach uns fragt keiner, uns will und braucht man gar nicht!"[38] Der aktivistisch-anarchistisch-expressionistische Dichter Oskar Maria Graf, der sich zu Beginn der Revolution als ihr Sprachrohr, ihr Wegweiser und Vollzieher gefeiert hatte, ist mit diesem Eingeständnis noch vor Zusammenbruch der Revolution politisch am Ende. In der Folge der weiteren Ereignisse agiert Graf abwechselnd als Schwarzmarkt-Schieber weit ab vom revolutionären Geschehen, als glückloser Arrangeur politischer Veranstaltungen, zumeist jedoch als passiver Beobachter und Chronist.
Bevor sich während des Zusammenbruchs der Revolution Grafs politische Position klärt, spiegeln sein Denken und seine Aktionen die Widersprüche[39] der damals aufeinanderprallenden Überzeugungen und Interessen. Er ist sowohl Sympathisant des Proletariats wie Genießer bourgeoisen Wohlstands, er predigt Pazifismus, und gleichzeitig polemisiert er gegen ihn, er streitet für Tolstoisch-christliche Bruderliebe und erledigt sie daraufhin mit Nietzscheanismus, er fordert, dem Terror Einhalt zu gebieten und stößt

gleichzeitig barbarische Drohungen aus, er gebärdet sich einerseits als Messias und andererseits als Säufer, Inbrunst treibt ihn in die Kirche und Brunst ins Bordell. Die Unsicherheit und Standpunktlosigkeit legt er offen bloß: "Ich lief mit, wenn alle losgingen, ich schrie mit, wenn alle schrien, ich stürmte, wenn man stürmte, sonst nichts."[40] "Ich kam mir", berichtet Graf ergänzend, "hin und wieder buchstäblich vor wie der selige Tartarin von Tarascon. Unablässig stand ich im abenteuerlichsten Hin- und Herwogen der Geschehnisse, die kleinsten Dinge wurden groß und unheimlich, aufregend, romantisch und gewaltig, im nächsten Augenblick aber schon wieder lächerlich und sinnlos, dumm und langweilig."[41] In erster Linie waren es die fehlenden revolutionären Zielvorstellungen, die diese Schwankungen und Unsicherheiten verursachten. Das wird klar, wenn Graf fortfährt: "Die Revolution war eigentlich etwas Unvorstellbares für mich, sie war gewissermaßen ein Zustand, dem alles zustrebte; was aber nach diesem Hereinbruch geschehen sollte, darüber war sich kaum wer klar."[42] Er notiert in diesen Tagen die zutreffende Einsicht: "Ich weiß nicht, was ich bin und wohin ich gehöre ..., aber es kommt mir doch manchmal vor, als wenn die anderen auch nicht viel anders wären als ich."[43] Trotz der zahlreichen Widersprüche und häufig wiederkehrenden Schwankungen lassen sich in Grafs Ideologie zur Revolutionszeit doch einige Konstanten feststellen, die schließlich bezeichnend für seine späteren Überzeugungen werden. Anfänglich noch predigt er die reine revolutionäre Aktion ohne konkrete Zielsetzung und verherrlicht den Umsturz um seiner selbst willen. Den Rausch, der Graf erfaßte, hat er plastisch in einer Szene geschildert: "'Mensch! Die Revolution! Revolution!' Ich achtete auf nichts mehr. 'Die Revolution fängt an! Auf der ganzen Welt! Es wird ganz, ganz anders!' sagte ich wie in einem Rausch: 'Jetzt geht die neue Zeit an!' ... 'Revolution! Revolution!' summte, brummte, sang, pfiff, keuchte ich ..."[44] Und als Parole der ziellosen Revolte genügt ihm: "Immer losgehen, einfach los!"[45] Doch dieser blinde Aktivismus weicht bald, wenn auch nicht ohne Rückfälle, einem relativ komplexen Syndrom pazifistischer und anarchistischer Vorstellungen, die im einzelnen umschrieben werden können mit Anti-Militarismus, Anti-Terrorismus bzw. Tolstoismus und Anti-Institutionalismus bzw. Anti-Etatismus. Was sich bei Graf am deutlichsten erhielt, ist der Anti-Militarismus des zum Pazifisten gewordenen Weltkriegsteilnehmers. Noch vor Kriegsende fordert er mit Zwischenrufen bei politischen Veranstaltungen, die Befehlsverweigerung beim Militär zu unterstützen.[46] Auch beteiligt er sich mit seinem Freund Georg Schrimpf - wie ebenfalls auch Toller - an der Vorbereitung des Münchner Munitionsarbeiterstreiks, der dann die Revolution eröffnete. "Das Volk", so stellt Graf fest, "will ja nur keinen Krieg mehr und seine Ruhe haben";[47] und aus dieser Einsicht entspringt sein während der Revolutionszeit vehement vertretener Anti-Terrorismus. "Terror ist Unsinn", so heißt es bündig bei ihm, und gefordert wird statt dessen ein "Generalstreik", der so lange dauern müsse, "bis die Bürger und alle Gegenrevolutionäre zu Kreuz kriechen".[48] Mit enormem Zeit- und Geldaufwand versucht er, eine Anti-Terrorkampagne zu starten. Der propagandistische Aufwand steht allerdings in keinem Verhältnis zum Erfolg. An den Litfaßsäulen prangen seine Plakate mit dem Slogan "Gegen den Terror!" und "Um das Mensch-Sein!". Im einzelnen ist da zu lesen: "Menschen aller Stände! Große öffentliche Versammlung! ... Nicht eine Partei soll gegründet werden, die nur ihr Interesse vertritt, Menschen rufen hier, die das Wohl des Volkes im Auge haben. Die Kameradschaft zur Gründung des Bundes 'Freie Menschen'."[49] Die Massenversammlung findet auch tatsächlich statt, aber das einzige, was Graf dort zu artikulieren vermag, sind Wiederholungen der Plakatphrasen: "Ich bin gegen jeden Terror" Komme er her, wo er herkomme."[50] Zum "blamierten sanften Heinrich vom Mathäser"[51] und "harmlosen Tolstoianer"[52] gestempelt, muß er zusehen, wie sich die Zusammenkunft nach wenigen Minuten auflöst. "Die Versammlung", resümiert er rückblickend, "war eine Blamage, der 'Bund freier Menschen' ein widerwärtiger Unsinn."[53] Der Tolstoismus war zwar dazu angetan, ein ganzes Heer von expressionistischen, anarchistischen und aktivistischen Poeten, nicht aber revolutionäre Massen, die auf politische Zielsetzungen warteten, in Bann zu schlagen. Wie in den Programmen Gustav Landauers, der im "Aufruf zum Sozialismus" eine Hymne auf den "Geist Tolstois" anstimmt und ihn versteht als "den himmlischen Geist der Revolution, der ... das Verschüttete freilegt und das heilig Verborgene zum Quellen und Rauschen bringt",[54] wie bei Ludwig Rubiner[55] und Ernst Toller[56] wird auch bei Graf "keine auf die ökonomische oder soziale Situation bezogene Politik betrieben, sondern ... eine 'geistige Weltwende' verkündet, die auf Tolstois Lehre der religiösen Gewaltlosigkeit beruht"[57] Der Einfluß der Friedensschriften Tolstois[58] ist in seiner anhaltenden Wirkung auf Graf[59] nicht zu unterschätzen. "Tolstoi!", so gilt für ihn auch während der Revolutionswirren, "der gilt immer und ewig!"[60] Und seinem Freund Schrimpf gegenüber begründet er seinen Tolstoismus mit der lapidaren Feststellung, er sei "einfach fürs Leben ... und nicht für den Tod".[61] Dieser unpolitische Tolstoismus verbindet sich bei Graf mit einem anarchistischen Anti-Institutionalismus, der, indirekt vermittelt, auf den damals in Boheme- und Revolutionskreisen populären Anarchisten Kropotkin (und weniger auf Bakunin) zurückzuführen sein dürfte, der aber direkt auf den Einfluß Landauers, Mühsams,[62] Eisners und Tollers zurückgeht. "Staat, Nation?", so poltert Graf nach Kriegsende, "das sind bloß alles fixe Ideen! Alles bloß Erfindungen der Oberen! Wir brauchen bloß Menschen!"[63] Alle Institutionen des Staates und des Militärs" findet er "lächerlich und verschroben".[64] Weniger polemisch formuliert finden sich ähnliche Ansichten bei Toller. Er tut sich ebenfalls schwer im Aufweisen von Alternativen und argumentiert gleich hilflos und abstrakt,[65] wenn er an Landauer schreibt: "... ich glaube, wir müssen vor allen Dingen ... den Staat bekämpfen, der letzthin nur die Gewalt und nicht das Recht (als Besitz) kennt, und an seine Stelle die Gemeinschaft setzen ..., die Gemeinschaft freier Menschen, die durch den Geist besteht."[66] Auch der Adressat dieser Zeilen, der "unumstrittene Cheftheoretiker der bayrischen Revolution",[67] Gustav Landauer, will "nach Abschaffung des Staats ... alle Menschen mit einer paradiesischen Urgemeinschaft beglücken"[68] und schwelgt in den ersten Revolutionstagen "in Erhebung, in Größe, in Edelmut, im Neuen und Unerhörten, in der Überwältigung schamvoller Reue und kühnen Entschlusses",[69] statt die Zügel der Staatsführung zu ergreifen. Erich Mühsams Anti-Institutionalismus entlädt sich im Kampf gegen die demokratische Staatsverfassung, und er formuliert die Parole, die nach fünfzigjährigem Vergessen wieder von einem Teil der Studentenbewegung der späten sechziger Jahre ins Bewußtsein zurückgerufen worden ist: "Laßt Euch durch Schwätzer nicht vertreten,/selbst herrscht das Volk in seinen Räten!"[70] Und schließlich bleibt auch Kurt Eisner, der zwar plant, "eine neue Form der Demokratie zu entwickeln",[71] mehr oder weniger in Abbruchplänen stecken, wenn er hervorhebt, daß er die "wirtschaftliche Ordnung beseitigen" möchte, die "auf die Massen wie auf die einzelnen drückt".[72] Auch Eisner, der von sich sagt, daß er eine "Realpolitik des Idealismus"[73] betreibe, ist mehr idealistischer Hymnendichter als Realpolitiker, und sein "geistiges" Ziel, das er psalmodierend im "Gesang der Völker" preist, mußte Rhetorik und frommer Wunsch bleiben: "Die Menschheit gesunde/In schaffendem Bunde/Das neue Reich ersteht./O Welt werde froh!/

Welt werde froh!"[74] Dieser Anti-Institutionalismus der Münchner Revolutionäre weist in seiner Kombination mit dem Anti-Terrorismus zurück auf den Anarchismus Kropotkinscher[75] Provenienz. Wenn bei ihnen auch Kropotkins anti-religiöse Einstellung auf wenig Resonanz stieß (in Dingen der Religion hielt man sich lieber an Tolstoi), so blieben doch sein gegen Marx gerichteter Anti-Kommunismus und seine Verurteilung individueller Gewaltakte - womit er sich gegen Bakunin[76] stellte - und seine Idee der gesellschaftlichen Umgestaltung durch die Revolutionierung der Massen von nachhaltigem Einfluß auf die Münchner Anarchisten.
Im Verlauf der Münchner Revolution kristallisieren sich bei Graf diese Anti-Haltungen aus seinem verworrenen, zwischen links und rechts schwankenden Anarchismus immer deutlicher heraus und kulminieren nach dem Zusammenbruch der revolutionären Regierung im Mai 1919 in einer Solidaritätserklärung mit den Ausgebeuteten des herrschenden Staates: "Die Räterepublik war zu Ende. Die Revolution war besiegt. Das Standgericht arbeitete emsig ... Ich wußte endgültig wohin und zu wem ich gehörte ... Das sind alle meine Brüder, dachte ich zerknirscht, man hat sie zur Welt gebracht, großgeprügelt, hinausgeschmissen, sie sind zu einem Meister gekommen, das Prügeln ging weiter, als Gesellen hat man sie ausgenützt und schließlich sind sie Soldaten geworden und haben für die gekämpft, die sie prügelten. Und jetzt? Sie sind alle Hunde gewesen wie ich, haben ihr Leben lang kuschen und sich ducken müssen, und jetzt, weil sie beißen wollten, schlägt man sie tot. 'Wir sind Gefangene'!"[77] Das im Gedicht 'Die Revolutionäre' noch "weltumspannende" und damit völlig abstrakte "Wir" hat hier einen konkreten Inhalt und damit Sinn erhalten. Es zeigt die Identifikation Grafs mit den Unterprivilegierten an, denen die Münchner Revolution keine Änderung ihrer objektiven Lage als Angehörige des "vierten Standes" bringen konnte. In der Feststellung "Wir sind Gefangene" verbindet sich die Einsicht in die Situation der Niederlage mit Resignation. Grafs Entwicklung im Nachkriegs-München verläuft also dergestalt, daß er in einem anfänglichen global gerichteten Verbrüderungsrausch ohne konkretes gesellschaftliches Ziel seinen revolutionären Elan verpufft, daß er bei zunehmender Ernüchterung zu schwanken beginnt zwischen politischen und weltanschaulichen Extrempositionen, daß ihm im weiteren Verlauf der Revolution Anti-Militarismus, Anti-Terrorismus und Anti-Etatismus zur Überzeugung werden, und daß er schließlich sich mit den Verlierern solidarisiert. Ein wirklicher Sozialrevolutionär ist Graf während der Münchner Revolution aber

nie gewesen, denn bei ihm gilt alle revolutionäre Aktion irgendwelchen abstrakten Weltverbrüderungs-Schemen, seine Solidarität mit den Ausgebeuteten ist verbunden mit Resignation, denn deren Niederlage wird als nicht revidierbar akzeptiert.
Als Politiker sieht Graf sich am Ende, nicht aber als Schriftsteller. Kreuzer erfaßt genau Grafs neue subjektive künstlerische Intention: "Mit der Erkenntnis seiner politischen Heimat verbindet sich die Erkenntnis der ihm adäquaten literarischen Aufgabe ..., über und für die 'Gefangenen' zu schreiben."[78] Ergebnis dieser Absicht sind u.a. die Berichte über die Münchner Revolutionsmonate, wie sie sich in einer ganzen Reihe von Grafs Werken finden. So warten zwar "die Geschehnisse in Bayern von November 1918 bis zum Mai 1919 ... noch auf ihren Geschichtsschreiber",[79] aber ihren Dichter[80] haben sie bereits mehrfach gefunden. Für einen Augenzeugenbericht ist Grafs Chronik der Münchner Revolution erstaunlich umfassend. Freilich will sie exakte Geschichtsschreibung nicht ersetzen und ist als künstlerische Arbeit auch ganz anders angelegt. Durch die Porträts der Revolutionäre und ihrer Gegner, durch die Beschreibung einzelner Episoden von Versammlungen, Protestmärschen und Kampfszenen, durch die Skizzierung von Typen verschiedenster sozialer Schichten und ihrer Einstellung zur Revolution sowie durch den Bericht seiner eigenen Aktionen erhalten die Monate zwischen dem Kriegsende und der Zerschlagung der Räterepublik Plastizität. Da ist zunächst die in mehreren seiner Werke[81] variierte Beschreibung der Bevölkerung im letzten Kriegsjahr mit ihrer wachsenden Unzufriedenheit, die den Nährboden der Revolution abgab. Graf verfolgt, wie in München Vertreter der vaterländischen Rechten, so etwa der Dichter Ludwig Thoma und der Großadmiral Tirpitz, durch Reden in öffentlichen Versammlungen die Bevölkerung vergeblich von der Notwendigkeit der "restlosen Nationalverteidigung"[82] zu überzeugen suchen, wie nach der Russischen Revolution die "revolutionären Reden Leo Trotzkis"[83] nach Deutschland hereindringen und die Untergrundarbeit der Revolutionäre beginnt. Mit vielen Details, mit Zwischenrufen (u.a. von Mühsam) und Repliken ist eine Rede des bürgerlich-gemäßigten Max Weber[84] festgehalten, die er während der letzten Kriegstage in München hielt. In einer anderen seiner präzis und scharf ausgeleuchteten Momentaufnahmen schildert Graf einen etwa zur gleichen Zeit stattfindenden Diskussionsabend der USPD: "Dort hielt der aus Heidelberg geflüchtete Ernst Toller eine flammende Rede gegen den Krieg. Hitzig, ekstatisch, mit wilden Gestikulationen und verzerrtem Gesicht schrie er seine

Gefühle heraus. Er zitterte wie fiebernd und schäumte auf den Lippen ... Er riß alle mit. Einzelne Frauen weinten oder wurden ganz wild. 'Nieder mit dem Krieg! An den Galgen mit Ludendorff!' stimmte alles zu. Geweckt und unternehmend gingen wir auseinander ... Toller fuhr mit mir eine Strecke mit der Straßenbahn. Er unterhielt sich fast fliegend, er hetzte die Worte nur so heraus ... Eine kleine, blonde Freundin war mit ihm, die ihn in einem fort wie stumm bewundernd ansah."[85] Breiten Raum nimmt die Schilderung des politischen Erdrutsches, die Proklamation der "revolutionären Regierung" des "Volksstaates", der "Republik" und des "Freistaates" Bayern durch Eisner in der Nacht vom 7. zum 8. November 1918 ein: "In einer großen Schlußrede verkündete Eisner den Sieg der Revolution, berichtete unter stürmischem Beifall über die Flucht des Königs, der für abgesetzt erklärt wurde."[86] Eisner ist Vorsitzender des "Arbeiter-, Soldaten- und Bauernrates" und bald darauf Ministerpräsident einer neugebildeten Regierung, die aus vier SPD-, zwei USPD-Mitgliedern und einem Parteilosen[87] besteht. Auf den Chronisten Graf macht Eisner "den Eindruck von einem pensionierten Schulrat oder Professor" und erinnert ihn an Figuren aus "einer illustrierten Geschichte der deutschen Revolution von 1848" - ein angesichts Eisners Ideologiegemisch durchaus naheliegender Vergleich. Auch Mühsams Sozialisierungsversuch der Presse[88] und Landauers Freiheitsverkündigungen[89] geraten in seinen Blickwinkel. In den weiteren Berichten Grafs folgen die Regierungskrisen Eisners,[90] die Versuche konterrevolutionärer Kreise, der Republik den Garaus zu machen.[91] In das Zentrum seiner Reportagen rückt er immer wieder den Mord an Eisner durch den Grafen Arco-Valley am 21. Februar 1919: "Kurt Eisner ermordet! ... Furchtbar wie ein Sturmsignal klang es und furchtbar, wie ein gellender, verzweifelter Aufschrei brach es aus den Hunderten: 'Rache! Rache für Eisner!' Mir lief es kalt über den Rücken! Ich ging weiter. Wenn jetzt einer aufgestanden wäre und hätte gerufen: 'Schlachtet die Bürger! Zündet die Stadt an! Vernichtet alles!' es würde geschehen sein ... Ich spürte es an mir am genauesten: Noch nie war ich so völlig Massentrieb gewesen wie jetzt, noch nie war ich so eins mit den Tausenden."[92] Was die Reaktion vom Tode Eisners denkt, legt Graf einer Figur seines Romans 'Anton Sittinger' in den Mund, und zwar dem Leutnant Eibenthaler, der sich wenige Jahre später konsequent zum Nationalsozialisten entwickelt: "Nur Ruhe!" monologisiert Eibenthaler. "Dieser saubere Herr Eisner, der Dreckjud',[93] ist weg! Das andere Gesindel wird auch bald davongejagt sein! Nur Ruhe! Wunderbar geht alles! Jetzt natürlich wird die dumme Bande wirklich Revolution machen wollen - ganz programmgemäß geht alles! Nur Geduld! Die Garnisonen stehen bereit, Zeitfreiwillige haben sich massenhaft gemeldet, alles bessere Kreise! ... Jetzt wird ausgeräumt, aber gründlich! Jetzt wird Ordnung gemacht in dem Saustall!"[94] Ungefähr nach diesem Plan rollen dann auch die Ereignisse ab: Die Revolutionsregierung bricht auseinander, der bisherige Kultusminister Hoffmann und der Innenminister Endres bilden eine antirevolutionäre Regierung, und in München selbst etabliert sich die erste (nicht-kommunistische) Räterepublik, die sich allerdings nur eine Woche, vom 6. bis zum 13. April, halten kann. Auch zu diesen Vorgängen sei wieder Grafs kommentierte Momentaufnahme eingeblendet: "Der in Permanenz tagende Arbeiter- und Soldatenrat mit den USP-Männern Ernst Toller, Niekisch, Klingelhöfer, Fechenbach und anderen verkündete die Gründung der Räterepublik und trat, um Blutvergießen zu vermeiden, mit der inzwischen gewählten bayrischen Landesregierung in Verhandlungen. Die aber lehnte ab und erkärte sich als einzig berechtigte staatliche Vollzugsmacht. 'Was ist's?' fragten die Wartenden, als die USP-Delegation aus dem Landtag kam. 'Nichts! - Keine Einsicht!' rief Toller mit traurigem Gesicht. Verwünschungen und Flüche gegen die Minister wurden laut. Einstimmig wurde die Absetzung der Landesregierung gefordert. Die floh samt den Abgeordneten nach Bamberg."[95] Ernst Toller wird jetzt Vorsitzender des "Revolutionären Zentralrates" und damit als Sechsundzwanzigjähriger oberster Repräsentant der Räterepublik. Sein Verbalradikalismus erweist sich aber als nicht ausreichend zur Regierungsführung, und so beseitigen die Kommunisten Leviné und Levin den Zentralrat, proklamieren ihre eigene, die zweite (kommunistische) Räterepublik, die sich knappe drei Wochen, vom 13. April bis zum 4. Mai, über Wasser hält. Leviné stellt sich an die Spitze des neugebildeten "Aktionsausschusses", Levin und Axelrod treten an seine Seite. Landauer wird ausgebootet, Toller erhält ein Kommando der Roten Armee unter dem einundzwanzigjährigen Matrosen Egelhofer, der Münchens Stadtkommendant sowie Oberbefehlshaber der Roten Armee ist. Graf weist auf die Schwächen dieser Räterepublik hin: "Vierzehn Tage lang versuchten die ... neuen Machthaber ... mit einem Heer von zufälligen, wankelmütigen Mitläufern und unsicheren Helfern eine kommunistische Räterepublik einzurichten. Vierzehn Tage lang hatten die Besitzenden ein unangenehmes Gefühl und schienen alle wie verkrochen."[96] Nicht verkrochen hatten sich seit Bestehen der Räterepublik die

Künstler. Sie entfalteten im sich konstituierenden "Rat der geistigen Arbeiter" und im "Aktionsausschuß revolutionärer Künstler" gewisse, wenn auch alles andere als revolutionäre Aktivitäten. Bei den Versammlungen stimmte man ein "wahlloses Gezeter gegeneinander"[97] an und "erholte sich daraufhin bei Kathi Kobus", wobei "es weinlustig und laut zu(ging) wie im tiefsten Frieden".[98] Besonders "aktiv" sind Georg Kaiser, Friedrich Burschell, Alexander von Bernus, Georg Schrimpf und Alfred Wolfenstein.[99]
Nach einmonatigem Bestehen brach die Räterepublik zusammen. Der Grund dafür ist nicht nur in der bestürzend unfähigen Führung zu suchen, sondern auch in der - damit freilich zusammenhängenden - mangelnden Bereitschaft der Arbeiter, sich den revolutionären Regierungen anzuschließen. Leviné kritisierte selbst: "Räterepublik ohne Räte. Proletarische Diktatur ohne Proletariat. Volksbeauftragte ohne Aufträge des arbeitenden Volkes. Ein Projekt der Roten Armee ohne wirkliches Ergreifen der Macht. Angebliche Siege ohne Kämpfe. Revolutionäre Phrasen ohne revolutionären Inhalt."[100] Nachdem - nach längerem Zögern - die Bamberger Gegenregierung bei Ebert Truppen angefordert hat und der Reichswehrminister Noske sie sofort losschickt, ist das Schicksal der Revolutionäre besiegelt. Gemeinsam mit württembergischen Freikorps und dem bayrischen Freikorps des Obersten Ritter von Epp stürmen Noskes Truppen München. Graf berichtet: "Gnadenlos verfuhren sie mit ihren Gegnern, furchtbar wüteten die Landsknechte der 'Freikorps'. Als Antwort darauf wurden die festgenommenen Thule-Leute[101] auf Grund des Belastungsmaterials mit zwei gefangenen Regierungssoldaten nach kurzem Verhöre erschossen ... Ein verwildertes Jagen und Morden aller Revolutionsverdächtigen hub an. Das schamloseste Denunziantentum[102] feierte Triumphe[103] ... Die Schlachtbank, die Schlachtbank, dachte ich immerfort ... Gegen den Unteroffizier war nicht aufzukommen. Der kannte nichts als Krieg und Niedermachen."[104] Anders reagiert das Bürgertum: "Frenetisch umjubelte es die Abteilungen der 'Befreier-Regimenter'. Die teuersten Blumen flogen den anmarschierenden Soldaten zu; ältere Damen und würdige Herren mit Vollbärten verschenkten Zigarren, Zigaretten und Schokolade, und wo ein Zug Verhafteter auftauchte, da rann dieser gackernde, geifernde Haufen hin und überschüttete die zerschlagenen Gefangenen mit ordinären Schimpfworten, spie den Wehrlosen ins Gesicht, schlug und puffte auf sie ein."[105] Sechshundert Menschenleben fallen der Konterrevolution zum Opfer. Landauer wird in den ersten Maitagen von

Angehörigen der Regierungstruppen erschlagen, Leviné verhaftet und hingerichtet, Mühsam und Toller zu Festungshaft verurteilt. Auch Graf zählt zu den verhafteten Revolutionären: "Wie viele Hunderte waren auch Schrimpf und ich verhaftet gewesen und konnten von Glück sagen, lebendig davongekommen zu sein. Nicht selten hatte man Mitgefangene aus unseren Zellen geholt und im Hof füsiliert."[106] Unter anderem auf eine Petition Rilkes[107] hin wird Graf wieder auf freien Fuß gesetzt. Die "bürgerliche Welt", so stellt Kreuzer fest, erwehrte sich des "machtpolitischen Angriffs" der Revolutionäre "mit Hilfe rechtsextremistischer Kräfte, die bald die Herrschaft über diese Welt selber an sich reißen sollten."[108] Und Frühwald ergänzt zutreffend: "Nicht die Revolution, die Gegenrevolution hat Instinkte freigesetzt, die die Pogrome des Nationalsozialismus vorwegnehmen, die wie ein grausiger Auftakt zu 'Endlösungen' aller Art wirken."[109]
Die eingangs geschilderte handfeste Kontroverse zwischen Hitler und Graf, die nur kurze Zeit nach der Zerschlagung der Räterepublik stattfand, spiegelte den voraufgegangenen gesellschaftlich-politischen Konflikt wider. Grafs frühe Kontroverse mit Hitler, ferner sein dichterisches Werk der zwanziger Jahre ebenso wie seine Emigration und seine in ihr entstandenen antifaschistischen Arbeiten bezeugen, daß die anarchistisch-bohemehafte Literatur des Expressionismus, wie sie vom frühen Graf verfaßt wurde, keineswegs "nur eine von den vielen bürgerlich-ideologischen Strömungen (war), die später im Faschismus münden"[110] mußten, wie Georg Lukács behauptet. Ebenso zweifelhaft ist freilich die These, die Klaus Berger Lukács in der Expressionismus-Debatte entgegenhielt, wenn er diese Kunstrichtung "in jener revolutionären Situation von 1910 bis 1925" als "guten 'Start' für eine sozialistische Entwicklung"[111] hinstellt. Deutlich wird vielmehr am Beispiel des Grafschen Oeuvres, daß der aktivistische Expressionismus auf Grund seines Ideologiegemischs potentiell die Entwicklung in beide politische Richtungen enthielt. Erst in der Kollision mit den geschichtlichen Realitäten konnten sich die postulatsfreudig-idealistischen Überspanntheiten lösen, erst nach diesem politischen Lehrprozeß die Positionen klären. Daß Graf - und mit ihm eine Anzahl seiner Schriftstellerkollegen - sich zu lösen vermochte vom Ballast der pseudo-politischen expressionistischen Ideologie und daß er sich neu-orientierte an politisch progressiveren und realistischeren Zielen, geht nicht zuletzt zurück auf die Erfahrungen während der Münchner Revolution von 1918/1919.[112]

ANMERKUNGEN

1 Oskar Maria Graf, 'Gelächter von außen'. 'Aus meinem Leben 1918-1933', München 1966, S. 23 ff. (In der Folge zitiert als 'Gelächter'.)
2 Adolf Hitler, "Mein Kampf", München 1933, S. 225.
3 Oskar Maria Graf, 'Wir sind Gefangene', München 1927, S. 322 ff. (In der Folge zitiert als 'Gefangene'.)
4 A. Hitler, "Mein Kampf", S. 213 ff.
5 Ibid., S. 226.
6 Ibid.
7 Werner Maser, "Adolf Hitler. Legende, Mythos, Wirklichkeit", München, Erlangen 1971, S. 159.
8 'Gefangene', S. 504.
9 Alan Bullock, "Hitler. A Study in Tyrany", Harmondsworth 1968, S. 61.
10 Oskar Maria Graf, 'Knaben', in: 'Die Aktion', 4. Jg., 18. April 1914, S. 343.
11 Oskar Maria Graf, Die 'Revolutionäre' (Dresdner Verlag von 1917/18 = Reihe "Das Neueste Gedicht", Heft IV).
12 'Gefangene', S. 417.
13 Ibid.
14 Gustav Landauer, "Durch Absonderung zur Gemeinschaft", in: "Die neue Gemeinschaft", hg. v. Heinrich und Julius Hart, G. Landauer und F. Holländer, Leipzig 1901, S. 48: "Unsere Erkenntnis ist: wir dürfen nicht zu den Massen hinuntergehen, wir müssen ihnen vorangehen, und das sieht zunächst so aus, als ob wir von ihnen weggingen." Wie die geschichtliche Entwicklung zeigte, sah das nicht nur "zunächst so aus", sondern geschah tatsächlich. (Vgl. dazu auch Helmut Kreuzer, "Die Boheme. Analyse und Dokumentation der intellektuellen Subkultur vom 19. Jahrhundert bis zur Gegenwart", Stuttgart 1968, S. 394 ff.) Ähnliche Verherrlichungen der Führerfiguren wie bei Landauer finden sich auch bei Ludwig Rubiner, etwa in seinen Gedichten "Führer" und "Engel", in: "Kameraden der Menschheit. Dichtungen zur Weltrevolution", Potsdam 1919, hg. v. Ludwig Rubiner, S. 129-131.
15 Graf schreibt diese Zeilen in Anlehnung an Walt Whitmans "Gesang von der freien Straße", aus dem Graf seinem Gedichtzyklus als "Motto" die Zeilen voranschickt: "Ich und die meinen überzeugen nicht durch Beweise, Gleichnisse oder Reime. Wir überzeugen durch unsere Gegenwart ..."

[16] Vgl. Georg Lukács, "Größe und Verfall des Expressionismus", in: 'Internationale Literatur', 1934. (Vgl. Schonauer, Fußnote 110.)

[17] Nach Helmut Kreuzer vereinigen sich bei einer Reihe von Expressionisten "eine anti-dogmatische imitatio christi, eine anti-bürokratische Sozialisierung, eine anti-politische Revolutionierung und eine anti-industrielle Produktivität zu einem anarchobohemischen Syndrom von Forderungen". ("Boheme", S. 312.)

[18] Alfred Wolfenstein, "Der menschliche Kämpfer", in: "Die Erhebung. Jahrbuch für neue Dichtung und Wertung", o.J., S. 281: "Christus ... erschüttert von oben bis unten. Er lehrt ein 'revolutionäres Leben.'" Auch Landauer stellt die religiöse Dimension der Revolution in den Vordergrund: "... möge uns aus der Revolution Religion kommen, Religion des Tuns, des Lebens, der Liebe, die beseligt, die erlöst, die überwindet ..." ("Aufruf", Vorwort der zweiten Auflage, S. 55.) (Vgl. Fußnote 28.)

[19] Ganz ähnlich heißt es auch in dem "Rebellenlied" (1918) seines Vorbilds Erich Mühsam: "Es rasseln zwanzig Fürstenkronen./ Die erste Arbeit ist geschafft./Doch Kameraden nicht erschlafft,/soll unser Werk die Mühe lohnen!/Noch füllen wir den Pfeffersack/auf ihr Geheiß den Reichen ..." ("Brennende Erde. Verse eines Kämpfers", München 1920, S. 67.)

[20] Jost Hermand, "Expressionismus als Revolution", in: "Von Mainz bis Weimar (1793-1919). Studien zur deutschen Literatur", Stuttgart 1969, S. 330 ff.

[21] Franz Jung, "Der Fall Groß. Novelle", Hamburg 1921, S. 83: "Daß Kraft frei wird von einem zum anderen, zum dritten, von allen zu allen." Zitiert nach Horst Denkler, "Der Fall Franz Jung. Beobachtungen zur Vorgeschichte der 'Neuen Sachlichkeit'", in: "Die sogenannten Zwanziger Jahre", hg. v. Reinhold Grimm und Jost Hermand, Bad Homburg v.d.H.: 1970, S. 83. Alfred Wolfenstein, "Die Erhebung", S. 280: "Es ist der Einzelne, - aber das sollen ALLE werden! Denn er ist nicht der Ichmensch, der Feind der Masse, sondern der aus der Liebe Aller Entspringende. Kein anderer Weg führt zur wahrhaften Verbrüderung."

[22] Wolfgang Emmerich, "Zur Kritik der Volkstumsideologie", Frankfurt am Main 1971, S. 77. Vgl. auch Werner Hellwig, "Die blaue Blume des Wandervogels. Vom Aufstieg, Glanz und Sinn einer Jugendbewegung", Gütersloh 1960, S. 218.

[23] Der "Professor", der in 'Gefangene', S. 316 ff., eine Rolle als

Förderer Grafs spielt, entpuppt sich in 'Gelächter', S. 20 ff., als Roman Wörner.

[24] 'Gefangene', S. 360.

[25] J. Hermand, "Expressionismus", S. 303.

[26] Vgl. Ernst Toller, "Die Wandlung. Das Ringen eines Menschen", Potsdam 1919; ferner 'Gefangene', S. 339.

[27] J. Hermand, "Expressionismus", S. 303.

[28] G. Landauer, "Aufruf zum Sozialismus", herausgegeben und eingeleitet von Heinz-Joachim Heydorn, Wien 1967.

[29] 'Gefangene', S. 386.

[30] Margarete Turhowsky-Pinner, "A Student's Friendship with Ernst Toller", in: "Leo Baeck Institute Yearbook", 1970, No. XV, S. 214.

[31] G. Landauer, "Aufruf", S. 87. Freilich ernüchterten Landauer die konkreten revolutionären Vorgänge der ersten Wochen, und von den politischen Fähigkeiten seiner Dichterkollegen scheint er nicht mehr uneingeschränkt überzeugt zu sein. In einer damals viel beachteten Rede formuliert er seine Skepsis: "Von mancher Seite will man jetzt den Dichter, indem man ihn den Geistigen nennt, so schlechtweg zur Führung der allgemeinen Volksangelegenheiten berufen. Man sehe sich vor und vergesse eines nicht: die Psychologie .... Der Dichter ist nicht immer Dichter: das schöpferische Werk erschöpft ihn. Er hat dann ein großes Bedürfnis nach Ruhe und Abspannung. Der Pendel, der um der Kunst willen lange künstlich in der Richtung nach dem Ungemeinen festgehalten wurde, fällt nachher bis zu ungewöhnlicher Gewöhnlichkeit, ja bis zur Albernheit zurück." "Eine Ansprache an die Dichter", in: "Zwang und Befreiung. Eine Auswahl aus seinem Werk", eingeleitet und herausgegeben von Heinz-Joachim Heydorn, Köln 1968, S. 263-271.

[32] 'Gefangene', S. 320.

[33] Wolfgang Frühwald, "Kunst als Tat und Leben. Über den Anteil deutscher Schriftsteller an der Revolution in München 1918/1919", in: Sprache und Bekenntnis. Sonderband des Literaturwissenschaftlichen Jahrbuches. Hermann Kunisch zum 70. Geburtstag", 1971, hg. von Wolfgang Frühwald und Günter Niggl, S. 375.

[34] 'Gefangene', S. 408 f.

[35] Ibid., S. 381.

[36] J. Hermand, "Expressionsimus", S. 335.

[37] Über Schrimpf und sein malerisches Werk verfaßte Graf 1923 eine Kurzmonographie: 'Georg Schrimpf', Junge Kunst, Bd. 37,

Leipzig 1923.

38 'Gelächter', S. 71/72.

39 Auch darin ist Graf kein Einzelfall. Wie Hermand zeigt, marschieren die "Politischen" unter den Expressionisten "meist mit Kruzifixen und roten Fahnen zugleich", singen gleichzeitig "Choräle und die Marseillaise". ("Expressionismus", S. 311.)

40 'Gefangene', S. 465.

41 Ibid., S. 439.

42 Ibid., S. 314.

43 Ibid., S. 479.

44 Ibid.

45 Ibid.

46 Ibid., S. 313 f. u. S. 383.

47 Oskar Maria Graf, 'Das Leben meiner Mutter', München o.J., S. 732. (In der Folge abgekürzt als 'Leben'.)

48 'Gefangene', S. 416.

49 Ibid., S. 424.

50 Ibid., S. 430.

51 Ibid.

52 Ibid., S. 426.

53 Ibid., S. 428.

54 G. Landauer, "Aufruf", S. 48.

55 Vgl. das Gedicht Hedwig Lachmanns "Tolstoi" in L. Rubiners Sammlung "Kameraden".

56 Vgl. M. Turnowsky-Pinner, "A Student's".

57 J. Hermand, "Expressionsimus", S. 351.

58 Vgl. Leo Tolstóy, "The Kingdom of God and Peace Essays", translated with an Introduction by Azlmer Mande, London 1960; ferner Leo Tolstoi, "Muß es denn so sein?", Berlin o.J.

59 In der Sekundärliteratur ist darauf schon wiederholt aufmerksam gemacht worden; so bei Erhard Dabringhaus, "The Works of Oskar Maria Graf as They Reflect the Intellectual and Political Currents of Bavaria, 1900-1945", University of Michigan: Diss. 1958, S. 163 ff; ferner bei Alfred von der Heydt, "Oskar Maria Graf", in: 'German Quarterly', No. 41, 1968, S. 407 f., 412 und bei Kurt Pinthus, "Oskar Maria Graf: Fünf Bücher erscheinen zu seinem 65. Geburtstag", in: 'Deutsche Rundschau', Nr. LXXXV, 1959, S. 725.

60 'Gefangene', S. 337.

61 'Leben', S. 722.

62 Mit dem anarchistischen Zirkel um Mühsam stand Graf schon vor dem Ersten Weltkrieg in Verbindung. Vgl. 'Leben', S. 645 ff.

[63] 'Gefangene', S. 326; vgl. auch den Abschnitt "The Weimar Republic", in: Dabringhaus' Diss., S. 141 ff.

[64] Ibid., S. 328.

[65] W. Frühwald stellt zu Recht fest: "Die politische Sprache der Eisner, Mühsam, Landauer und Toller ist eine Sprache der Abstrakta; sie lebt aus dem Wortschatz des europäischen Anarchismus, der deutschen Klassik und des deutschen Idealismus." ("Kunst", S. 371.) Vgl. dazu auch die Studie von Eva Kolinsky, "Engagierter Expressionismus. Politik und Literatur zwischen Weltkrieg und Weimarer Republik. Eine Analyse expressionistischer Zeitschriften", Stuttgart 1970.

[66] Ernst Toller, "Brief an Gustav Landauer vom 20. 12. 1917", in: "Quer durch. Reisebilder und Reden", Berlin 1930.

[67] W. Frühwald, "Kunst", S. 372.

[68] J. Hermand, "Expressionismus", S. 350.

[69] G. Landauer, "Zwang und Befreiung", S. 269.

[70] Erich Mühsam, in: "Die Münchner Räterepublik. Zeugnisse und Kommentare", hg. v. Tankred Dorst, mit einem Kommentar versehen von Helmut Neubauer, Frankfurt am Main 1966, S. 52.

[71] Kurt Eisner, "Die neue Zeit", München 1919, S. 33.

[72] Ibid., S. 34.

[73] K. Eisner in: "Die Münchner Räterepublik", S. 24.

[74] K. Eisner, "Die neue Zeit", S. 37.

[75] Vgl. Pierre Kropotkin, "The Place of Anarchism in Socialistic Evolution", London o.J.; ferner: Bruno Frei, "Die anarchistische Utopie. Freiheit und Ordnung", Frankfurt am Main 1971, S. 54 ff.

[76] B. Frei, "Die anarch. Utopie", S. 26 ff.

[77] 'Gefangene', S. 498-500.

[78] H. Kreuzer, "Boheme", S. 104/105.

[79] H. Neubauer, "Kommentar", in: "Die Münchner Räterepublik", S. 171.

[80] Neben den Arbeiten von Graf vgl. vor allem Ernst Toller, "Eine Jugend in Deutschland", Amsterdam 1933, Kap. XI, "Bayrische Räterepublik", S. 140-193; ferner Tankred Dorst, "Toller", Frankfurt am Main 1968.

[81] Oskar Maria Graf, 'Anton Sittinger'. 'Roman', London 1937, S. 34 ff. (in der Folge zitiert als 'Sittinger'); Oskar Maria Graf, 'Unruhe um einen Friedfertigen', New York 1947, S. 67 (in der Folge zitiert als 'Unruhe'); ferner 'Gefangene', S. 380.

[82] 'Gefangene', S. 380.

[83] Ibid., S. 336.
[84] Ibid., S. 382.
[85] Ibid., S. 338/339.
[86] Ibid., S. 70; ferner 'Leben', S. 728.
[87] H. Neubauer, "Kommentar", S. 173.
[88] 'Gefangene', S. 406.
[89] Ibid., S. 429.
[90] Ibid., S. 432-437.
[91] Ibid., S. 430/431; ferner 'Leben', S. 735, 'Unruhe', S. 81.
[92] 'Gefangene', S. 441-443.
[93] Auch Hitler spricht von der "Judenherrschaft", die Eisner und "der ganzen Revolution als Ziel vor Augen schwebte". ("Mein Kampf", S. 226.)
[94] 'Sittinger', S. 65.
[95] 'Gelächter', S. 89/90.
[96] 'Gefangene', S. 488.
[97] Ibid., S. 407.
[98] 'Gelächter', S. 76.
[99] W. Frühwald, "Kunst", S. 369; 'Gelächter', S. 76; 'Gefangene', S. 473.
[100] Eugen Leviné, in: "Die Münchner Räterepublik", S. 137.
[101] Bei der Thule-Gesellschaft handelte es sich um einen rechtsradikalen, antibolschewistischen und antisemitischen Kampfbund, der zur Zeit der Räterepublik Hunderte von Freiwilligen für die Freikorps aus München schleuste. Zu ihnen zählte damals bereits Rudolf Heß, der nachmalige Stellvertreter Hitlers. Vgl. W. Maser, "A. Hitler", S. 154 ff. Die Ideologie der Thule-Gesellschaft beeinflußte Hitler maßgeblich.
[102] Vgl. die Darstellung bei T. Drost, "Toller", S. 106 f.
[103] 'Gelächter', S. 94; ferner 'Leben', S. 740-747, 'Unruhe', S. 123-124, 'Sittinger', S. 79.
[104] 'Gefangene', S. 492.
[105] 'Sittinger', S. 83.
[106] 'Gelächter', S. 96.
[107] Helmut F. Pfanner, "Der Nachlaß Oskar Maria Grafs in New York", in: "Literaturwissenschaftliches Jahrbuch", N.F. 11. Bd., 1970, S. 382.
[108] H. Kreuzer, S. 300.
[109] W. Frühwald, "Kunst", S. 384.
[110] G. Lukács, "Größe und Verfall", zitiert nach Franz Schonauer, "Expressionismus und Faschismus. Eine Diskussion aus dem Jahre 1938 (II. Teil)", in: 'Literatur und Kritik', Nr. 8 (Nov.

1966); S. 46.

[111]Klaus Berger, "Das Erbe des Expressionismus", in: 'Das Wort', 3. Jg., 1938, H. 2, S. 101.

[112]Zur weiteren Literatur über die Münchner Revolution vgl.: Allan Mitchell, "Revolution in Bavaria 1918-1919. The Eisner Regime and the Soviet Republic", Princeton 1965; ferner: Hans Fenke, "Konservatismus und Rechtsradikalismus in Bayern nach 1918", Bad Homburg v.d.H. 1969, sowie: Otto Kögl, "Revolutionskämpfe im südostbayrischen Raum", Rosenheim 1969.

Nachbemerkung: Der Aufsatz erschien zuerst unter dem Titel "Oskar Maria Graf und die Münchner Revolution von 1918/1919" in: Oskar Maria Graf. Beschreibung eines Volksschriftstellers, hg. v. Wolfgang Dietz und Helmut F. Pfanner (München: Annedore Leber Verlag, 1974), S. 123-145.

KAISERREICH-ROMANE DER ZWISCHENKRIEGSZEIT: HEINRICH MANN UND HERMANN BROCH

Während der ersten drei Dekaden unseres Jahrhunderts erschienen eine Reihe deutschsprachiger Romane, die sich auf melancholisch-nachtrauernde, teilnehmend-ironisierende, kritisch-abrechnende oder distanziert-analysierende Weise auseinandersetzten mit dem Phänomen des Zerfalls der alten Staats-, Gesellschafts- und Wertsysteme im Wilhelminischen bzw. Franzisko-josephinischen Zeitalter. Erinnert sei an die epischen Epochen-Darstellungen Joseph Roths, Thomas Manns, Robert Musils, Heinrich Manns und Hermann Brochs. Zwei dieser Werke scheinen - zumindest auf den ersten Blick - eine frappierende Ähnlichkeit zu haben: die beiden Trilogien "Das Kaiserreich" (1914-1925) von Heinrich Mann und "Die Schlafwandler" (1930-1932) von Hermann Broch.[1] Nicht nur, daß Mann und Broch den gleichen historischen Zeitraum und dieselbe Gesellschaft zum Gegenstand des Epochen-Porträts gewählt haben, nämlich das Deutschland vom Antritt bis zur Auflösung der Regierung Wilhelms II., sondern Band für Band lassen die beiden Werke eine Fülle von Übereinstimmungen erkennen.

I

Der jeweils erste Roman (Heinrich Manns "Untertan" und Brochs "Pasenow") spielt zu Beginn der Herrschaft des letzten Hohenzollern-Kaisers abwechselnd in der preußischen Provinz und in der Reichshauptstadt Berlin. Held ist in beiden Fällen ein jüngerer Mann, der aus Gründen seiner Ausbildung in Berlin lebt, der dort in eine Affäre mit einer jungen Frau verwickelt wird, die sozial unter ihm steht bzw. einer Familie entstammt, welche dabei ist, gesellschaftlich abzusteigen. Krankheit und Tod des Vaters rufen ihn zurück in die Provinz, wo er den Familienbesitz übernimmt und dadurch mehrt, daß er standesgemäß heiratet: Die Gattin bringt ein beträchtliches Vermögen mit in die Ehe. Vorher kommt es zur komplikationsreichen Auflösung des Berliner Liebesverhältnisses, wobei das Wiedertreffen eines ehemaligen Schulkameraden eine bestimmte katalysatorische Rolle spielt.

Die Erzählfabel macht deutlich, daß Diederich Heßling und Joachim von Pasenow, von denen hier die Rede ist, Sprößlinge, sozusagen natürliche und legitime Söhne des Botho von Rienäcker aus Fontanes "Irrungen, Wirrungen" sind. Die äußere Handlung ist in allen drei Fällen ähnlich, in einigen Details ist sie fast identisch. Denken wir etwa an die Schilderung des Landausflugs Bothos mit Lene zu "Hankels Ablage", Diederichs mit Agnes nach Mittenwalde[2] bzw. Joachims mit Ruzena an die Havel. Diese Abstecher bedeuten jeweils gleichzeitig Erfüllung wie beginnendes Ende, Höhepunkt wie Auflösung der Liebesbeziehung; sie sind zudem mit Idyllsituationen verbunden, in denen die sozialen Barrieren momenthaft beseitigt zu sein scheinen. Nach dem Ausflug wissen die Frauen, daß die Beziehung von den Männern gelöst werden wird. Lehne spürt: "es geht zu End";[3] Agnes ahnt, daß Diederich "fortgehen" (U 94) wird, und Ruzena wiederholt in der Folge ständig ihr "is aus". (P 62, 89, 141) Die Gestaltung der ersten Liebesvereinigung des Helden mit seiner Verehrten im "Pasenow" erinnert an jene im "Untertan": Die Paare ziehen sich nach einem regnerischen Tag in die Privatwohnung zurück, zu Ruzena bei Broch, zu Diederich bei Heinrich Mann. Im "Untertan" heißt es dort:

> Und plötzlich kam ihr Gesicht auf ihn zu: mit offenem Mund, halbgeschlossenen Augen und mit einem Ausdruck, den er nie gesehen hatte und der ihn schwindlig machte. 'Agnes! Agnes, ich liebe dich', sagte er wie aus tiefer Not. Sie antwortete nicht, aus ihrem offenen Mund kamen kleine warme Atemstöße, und er fühlte sie fallen, er trug sie, die zu zerfließen schien. (U 72, 73)

Bei Broch lautet die parallele Stelle:

> Im Dunkel sah er Ruzenas Gesicht, (...) die Linie des Mundes zum Kusse geöffnet. Welle des Sehnens schlug gegen Welle, hingezogen von der Strömung fand sein Kuß den ihren, (...) erstickt und nicht mehr atmend, bloß ihren Atem noch suchend, war es wie ein Schrei, den sie vernahm: 'Ich liebe dich', sie aufschloß, so daß (...) er in ihr ertrinkend versank. (P 45)

Auffallend an diesen Zitaten ist auch, daß beide Autoren (Broch stärker als Heinrich Mann) mit den Bildern des "Zerfließens" und der "Welle" Anleihen bei der Jugendstil-Metaphorik machen. Was die Personenkonstellationen betrifft, so sind sich in einer Hinsicht die Romane Brochs und Fontanes verwandter,[4] aber andererseits wiederum besteht eine größere Nähe zwischen den Werken Heinrich Manns und Brochs. Botho von Rienäcker und Joachim von Pasenow sind Barone, gehören dem preußischen Landadel an (Botho stammt aus der Neumark, Joachim ist in Westpreußen beheimatet) und verrichten in Berlin als Premierleutnants Dienst im königlichen Heer. Diederich Heßling dagegen ist Sproß einer bürgerlichen Fabrikantenfamilie aus einer brandenburgischen Kleinstadt. Ihrer Herkunft nach betrachtet, sind also die Unterschiede zwischen Brochs Joachim und Manns Diederich beträchtlich. Was aber, strukturell gesehen, das geschilderte Beziehungsgeflecht der handelnden Personen betrifft, ähneln die Romane Brochs und Manns einander wiederum sehr. Joachim und Diederich haben z.B. mit einem ehemaligen Schulkollegen zu tun, welcher im Leben der beiden Protagonisten eine vergleichbare Rolle spielt. Diese ehemaligen Jugendfreunde und nunmehrigen Antipoden (Brochs Eduard von Bertrand und Manns Wolfgang Buck) geben Karrieren auf, die ihnen vorgezeichnet schienen und haben sich zu kritischen, illusionslosen Analytikern ihrer Zeit entwickelt. Schließlich treten sie freiwillig Frauen an ihre Antagonisten Joachim und Diederich ab, Frauen (Elisabeth und Guste), die sich mehr zu Eduard und Wolfgang hingezogen fühlen. Wie wenig spontan, wie gefühlsarm, oberflächlich und gezwungen das Verhältnis zwischen Joachim und Elisabeth bzw. Diederich und Guste ist, wird deutlich bei der Schilderung ihrer Hochzeitsreisen. Beide Männer jagen Phantomen ihrer Ideologie nach: Diederich - auch physisch-konkret - seinem Über-Ich, dem Kaiser (U 368 ff.), und Pasenow dem Ideal der christlich-altpreußischen Ehe. In der Hochzeitsnacht eröffnet Diederich seiner Gattin: "Bevor wir zur Sache selbst schreiten, (...) gedenken wir Seiner Majestät unseres allergnädigsten Kaisers." (U 364) Auch Joachim kommt nicht 'zur Sache selbst', bevor er seiner Elisabeth die Einsicht anvertraut, "daß ihnen in einem christlichen Hausstand die rettende Hilfe der Gnade beschieden sein werde." (P 177)

Eduard von Bertrand und Wolfgang Buck sind Geistesverwandte, was ihre Lebenseinstellung und ihre Haltung gegenüber den herrschenden Tendenzen der Epoche betrifft. Sie dekuvrieren die imperialistische Politik des Wilhelminischen Reiches als "Romantik" und stoßen damit bei ihren Gesprächspartners Joachim und Diederich auf wenig Verständnis. "Ist ja doch alles Romantik" (P 32), so lautet Eduards Kommentar zu den deutschen Kolonialplänen. Wolfgang prophezeit gar, daß die Politik der "großen Männer" des Reiches eine "Romantik" sei, die "zum Bankerott" (U 85) führe. Allerdings handelt es sich bei diesen Romanhelden keineswegs um Revolutionäre. Sie sind "skeptisch" (U 85), "zynisch" (P 155) und wollen vor allem, wie Wolfgang Buck es formuliert, ihre "Persönlichkeit ausleben." (U 84) Eduard von Bertrand bekennt sich zu einem ähnlichen Grundsatz: "Nur wer sich frei und gelöst dem Befehl seines Gefühls und seines Wesens unterwirft, kann zur Erfüllung kommen." (P 111) Nach ihren Sottisen, Zynismen und Angriffen "retten" sie sich "ins Spaßhafte" (P 154) bzw. "zwinkern" und "glänzen heiter." (U 320) Zum Ausleben ihrer Persönlichkeit gehört - neben einer betonten Bindungslosigkeit - die Liebe zum wechselnden Rollenspiel, und so verwundert es nicht, daß sie gute Beziehungen zum Theater unterhalten. Mit seinen "allzu gewellten" (P 62) bzw. zu "langen Haaren" (P 64) kommt der Zivilist Eduard dem Offizier Joachim wie "eine Art Schauspieler" (P 78, 33, 55) vor, und dank seiner Kontakte zur Bühnenwelt vermag Eduard der Geliebten Pasenows eine Stelle beim Theater zu verschaffen. Der Rechtsanwalt Wolfgang Buck hat ein Verhältnis mit einer Schauspielerin, lädt zu seinem Verteidiger-Plädoyer während der Gerichtsverhandlung die Mitglieder des Stadttheaters ein (U 238), interessiert sich mehr aus künstlerischen als aus juristischen Gründen für die "Rolle", die der Gegner vor Gericht spielt (U 317) und gibt schließlich - jedenfalls vorübergehend - seinen Beruf als Jurist auf, um selbst Theaterschauspieler zu werden. "Das Theater ist vorzuziehen", so argumentiert er, "es wird dort weniger Komödie gespielt, (...) man ist ehrlicher bei der Sache." (U 344) Ganz so konsequent ist Eduard von Bertrand freilich nicht. Sein Spielterrain ist die internationale Wirtschaft, und hier ist er ein ausgesprochen erfolgreicher Akteur. Die Inspirationsquelle seiner Geschäfte ist freilich nicht - wie bei Diederich Heßling - die zwar expansionsfreudige, aber in weltökonomischen Belangen noch unerfahrene deutsche Volkswirtschaft, sondern der interkontinentale Handel Englands, eines Staates, den Diederich haßt. (U 446) "Überflüssige Kapitalien", so vertraut Eduard seinem Gesprächspartner Joachim an, lege er "immer noch lieber in englischen Kolonialpapieren an als in deutschen", denn "England ist England." (P 32) Eduards Vorliebe für Englisches kommt auch darin zum Ausdruck, daß er eine englische Pfeife raucht, einen Anzug aus englischem Tuch trägt, ja sogar einen Berliner Rechtsvertreter hat, der "einem Engländer ähnlich" (P 59, 31, 147) sieht.

Pasenow und Heßling teilen eine für die Wilhelminische Epoche bezeichnende Passion: die uneingeschränkte Verehrung der Uniform. Brochs Charakterisierung des Uniformkults im "Pasenow" fand der amerikanische Historiker Gordon A. Craig so zutreffend, daß er die entsprechende Passage zur Illustration seiner These von der Wilhelminischen Uniformberauschtheit abdruckte in seinem Standardwerk zur deutschen Geschichte zwischen 1866 und 1945.[5] Die "eigentliche Romantik dieses Zeitalters", so konstatiert Brochs Eduard von Bertrand, sei "die der Uniform." (P 23) Joachim von Pasenow ist es, als gewähre ihm die Uniform "Schutz vor der Anarchie" (P 26), als wäre ihm mit ihr "eine zweite und dichtere Haut gegeben", die ihm hilft, "in sein eigentliches und festeres Leben zurückzukehren." (P 24) "Der Uniform wahre Aufgabe" sei es, "die Ordnung in der Welt zu zeigen und zu statuieren." (P 24) Diederich Heßling versteht es zwar, dem unbequemen Militärdienst zu entgehen, doch auch er ist "von dem Wert der Uniform durchdrungen." (U 354) Während seiner Zeit als Korps-Student erlebt er den "Genuß der Uniform" (U 46), erfährt er die durch sie vermittelte beglückende Zugehörigkeit zum "unpersönlichen Ganzen" (U 15) und erkennt im Uniformtragen "die einzige wirkliche Ehre." (U 463)

Im zweiten Band von Heinrich Manns "Kaiserreich"- und Hermann Brochs "Schlafwandler"-Trilogie geht es nicht mehr um das späte 19. Jahrhundert, vielmehr geraten die Jahre vor Ausbruch des Ersten Weltkriegs in den Blick. Orte der Handlung sind preußische Industriestädte im Brandenburgischen bzw. Rheinisch-Westfälischen; zusätzlich kommen im Falle Brochs Orte im Badischen vor. Nicht Adel und Industrie-Bürgertum werden ausführlich dargestellt, sondern die Welt des Proletariats und des Kleinbürgertums, soziale Bereiche, die allerdings in konflikthafter Auseinandersetzung mit der Industrie gezeigt werden. Nachdem er ein Unrecht entdeckt, wird der aus niederer gesellschaftlicher Schicht stammende Held zum anarchistischen Rebellen mit Erlösungs- und Messiasphantasien. Dieser individualistische Empörer will nichts zu tun haben mit organisierten Sozialdemokraten und Gewerkschaftlern; vielmehr nimmt er alleine seinen privaten Kampf auf mit dem Vertreter des Großkapitals, auf den er ein Attentat auszuüben plant. Das Entkommen aus dem Gefängnis der Alltagsmisere strebt er allerdings nicht nur für sich an, sondern möchte vor allem eine platonisch geliebte Frau teilhaben lassen an der neuen Freiheit. Der Rebell täuscht sich aber sowohl über die Angemessenheit der Mittel bei seinen Ausbruchsversuchen als auch über die Wünsche der von ihm verehrten Frau. Am Ende resigniert er; er kapituliert vor den bestehenden Mächten und geht eine kleinbürgerliche bzw. proletarische Ehe ein.

Die Rede ist vom entlassenen Buchhalter August Esch in

Brochs "Esch" und vom Arbeiter Karl Balrich in Heinrich Manns "Die Armen". Esch verliert ohne eigene Schuld seine Arbeitsstelle in einer Kölner Weinhandlung. Von dieser privaten Erfahrung zieht er Rückschlüsse auf den großen "Buchungsfehler", den es im Weltgeschehen allgemein auszumachen und zu beseitigen gelte. Bei Balrich liegen die Dinge anders: Vor vierzig Jahren schlug der Vater des jetzigen Industriellen Diederich Heßling 396 Taler, die Balrichs Onkel Gellert gehörten, dem Gründungskapital seiner Firma zu. Dieses Geld wurde von den Heßlings nie an Balrichs Onkel zurückgezahlt. Balrich glaubt nun die Forderung stellen zu können, Heßling habe den gesamten Firmen- und Privatbesitz an ihn abzutreten. Esch und Balrich sind weit davon entfernt, Systemkritiker zu sein. Sie verallgemeinern höchst individuelle Erfahrungen und projizieren ihren Haß auf einzelne Personen, mit deren Beseitigung sie glauben, der Ungerechtigkeit und Unfreiheit ein Ende bereiten zu können. Objekte ihres Hasses sind Personen, die wir bereits aus den vorhergehenden Trilogieteilen kennen, nämlich Eduard von Bertrand und Diederich Heßling. Diese beiden Romanhelden sind inzwischen zu Großkapitalisten avanciert; der Reeder von Bertrand ist gar "reicher als der Kaiser". (E 295) Für Esch verkörpert Eduard von Bertrand den "Sitz des Giftes" (E 237), und Balrich meint, daß Heßling "der eine" sei, für den "alles Böse geschieht." (A 583) Balrichs Attentat auf Heßling schlägt fehl, und zur Begegnung Eschs mit Bertrand kommt es nur in einer tagtraumartigen Szene. Immerhin aber erstattet Esch die Anzeige gegen den Reeder beim Kölner Polizeipräsidium und löst damit dessen Selbstmord aus. Eduard von Bertrand im "Esch"-Roman und Diederich Heßling in den "Armen" tragen Züge des Industriellen Krupp, den beide Autoren als Prototyp des Wilhelminischen Unternehmers betrachten. Wie Friedrich Alfred Krupp geht von Bertrand seiner homosexuellen Passion in Italien nach und wählt 1903 nach Publikwerden seiner Affären den Freitod.[6] Heßling residiert auf "Villa Höhe", einer Imitation der Kruppschen "Villa Hügel" in Essen.

Das Denken der Rebellen Esch und Balrich kreist nicht um die Befreiung von Gruppen oder Klassen. Wie im Falle ihres Hasses können sie auch die Erwartungen und Hoffnungen nur auf Einzelmenschen projizieren: Esch ist besessen von der fixen Idee einer "Erlösung" der Varieté-Künstlerin Ilona aus den Fängen des Messerwerfers, und Balrich träumt von einer märchenhaften Zukunft seiner Schwester Leni. Das Don-Quijotteske ihres Unterfangens wird deutlich, wenn ihre jeweilige Dulcinea entweder gar nichts von ihren Plänen weiß (so bei Ilona) bzw. sie als illusionär bezeichnet (so im Falle Lenis). Esch und Balrich sind keine politisch handelnden Empörer, sondern Menschen mit einer ins Leere zielenden seltsamen Mischung aus Egoismus und Märtyrermentalität. Die Wünsche und Sehnsüchte Eschs und Balrichs finden ihren konkreten Zielpunkt in der Villa bzw. dem Schloß des Kapitalisten. Esch wird in seinen Tagträumen nicht mehr losgelassen von der Vorstellung des "prächtigen Schlosses" mit dem "herrlichen Park", in dem "Rehe äsen unter mächtigen Bäumen" (E 301), des Schlosses, an dessen Fenster die "entrückte" Ilona "im Flimmerkleide zu sehen" (E 321), 334) ist. Ähnlich sind Balrichs "Visionen" (A 584) und "Träume" (A 542) erfüllt von Bildern der Villa Höhe, deren "süßer Garten" ihm wie das "verlorene Paradies" (A 502) erscheint. Traumhaft-halluzinatorisch sieht er "Leni, seine Schwester, in einem schleppenden Gewand aus Mondlicht die Terrasse" (A 535) der Villa herabwandeln.

"Die Armen" und "Esch" sind Romane über Anarchisten. Balrich bezeichnet sich selbst als Anarchist (A 652), und Brochs Roman trägt den Titel "Esch oder die Anarchie". Esch ist ein Anarchist weniger im politischen als vielmehr im weltanschaulich-moralischen Sinne. Sein Denken und Handeln ist das Resultat einer einzigen großen Konfusion. Gleichwohl hält gerade er sich für berufen, "Ordnung" zu schaffen; "Ordnung" ist seine Lieblingsvokabel. Seinen Freund Martin Geyring, einen Mann mit klar umrissenen gesellschaftspolitischen Vorstellungen, bezeichnet Esch dagegen als "Anarchisten". (E 186, 194) Geyring ist aber alles andere als ein Anarchist, er ist Sozialdemokrat und Gewerkschaftler mit einer reformistisch-revisionistischen Einstellung. Für die revisionistische, auf eine evolutionäre Entwicklung setzende Richtung innerhalb der Sozialdemokratie steht auch der Reichstagsabgeordnete Napoleon Fischer in den "Armen"[7] ein. Fischers 'Revisionismus' geht allerdings so weit, daß er die Interessen der Arbeiter überhaupt nicht mehr vertritt. Er agiert vor den Proletariern wie ein "routinierter Schauspieler",[8] mimt den alten Revolutionär, doch insgeheim verrät er seine Genossen und paktiert mit Heßling. Geyring hingegen will von "revolutionärem Geschwätz" (E 206) nichts hören, setzt sich aber praktisch ständig für die Belange der Arbeiter ein und nimmt dabei auch eine ungerechtfertigte Gefängnisstrafe wegen des angeblichen "Verbrechens der Aufwiegelung" (E 230) in Kauf.

Auch zwischen dem letzten Trilogieband Brochs ("Huguenau") und Heinrich Manns ("Der Kopf") bestehen Ähnlichkeiten, wenngleich diese nicht so auffallend sind wie bei den vorangehenden Teilen. In beiden Büchern reicht die behandelte geschichtliche Zeit bis in das letzte Jahr des Ersten Weltkriegs, in beiden wird das Problem des Führertums diskutiert (Heinrich Manns Werk lautet im Untertitel "Roman der Führer"), und in beiden geht es um den Zerfall überlieferter moralischer und politischer Ordnungen sowie um den Wirklichkeitsverlust der in ihnen lebenden Menschen. Das Thema des "Verlusts der tradierten Wertvorstellungen"[9] transponiert Heinrich Mann in die Romanhandlung, Broch gestaltet es sowohl dichterisch wie - in der Essayfolge "Zerfall der Werte" - auch philosophisch. Was Broch unter anderem im "Zerfall der Werte" konstatiert, ist das Auseinanderfallen, die Polarisierung von Rationalem und Irrationalem. Just dieses Phänomen führt Heinrich Mann vor Augen mit der Schilderung des gefühllosen, bloß rational kalkulierenden Mangolf und des human orientierten, aber chaotisch-irrationalen Terra. Brochs Esch ähnelt übrigens in vielem Terra, und in Huguenau erkennt man Charakterzüge Mangolfs wieder. Mangolf und Terra verstehen sich als "Führer", doch werden sie mit ihren Plänen und Aktionen durch die Entwicklung der Zeit überholt; sie enden im Freitod. Brochs Roman läuft ebenfalls hinaus auf die Feststellung, daß die Zeit führerlos ist. (H 421) Wie Heinrich Manns "Kopf", so endet auch Brochs "Huguenau" mit der - zum Teil ungewöhnlichen - Verwendung von biblischen Bildern. "Jerusalem" als Topos des Neubeginns im "Geist Gottes" (K 594) spielt sowohl bei Heinrich Mann (im Gespräch des Mönchs mit Mangolf) als auch in Brochs Parallelerzählung vom "Heilsarmeemädchen in Berlin" eine wichtige Rolle. Ausgerechnet die völlig unethischen Romanfiguren bei Mann und Broch - Mangolf und Huguenau - identifizieren sich am Schluß der Romane mit Christus. Der Opportunist Mangolf erkennt in einem Gemälde, welches die Passion Jesu darstellt, seinen eigenen Lebensweg gestaltet, und der Mörder Huguenau sieht sein Lebensgefühl im triumphierenden Christus des Grünewaldschen Colmar-Bildes ausgedrückt. (H 678) Während aber die Handlung im "Kopf" beschlossen wird mit dem Selbstmord der Protagonisten, endet Brochs Trilogie mit den beschwörenden Worten "Tu dir kein Leid!" (H 716) Bei Broch könnte es sich hier um den Versuch einer Kurskorrektur der Mannschen Konsequenzen handeln. Denn das Wort "Tu dir kein Leid!" hatte der Apostel Paulus im Gefängnis an seinen Wärter gerichtet, der aus Verzweiflung Selbstmord begehen wollte.[10]

Die Unterschiede zwischen "Kopf" und "Huguenau" sind nicht

zu übersehen, bedenkt man Ort, Zeit und Personal der Romanhandlungen. Brochs "Huguenau" berichtet von Vorgängen in einem Moselstädtchen des Jahres 1918; im Zentrum des Geschehens bei Heinrich Mann dagegen steht das Leben in der Reichshauptstadt Berlin vom Anfang der neunziger Jahre bis etwa 1917. Protagonisten bei Broch sind zwei Kleinbürger: der Kaufmann Huguenau und der Redakteur Esch; die Großbürgersöhne Terra und Mangolf, denen es gelingt, Spitzenpositionen in Industrie und Politik zu besetzen, sind die Helden im "Kopf". Heinrich Manns letzter Trilogieteil schließt zwar insofern strukturell an die beiden vorangegangenen Bände an, als in ihm nach Bürgertum und Proletariat das Leben der gesellschaftlichen Elite geschildert wird, aber thematisch führt der Autor die Handlung der beiden ersten Bände nicht fort. Keine der Romanpersonen des dritten Teils taucht vorher auf, und keine Figur aus dem "Untertan" - bis auf Wilhelm II. - und den "Armen" erscheint nochmals im "Kopf". Bei Broch dagegen ist auch der Handlungsverlauf der Trilogie zusammenhängend konzipiert: Mit der Fortführung der Biographie August Eschs und der Schilderung des alten Majors von Pasenow wird die erzählerische Kontinuität gewahrt.

Der Vergleich zwischen den beiden letzten Trilogiebänden zeigt, daß sie relativ wenig Ähnlichkeit miteinander aufweisen. Trotzdem haben Heinrich Manns "Kaiserreich"-Romane die Konzeption des "Huguenau" beeinflußt, und zwar weniger mit dem "Kopf" und den "Armen" als durch den "Untertan". Es zeigt sich nämlich, daß Diederich Heßling als Präfiguration Wilhelm Huguenaus angesehen werden kann.[11] Die kleinstädtischen Geschäftsleute Huguenau und Heßling sind mit den gleichen Charakterzügen ausgestattet: mit Erfolgssucht, Lust am Denunzieren und zur Hochstapelei sowie dem Respekt vor der Macht bei gleichzeitigem Willen, selbst Macht an sich zu reißen. Weitere Gemeinsamkeiten im Persönlichkeitsbild dieser negativen Helden sind die Heirat unter dem Aspekt der Mitgift, die Bordellbesuche, Mord- und Vernichtungslust sowie die sog. 'Sachlichkeit'. Huguenau ermordet Esch (H 677), und Heßling wünscht seinem Feind, dem alten Buck, den Tod: "Hätten sie ihn wenigstens geköpft!" (U 135), so lautet sein Kommentar zu dem Todesurteil, das während der 48er Revolution über Buck verhängt worden war. "Sachlich sein heißt deutsch sein!" (U 235, 381) ist eine der stehenden Redewendungen Heßlings. Huguenau verkörpert für Broch 'Sachlichkeit', verstanden als ein Handeln, das von keinen ethischen Normen bestimmt wird. Dieser letzte Trilogieteil trägt denn auch den Titel "Huguenau oder die Sachlichkeit". Ein Fülle einzelner Motive weist darauf hin, daß Heßling Broch bei der Darstellung Huguenaus als Vorbild gedient hat. Wie Heßling versteht es Huguenau, sich dem Militärdienst zu entziehen: ersterer simuliert eine Fußkrankheit (U 54), letzterer desertiert. (H 388) Heßling streitet als patriotisch-kaiserlich Gesonnener gegen die Freisinnigen und Sozialdemokraten als den 'Umsturz', und Huguenau hält es für seine patriotische Pflicht" (H 411), dem Freidenker Esch und seinen sozialistischen Freunden das Handwerk zu legen, indem er sie als "submarine Bewegung bedenklicher subversiver Elemente" (H 411) anzeigt. Gipfelpunkte chauvinistischer Aktivität sind bei Heßling und Huguenau die Errichtung eines Denkmals bzw. eines Standbildes. Heßling setzt als Stadtverordneter den Bau eines Denkmals Wilhelms I. durch; Huguenau einigt sich mit den Kleinstadt-Größen auf die Aufstellung des "Eisernen Bismarcks". Beide bitten mit Erfolg die jeweilige staatliche Autorität (Präsident von Wulckow bzw. Stadtkommandant von Pasenow) um den "Ehrenvorsitz" (U 340) im Denkmal-Komitee bzw. um den "Ehrenschutz" (H 515) bei der Standbild-Aktion. Jedesmal sind Patriotismus und Wille zu geschäftlicher Expansion untrennbar miteinander verquickt. Huguenau geht es darum, seiner Druckerei "Aufträge der Heeresverwaltung [zu] verschaffen" (H 548), und Heßling spekuliert als Papierfabrikant auf "die Papierlieferungen für die Regierung." (U 337) Mit der Gesinnung desjenigen, der "für sich und seine Tasche sorgte" und der "damit die Sprache redete, die die anderen verstanden" (H 438), scharen Huguenau und Heßling die Honoratioren ihrer Stadt um sich und verstehen es, sie als Zugpferde vor die Karren ihrer eigenen Interessen zu spannen. Wenn es der Egoismus befiehlt, sind beide rasch zu Koalitionen mit dem sog. 'Umsturz' bzw. mit den 'subversiven Elementen' bereit, was sich zeigt in der Kumpanei Heßlings mit dem Arbeitervertreter Fischer und in der plötzlichen Wendung Huguenaus zu den Sozialisten um Pelzer bzw. in dem späteren Wahlbündnis, das er mit den Kommunisten eingeht. (H 697) Ferner sind beide Kriegsgewinnler, deren kaufmännisches Über-Ich ausgefüllt ist vom Bild des Großindustriellen Krupp. Huguenau bewundert Krupp und überlegt: "Wenn also Krupp und die Kohlenbarone Zeitungen kauften, so wußten sie, was sie taten, und dies war ihr gutes Recht." (H 370) Er imitiert Krupp bzw. dessen Direktor Hugenberg und eignet sich in dem Moselstädtchen, in das es ihn verschlagen hat, die lokale Zeitung an. (Die Ähnlichkeit zwischen den Namen Huguenau und Hugenberg ist sicher keine zufällige.) Beim Erwerben des Blattes gibt er sich hochstaplerisch aus als "Exponenten der kapitalkräftigsten Industriegruppe des Reiches (...) (Krupp)" (H 439), gibt an, er besitze "Vollmachten" des "Pressedienstes" der "patriotischen Großindustrie". (H 408, 409) Heßling, der sich im "Untertan" bereits die örtliche Zeitung gefügig gemacht hatte, versucht in den "Armen" mit Krupp nicht nur im Repräsentationsstil (siehe Villa Höhe) gleichzuziehen, sondern stellt auch rechtzeitig zu Beginn des Weltkriegs seine Papier- auf Rüstungsproduktion um. (A 689) Kein Wunder schließlich, daß Heßling und Huguenau den Vertretern der alten Ordnung, also den Bucks bzw. dem Major von Pasenow, als "Teufel" (U 477) bzw. als der "Leibhaftige" (H 591) erscheinen. Es wurde in der Forschung bereits festgestellt, daß sowohl der "Untertan" wie "Huguenau" als Parodie auf den deutschen Bildungsroman angelegt ist.[12]

II

Auch in geschichtsphilosophischer Hinsicht sind - wie ihre Essays belegen - Heinrich Mann und Hermann Broch Geistesverwandte. Denktraditionen des europäischen Idealismus verpflichtet und beeinflußt durch Nietzsches Dekadenzthesen, sind sie überzeugt, in einer Zeit des ethischen Niedergangs zu leben. Beide hoffen aber auch auf einen neuen Sieg des 'Geistes' bzw. auf eine Wiedergeburt des 'Wertes', da sie von der "Unzerstörbarkeit einer moralischen Substanz"[13] bzw. des "Humanen" (H 719) überzeugt sind. Ihr Schwanken zwischen Geschichtspessimismus und Geschichtsoptimismus hat nicht nur mit ihrer anthropologischen Skepsis gegenüber der 'bête humaine'[14] zu tun, sondern erklärt sich vor allem aus der Unsicherheit der beiden Autoren über die Dauer der von ihnen als Gegenwart erlebten Übergangsphase. Auf vergleichbare Weise wird ferner das geschichtliche Telos umschrieben. Letztlich geht es sowohl Mann wie Broch um die "Befreiung der gesamten Menschheit"[15] bzw. um die Realisierung der "Idee der Freiheit", in der "die ewige Erneuerung des Humanen sich rechtfertigt." (H 710) In der Diagnose des moralisch-ethischen Zerfalls stimmen die zwei Autoren freilich nicht überein. Heinrich Mann rekurriert immer wieder auf die Ideale der Französischen Revolution. Er geht davon aus, daß Epochen, in denen nicht an der Einlösung dieser Ideale gearbeitet wird, zum Untergang verurteilt sind. Als prominenteste Beispiele für Zeiten solcher Dekadenz nennt er die zweiten Kaiserreiche in Frankreich und Deutschland.[16] Broch dagegen beschreibt in seiner Essayfolge vom "Zerfall der Werte" die Entwicklung eines gesamteuropäischen ethischen Auflösungsprozesses, welcher mit der Zersplitterung der unitären europäischen Wertkosmogonie zur Zeit von Renaissance und Reformation einsetzte. In einem jahrhundertelangen Vorgang sei die ehemalige Werteinheit der mittelalterlichen Welt allmählich zerfallen in immer kleiner werdende Partial-Wertgebiete. In der Gegenwart des 20. Jahrhunderts habe sich der "wertfreie Mensch" (H 703) herausgebildet, dessen "Privattheologie" (H 710) seinen Wertehorizont auf die Grenzen des eigenen Ichs einenge. Damit sei der "absolute Nullpunkt" (H 714) im Zerfallsprozeß der Werte erreicht. Heinrich Mann also konzipiert eine Romanfigur wie Heßling als Inkarnation jener Bestrebungen, die gegen den menschheitsgeschichtlichen Auftrag der Französischen Revolution gerichtet sind. Heßling stemmt sich gegen einen Geschichtsablauf, der als letztlich unumkehrbar angesehen wird. So hinkt er nicht nur - ohne sich dessen bewußt zu sein - hinter der geschichtlichen Entwicklung her, sondern marschiert in ihre entgegengesetzte Richtung. Bei Broch dagegen ist der ansonsten mit Heßling zum Verwechseln ähnliche Huguenau gerade Exponent, d.h. adäquater Typus des epochalen Nullpunkts am Ende des Wertzerfall-Prozesses.

Mit 'Typus' und 'Epoche' sind zwei Begriffe genannt, denen bei der Konzipierung der hier behandelten Romantrilogien über die Wilhelminische Ära zentrale Bedeutung zukam. Broch war es darum zu tun, den "Geist der Epoche" (H 463) zu gestalten, ihren "Stil" (H 444), ihre "Gesamtlogik" (H 463) zu beschreiben, und Heinrich Mann wollte "die Seele der dargestellten Epoche"[17] erfassen. Beide Trilogien sind "Zeitromane",[18] stehen also eher im Banne des kritischen europäischen Gesellschaftsromans als in der Traditionslinie des Bildungsromans,[19] den sie bezeichnenderweise parodieren. Um ihr Ziel zu erreichen, schaffen sich die beiden Autoren als Protagonisten den Epochen-Typus. Im Typus wird eine Ära auf ihr Charakteristisches, Essentielles, Dominierendes und Repräsentatives reduziert. Die Grundzüge der betreffenden Geschichtsphase werden in den Typus transponiert; er ist die Synthese der herrschenden Tendenzen, er verkörpert 'Seele', 'Geist', 'Stil' oder 'Logik' seines Zeitalters. Wie Heinrich Mann zufolge Flaubert, so weigerte auch er selbst sich, "zu schildern, was nicht typisch"[20] ist. Auch im Denken Brochs nimmt der Typus als "Einheitsbegriff" für den Menschen einer Epoche einen wichtigen Platz ein.[21]

Durch welche Eigenschaften zeichnen sich die typischen Vertreter der Epoche zwischen 1888 und 1918 in Heinrich Manns und in Hermann Brochs Trilogien aus? Die von den Autoren für typisch befundenen Charakteristika weichen voneinander ab. Dies hängt mit ihren unterschiedlichen geschichtsphilosophischen Interpretationen der Epoche zusammen. Was Heinrich Mann als dominierend auffällt, sind Machtgelüste bzw. Erfolgswille, Haß und Schauspielerei, sämtlich Untugenden, die gegen die Ideale der Französischen Revolution gerichtet sind: Machtanbetung ist an die Stelle des Freiheitsstrebens getreten, Erfolgssucht verdrängt das Gleichheitspostulat und Haß wie Verstellung lassen keine Brüderlichkeit aufkommen. Broch dagegen versieht seine Helden mit Ideologien, die verschiedene Aspekte des Wertzerfalls, genauer seines Endstadiums, beleuchten: Romantik, Anarchie und Sachlichkeit. Macht- und Erfolgswille, Haß und Schauspielerei sind die hervorstechenden Eigenschaften fast aller Romanfiguren in den drei Romanen Heinrich Manns. Lediglich Balrich, Held der "Armen", kann man vom Vorwurf der Schauspielerei freisprechen. Bei Brochs Helden aber überwiegen romantische Verhaltensweisen im "Pasenow", anarchische im "Esch" und 'sachliche' im "Huguenau": Der romantische Pasenow klammert sich an ein überholtes Wertsystem, der anarchische Esch verliert seine Orientierung im Chaos der sich bekämpfenden Partialwertgebiete, und der sachliche Huguenau gibt jede Bindung an übergreifende ethische Normen auf. Broch weist auf die jeweils typischen Merkmale seiner Protagonisten hin durch die Untertitel seiner Romane, die "Romantik", "Anarchie" und "Sachlichkeit" lauten. Heinrich Mann hätte seine Trilogieteile mit analogen Untertiteln versehen können. Denkbar wären etwa: "Der Untertan oder die Macht", "Die Armen oder der Haß" und "Der Kopf oder die Maskerade". "Nichts Menschliches hielt stand vor der Macht" (U 227) ist Heßlings Einsicht; "verdammt (...) zum Haß" (A 635) fühlt sich Balrich, und Mangolf sowie Terra werden ständig als "Schauspieler" (K 37, 143, 629) bzw. "Komödianten" (K 23, 261, 464) bezeichnet.

Wenn Broch Helden vorführt, die sich in überholte Wertsysteme oder in Irreal-Utopien flüchten, und wenn Heinrich Mann Figuren zeichnet, die sich hinter Masken zu verstecken suchen, wird deutlich, daß beide die Erfahrung der Unwirklichkeit ihrer Epoche gestalten wollen. "Hat dieses verzerrte Leben noch Wirklichkeit?" (H 418) ist die zentrale Frage, mit der Broch im "Huguenau" die Essayfolge "Zerfall der Werte" eröffnet. Broch und Mann haben mit verwandten Mitteln in ihren Trilogien das Erlebnis dieser

Unwirklichkeit in dichterische Metaphern übersetzt. In beiden Werken wissen die Helden häufig nicht mehr zu unterscheiden zwischen gespielter und wirklicher sozialer Rolle. Es verwischen sich ihnen die Grenzen zwischen Fiktion und Realität, zwischen Schauspiel und Tatsächlichkeit, zwischen Imitation und Originalität. Die Fäden, die August Esch im zweiten Band von Brochs Trilogie mit Theater und Alltag verbinden, sind ihm auf eine konfuse, nicht mehr entwirrbare Weise verknäuelt. Varieté und Buchhaltung, Damenringkämpfe und Lagerverwaltung, Bühnenattrappe und Arbeitswelt, Traumvision und Tagesbewußtsein gehen im Erfahrungsbereich Eschs eine Synthese ein, in der alles ununterscheidbar miteinander verschmilzt. Lea Terra in Heinrich Manns "Kopf" ist Schauspielerin. Rolle und Leben kann sie zuweilen nicht auseinanderhalten, etwa wenn sie sich den Schmerz um den Verlust des geliebten Mangolf im "eleganten Dirnenstück" (K 298) "wegspielt". (K 303) Die Irrealität des "Symposion oder Gespräch über die Erlösung" im "Huguenau" hebt Broch durch eine Art Regiebemerkung hervor: Die Beteiligten befinden sich "auf einer Theaterszene (...), in eine Darbietung verstrickt, der kein Mensch entgeht: als Schauspieler zu agieren." (H 551) Mit zahlreichen Regiehinweisen, in denen vom "Auftritt" und vom "Abgang" der Personen die Rede ist, hat auch Heinrich Mann seine Trilogie durchsetzt. Als Beispiel sei nur eine dieser Anweisungen aus dem "Kopf" zitiert: "Bella Knack tritt auf (...). Sie betrat den Teppich des Salons wie eine Bühne." (K 155) Fast alle Protagonisten bei Broch und Mann sind auf irgendeine Weise mit dem Theater verbunden: Pasenow hat ein Verhältnis mit der Lebedame und Schauspielerin Ruzena, Esch beteiligt sich am Theatergeschäft Oppenheimers, Huguenau nimmt teil an der 'Darbietung' des "Symposions", Heßlings Schwestern spielen mit bei der Laienaufführung der "Heimlichen Gräfin" (wobei es allen Beteiligten schwerfällt, Schein und Sein auseinanderzuhalten), Balrichs zweiter Bildungsweg gipfelt im Besuch einer Theateraufführung, und Mangolfs Karriere verläuft so steil wie logisch vom Stadttheater in die Reichskanzlei. Ähnlich entwickelt sich Terras Lebenslauf, den es vom Jahrmarkt in die Direktion der Firma Krupp drängt. Zudem steht Terra vorübergehend in engem Kontakt mit dem sozialkritischen Dichter Hummel (eine Karikatur Gerhart Hauptmanns) und dessen Vereinigung "Weltwende". Verwechseln im "Kopf" Politiker vom Schlage Wilhelms II. ihre Profession mit Theaterspielen, so hält umgekehrt der Dichter Hummel das Bühnenspiel für Politik. Er glaubt, die soziale Frage durch seine "zeitgemäße Kunstdoktrin" (K 127) lösen zu können.[22] Esch und Terra verspüren eine gewisse Seelenverwandtschaft mit Schiller bzw. mit dessen Freiheitshelden. Esch kauft sich eine Statuette des Dichters, eine "Nachbildung des Schillerdenkmals" (E 248) in Mannheim, und Terra trägt die Züge idealistischer Vergeblichkeit des Marquis Posa. (K 314) Mit dem Pathos, das dem Malteser bei seiner Forderung nach Gedankenfreiheit vor Philipp II. zur Verfügung steht, verlangt Terra von Wilhelm II. die Abschaffung der Todesstrafe. (K 377) Zu erwähnen sind auch verfremdete Reminiszenzen an Goethes "Faust" im "Pasenow"[23] sowie im "Kopf" (Lannas hat eine Vorliebe für klassische Zitate) und an Goethes "Natürliche Tochter" im "Untertan".[24]

Unterstrichen wird das Ineinander von Fiktivem und Faktischem durch jene zahlreichen Stellen in beiden Trilogien, an welchen von Opern die Rede ist.[25] In Brochs Pasenow projiziert Joachim seine Erlebniswelt in die Handlung der romantischen Oper "Faust" von Ludwig Spohr. Dabei identifiziert er sich selbst mit Faust, seinen Freund Bertrand mit Mephisto, Ruzena mit Gretchen und deren - nur in der Phantasie Joachims existierenden - Bruder mit Valentin.[26] Eine durch keinerlei ästhetische Distanz gebrochene Identifizierung mit seinem Opernhelden Lohengrin nimmt Diederich Heßling im "Untertan" vor. Wolfgang Buck hatte ihm eine ironisch gemeinte Interpretationsstütze des Wagnerschen Werkes bereits mit auf den Weg gegeben, als er ihm empfahl, die begehrte Guste ritterlich "zu sich hinaufzuziehen." (U 344) Aber auch ohne diese Verständnishilfe wäre es wohl bei jenem nach der Verlobung fälligen Opernbesuch zu der sehr privaten Aneignung des "Lohengrin" gekommen. Nach Heinrich Mann mußte sich dem typischen Bürger im Wilhelminischen Deutschland eine solche Identifikation geradezu aufdrängen. "Wagner", so schreibt der Autor, "war einer der ihren, erfolgssüchtig" und "mit der Lüge auf bestem Fuß."[27] Dieser Meinung war auch Broch. In seiner Hofmannsthal-Studie heißt es: "Das Wagnersche Kunsterk (...) ist der Spiegel des Vakuums (...). Nichts von den verächtlichen und hassenswürdigen Zügen der Epoche wird hier bekämpft, nichts von ihrer Dumpfheit (...) zur Klarheit gebracht."[28] "Tausend Aufführungen einer solchen Oper", schwärmt Diederich Heßling, "und es gab niemand mehr, der nicht national war!" (U 357)[29] Wagner-Opern sind auch im "Kopf" ein Kommunikationsmedium und ein Mittel der Selbstfindung. Die ehemalige Wagner-Interpretin Altgott wurde berühmt durch ihre Ortrud-Rolle im "Lohengrin"; nun ist die "Theatergräfin" (K 337) Hausdame beim Reichskanzler

Lannas. Die Altgott bekennt dem Abenteurer Terra, daß sie in ihm den "Fliegenden Holländer" wiedererkennt. Wagners "Tristan" hat es Terras Freund und Gegenspieler Mangolf angetan. Nachdem er gewaltsam seine Empfindungen für die geliebte Lea unterdrückt, d.h. nachdem er Gefühle verdrängt, die seiner politischen Karriere im Wege stehen, intoniert er auf dem Klavier "den 'Liebestod' in einer dermaßen hingegebenen Haltung, als spielte der 'Liebestod' sich selbst." (K 271) Oper und Politik gehen im "Kopf" auch dann eine seltsame Symbiose ein, wenn durch Terras "Generalagentur für das gesamte Leben" eine "Oper von hoher Hand" (K 102), die sog. "allerhöchste Oper" (K 116), lanciert werden soll. Das "musikalische Thema des Gottesgnadentums" (K 114) spielt darin angeblich eine wichtige Rolle. Bei diesem Projekt handelt es sich insofern um eine Irrealität zweiter Potenz, als hier ein gar nicht existierendes Werk einer Agentur anvertraut wird, die selbst in sich eine Fiktion, genauer gesagt ein Schwindelunternehmen ist. Es liegt nahe, die "allerhöchste Oper" als "eine Chiffre für das opernhafte Gesamtkunstwerk des kaiserlichen Auftretens"[30] zu interpretieren. Dieser Opernkaiser des "Kopfes" war in den Augen seines Reichskanzlers Lannas ein "pflegebedürftiger Unmündiger" (K 533), der "in einer englischen Zeitung" die "behütetsten Geheimnisse" des Staates "ausplauderte." (K 530) Angespielt wird an dieser Stelle auf die Daily Telegraph-Affäre von 1908. Lannas erfährt von dem Skandal, während er der Aufführung einer Oper Jacques Offenbachs beiwohnt. Bewußt deutet der Autor dadurch eine Beziehung zwischen dem Operettenkönig des zweiten französischen und dem Herrscher des zweiten deutschen Kaiserreiches an. Nicht von ungefähr ist es die phantastische Oper "Hoffmanns Erzählungen", die gespielt wird, und nicht zufällig sind es die sanften Klänge der Barkarole, die Lannas ans Ohr dringen, als man ihm die Nachricht von der Zeitungsaffäre überbringt. Denn wie auf der Bühne die verträumte Stimmung der Gäste im venezianischen Palast durch Hoffmanns Launen zerstört wird, so bereitet Wilhelm II. mit seiner Interview-Eskapade der Ruhe im Reich ein jähes Ende.

Den Eindruck des Unwirklichen, des Fiktionalen der geschilderten Lebensläufe vermitteln Broch und Mann auch durch die Verwendung von Motiven aus der Sagen- und Märchenwelt. Huguenau wird verglichen mit Homers irrfahrendem, listenreichen Odysseus. (H 687) Auf die "Ilias" Homers mit ihrer Schilderung des Trojanischen Krieges wird in den "Armen" angespielt. Dabei erhält Leni - schon ihr Name deutet darauf hin - die Rolle der schönen Helena zugewiesen, Horst Heßling agiert als der seine Geliebte entführende Paris, Karl Balrich wird mit Ajax und Hans Buck mit Hektor verglichen. (A 603) Troja ist hier "Villa Höhe", die sich - wie das mythische Vorbild es will - im "Verteidigungszustand" (A 607) befindet. Gellerts Schuldbrief erweist sich freilich als untaugliches Trojanisches Pferd, und so wird der Krieg um Villa-Hügel-Troja beendet, noch bevor er recht begonnen hat. Die Trojaner in den "Armen" verstehen es, die Aggressionen der Griechen auf ein anderes Land, das des sogenannten 'Erbfeindes', abzulenken.

Zahlreich sind die Anspielungen auf Märchen, besonders auf jene aus der bekannten Grimmschen Sammlung. Wenn Pasenow seine Braut Elisabeth betrachtet, muß er an "Schneewittchen im Glassarg" (P 159, 171) denken: So lebendig und gleichzeitig tot wie die Märchenprinzessin in ihrem Sarg ist auch Joachims Beziehung zu seiner zukünftigen Gattin. Märchenfiguren wie Kröten und Rumpelstilzchen versetzen Diederich Heßling schon als Kind in Angst und Schrecken (U 11), und dieses "Märchengrauen" (U 92) stellt sich wieder ein, als sein Verhältnis zu Agnes Göppel Züge einer tieferen menschlichen Beziehung anzunehmen beginnt. Während des Rom-Besuches veranstalten "der Kaiser und Diederich (...) ein Wettrennen!" (U 368) Heinrich Mann erkennt in diesem Sportkampf des Herrschers mit seinem Untertan jenes Rennen zwischen Hase und Igel aus dem Grimmschen Märchen wieder. Es heißt dort: "Er [der Kaiser] erkannte ihn wieder, seinen Untertan! Den, der schrie, den, der immer schon da war, wie Swinegel." (U 372) Dieser Vergleich ist sicher absichtsvoll gewählt, denn in den Folgebänden seiner Trilogie zeigt der Autor, wie der bürgerliche Untertanen-Igel den aristokratischen Kaiser-Hasen sich zu Tode hetzen läßt. "Villa Höhe" in den "Armen" ist nicht nur ein belagertes Troja, sondern auch das "Dornröschenschloß" (A 610), dessen Bewohner "immer schlafen" (A 496) und das umgeben ist von "Rosenkränzen" (A 549, 567) bzw. "Rosengewinden". (A 605). Balrich gehört zu jenen Prinzen, die das Schloß nicht erobern, sondern in der dornenreichen Rosenwand hängenbleiben und eines traurigen Todes sterben. Bekanntlich kann das Dornröschenschloß ja erst in hundert Jahren - dann freilich mühelos - eingenommen werden. Terra im "Kopf" fühlt sich bei seinem Prozeß gegen den Wucherer Kappus wie Aladin mit der Wunderlampe, der im strittigen Vertrag nach dem "Sesam" sucht, nach dem "geheimen Spalt, durch den das Licht der Märchenschätze blinkt." (K 266) Terras und seiner Schwester liebstes Kindermärchen war das von den roten Schuhen. Noch als Erwachsene gesteht Lea ihrem Bruder: "Manchmal, wenn ich nicht weiß, wohin es kommen soll, denke ich, daß ich an den Füßen die roten Schuhe habe, die immer weiter tanzen." (K 73) Wie Karen im Andersenschen Märchen "Die roten Schuhe" von der Tanzleidenschaft gepackt wird und erst im ersehnten Tod von dieser ihr Leben ruinierenden Passion befreit wird, so erliegt Lea der Faszination des Theaters und vermag sich seiner Scheinwelt nur durch den Freitod zu entziehen. Mit dem Fischer aus dem Butt-Märchen vergleicht sich Mangolf. Als seine Politiker-Karriere durch die Ernennung zum Reichskanzler den Höhepunkt erreicht hat, meditiert er über seine Anfänge vor zwanzig Jahren: "Ich bin Reichskanzler (...) Ich bin ans Meer gegangen, der verzauberte Fisch hat gefragt, was ich wollte. Ich habe gesagt: Reichskanzler werden. Da bin ich." (K 619) Freilich ist sich Mangolf der Ironie, die in dieser Assoziation steckt, nicht bewußt. Der Fisch, der ein verwunschener Prinz ist, bereitet ja am Ende des Märchens den gewährten Herrlichkeiten wieder ein Ende. So wird auch Mangolf wieder aus seinem Amt enfernt, und zwar durch den gleichen verzauberten Prinzen Wilhelm II., der ihn ernannt hatte.

Die Anspielung auf den Butt erinnert ferner daran, daß Broch und Mann noch ein weiteres Verfremdungsmittel aus dem Bereich der Literatur nutzen, um die Unwirklichkeit der Epoche erkennbar zu machen: Sie lassen ihre Romanfiguren als Fabeltiere[31] auftreten. Brochs Helden assoziieren - auf jeweils subjektiv gefärbte Weise - den alten Pasenow (P 12, 13), Esch (E 279, 399, 650) und Teltscher (E 368) mit Pferden; die Polizei (E 291), die Sozialisten (E 300) und den Präsidenten von Bertrand (E 268, 297) mit Schweinen; Ruzena (P 42) und Geyring (E 266) mit Hunden; Ilona mit einem Käfer (E 203) sowie die Ringerinnen im Varieté mit Kühen. (E 290) Diese Tiermetaphern kommen in Brochs Romanen eher beiläufig vor, in Heinrich Manns Trilogie aber werden wir konfrontiert mit dem großen Bestiarium der deutschen Kaiserzeit, mit der "vollständigen sozialen Zoologie" (K 265) der Wilhelminischen Ära. Gewisse anthropologische und moralische Grundvorstellungen Heinrich Manns haben seine Entscheidung, die Trilogie als Tierfabel anzulegen, sicherlich mitbeeinflußt. Der Topos der 'bête humaine', die dualistische Auffassung von der Tier-Geist-Natur des Menschen,[32] der Gedanke, das Ich habe seine bloß naturhaften, seine irrational-tierischen Züge zu bekämpfen, um moralisch fortschreiten zu können[33] - all diese Ideen sind im gesamten Werk Manns wirksam. In der "Kaiserreich"-Trilogie wird das Tierische identifiziert mit der Macht, also mit dem von allen Protagonisten der Trilogie verehrten Gott der Epoche. Wolfgang Buck in den "Armen" sagt über den Stellenwert der Macht im Wilhelminischen Zeitalter:

> Die Macht - das ist mehr als Menschenwerk; das ist uralter Widerstand gegen unser Atmen, Fühlen, Ersehnen. Das ist der Zwang abwärts, das Tier, das wir einst waren. Das ist die Erde selbst, in der wir haften. Frühere Menschen, zu Zeiten, kamen los aus ihr, und künftige werden loskommen. Wir heutigen nicht. Ergeben wir uns. (A 687)

Auch Terra im "Kopf" spricht in ähnlichem Sinne von seiner Epoche als einer "vertierten Zeit" (K 598), und für Balrich ist die bestehende Macht "ein Tier aus Stein, zu schwer, um es fortzuwälzen." (A 640) Je nach ihrer Partizipation an bzw. ihrer Beziehung zur Macht erhält fast jede Figur der Mannschen Trilogie eine Bezeichnung als Fabeltier, als zoon politicon im wörtlichen Sinne.

König im Reich der Tiere ist ein Monarch aus der Gattung der Katzen. Bezeichnenderweise ist er kein Löwe, sondern nur ein Kater, der auf den Namen Wilhelm hört. Artgenossen ihres Herrschers sind diejenigen, die sich zur 'Partei des Kaisers' zählen, also Wiebel (U 58), Heßling (U 167) und Klotzsche (der Verlobte Gretchen Heßlings). (A 608, 612) Mit zur Hierarchiespitze im Tierstaate gehören die Raubtiere, d.h. die Bären, Wölfe und Füchse. Als Bär mit "schwarzer Tatze" (U 290, 301) und "wütendem Grunzen" (U 295) behauptet Präsident von Wulckow seinen höheren Rang in der Hackordnung; ein bloßer Tanzbär an der Leine eines Mächtigeren ist jener Medizinalrat, der Karl Balrich ins Irrenhaus einweist (A 579); und Fischer (eine Karikatur des Admiral Tirpitz) gibt sich als Seebär. (K 373, 529) Den machthungrigen, reißenden Wolf spielt Mangolf: Heinrich Mann hat ihn bereits durch den Vornamen "Wolf" zoologisch hinreichend etikettiert. Lannas und Schwertmeyer, die politischen Jongleure und Opportunisten, umschleichen als Füchse (K 534, 466) den Kater-Thron. Vom Himmel des Tierreiches herab lauern die Geier Kappus - ein Wucherer - (K 269) und Sprezius - ein Landgerichtsdirektor - (U 217) auf Beute. Ein unheildräuender Nachtvogel (K 166) ist der Intrigant von Gubitz (er soll Holstein vorstellen). Als giftige Natter (A 598) durchzischt Frau Polster das Armenviertel des Tierkosmos. Zu gejagten Hasen werden Bürgermeister Scheffelweis (U 287) sowie der Spitzel Jauner. (A 676) Ein "auf allen vieren laufender",

"Nüsse fressender" und "Zähne fletschender" Affe (U 118, 178, A 570) durchschwingt Napoleon Fischer Fabrikhalle und Reichstag. Dem Katerstaat gehören auch Meereskreaturen an: Einem rachsüchtigen Haifisch gleichend (A 668) taucht Klinkorum aus der Tiefe der See empor, und als harmlose Qualle (U 213) wird Wolfgang Buck an Land gespült. Die herrschende Kater-Partei umgibt sich mit einem Hofstaat von Domestiken, d.h. gezähmten Haustieren, also Hunden, Pferden, Gänsen, Schweinen und Schafen samt dazugehörigen Läusen. Die Bulldogge von Tolleben (K 112, 431) beißt sich durch bis zum Kater-Thron, den er dann als Kanzler bewacht. Gegen diese Dogge vermag der junge und gehetzte Hund Terra (K 56, 274) lange nichts auszurichten, bis er sie - gemeinsam mit Verbündeten - in den Tod treibt. Als alte bzw. falsche Hunde (U 304, 395) bereiten Buck senior und Mahlmann (U 46) dem Kater Heßling viel Verdruß. Dafür hält der Heßling-Kater sich schadlos an Agnes, dem Lamm - nomen est omen -, das sich schon nach wenigen Blessuren nicht mehr in seine Nähe wagt. Diederich ist ein Kater mit einer ausgesprochenen Vorliebe für Würste. Diese Passion hatte bald zur Trübung seines Verhältnisses zum Lamm Agnes beigetragen. (U 89) Den Zug hin zur Wurst - statt zur Kunst wie bei Agnes - teilt Diederich Heßling mit Guste Daimchen. Bei ihrer ersten Wiederbegegnung entflammt sein Eros angesichts der Wohlgestalt ihrer Finger, die "rosigen Würstchen glichen." (U 108) Er ist begeistert von ihrer Seelenverwandtschaft signalisierenden Vorliebe für Würste, und Guste ist gleich bereit, ihn teilhaben zu lassen am Genuß der Wurst, die sie gerade verzehrt. Daß eine solche kulinarische Gleichgestimmtheit die beste Voraussetzung für die dann erfolgende Ehe ist, versteht sich. Der Kater Diederich nennt Guste, die übrigens in der Schweinichenstraße wohnt, sein "Schweinchen". (U 108) Erste Frucht der ehelichen Verbindung von Kater und Schweinchen ist eigenartigerweise eine Gans mit Namen Gretchen. (A 565) Im Pferdestall des Kaisers der Tiere finden recht unterschiedliche Hengste Platz wie der Schwindler Mohrchen und der Großindustrielle Knack: man erkennt sie am Wiehern. (K 117, 167) Paradestück im herrscherlichen Stall ist eine Stute, ein "Rennpferd", ein "Klassetier", das "hohe Schule vorreitet" (K 455): der Bühnenstar Lea Terra. Auch an einer Laus fehlt es im Tierreich nicht. Sie heißt Karl Balrich und versucht vergeblich sich im Fell des Katers Heßling festzusetzen. Das Leben der Fabeltiere untereinander ist gekennzeichnet durch Angst vor Fallen, durch Unfrieden und Machtkampf. Weder existiert eine funktionierende monarchische Ordnung (es fehlt ein mächtiger, weitsichtiger und gerechter Löwe als König der Tiere), noch gibt es ein handlungsfähiges Tier-Parlament. Den Interessenkämpfen der Bären, Wölfe, Füchse, Pferde und Geier, die - offen oder versteckt - selbst die Herrschaft an sich reißen möchten, ist der Kater, diese Kleinausgabe und Imitation des Löwen, nicht gewachsen: am Ende der Fabel ist er faktisch entmachtet.

III

Ein "Fabeltier seiner Zeit"[34] nennt der Historiker Michael Balfour Wilhelm II., und Heinrich Manns Porträt erfaßt die hier gemeinte Wirklichkeit der Unwirklichkeit dieses Kaisers. Die Glaubwürdigkeit des Herrscherbildes in Manns Trilogie wird auch von anderen Geschichtsschreibern bestätigt, etwa wenn Gordon A. Craig auf die Sucht des Kaisers nach theatralischen Auftritten und auf seine "romantische Energie"[35] hinweist, oder wenn Sebastian Haffner - bei direkter Bezugnahme auf Manns "Untertan" - den Monarchen einen Schauspieler nennt, der sich am wohlsten fühlte in der Rolle des Lohengrin mit glitzerndem Gefolge. "Er spielte Kaiser", so lautet das Resümee von Haffners biographischer Skizze über den letzten Hohenzollernherrscher. "Ich spiele nicht mehr mit" (K 615) sind denn auch die letzten Worte, die Heinrich Mann Wilhelm II. am Ende seiner Trilogie sprechen läßt. Ein "schlechter Schauspieler" (K 37), "leicht beeinflußbar, am meisten durch Geschichte in Form und Maskeraden" (K 356) und "Absolutismus, gemildert durch Reklamesucht" (U 461) - das sind Heinrich Manns Charakterisierungen des Kaisers bzw. seines 'persönlichen Regiments', wie sie bereits in die langue der internationalen Zeit- und Kulturgeschichtsschreibung eingegangen sind. Über das Monarchenbild im "Untertan" urteilt Kurt Tucholsky schon 1919: "Das ist der Kaiser, wie er leibte und lebte."[36]

Die besondere Kunst des Autors bestand darin, sowohl im Herrscher wie im Untertan den gleichen Epochentypus zu beschreiben.[37] Es ist nicht so - wie es undialektisch Wolfgang Buck im "Untertan" sieht -, daß nur der Kaiser sich seinen Untergebenen "forme" (U 240); vielmehr prägt der Bürger auch seinen Monarchen. Einerseits ahmt Diederich zwar den Kaiser nach, etwa wenn er aus dessen Reden zitiert,[38] wenn er sich den 'Es-ist-erreicht-Schnauzbart' zulegt, wenn er im "Hohenzollernmantel" (U 367) die Romreise unternimmt oder wenn er in Netzig das pompöse Denkmal 'Wilhelms des Großen' errichten läßt, dessen Vorbild damals unter Leitung des Kaisers in Berlin emporwuchs;[39] aber andererseits 'imitiert' - wenngleich ohne Wissen - der Kaiser auch seinen Untertan. So bestätigt er Diederichs fingiertes Telegramm (U 178) und läßt, wie jener es wollte, den Reichstag auflösen. Dadurch, daß der Untertan als Kaiser und der Kaiser als Untertan handelt, wird die Identität ihrer Ideologie ersichtlich, wird erkennbar, wie sehr sie den gleichen Epochen-Typus verkörpern. Auffallendes Kennzeichen dieses Typus ist das Parvenühafte. Denn wie Heßling als Fabrikant und der Hohenzoller als Kaiser, so ist das Deutsche Reich als Staat damals der Emporkömmling unter den Weltmächten und mit den charakteristischen Fehlern eines solchen behaftet.

Weder der Kaiser noch Bülow, weder Bethmann-Hollweg noch Tirpitz kommen direkt oder in verschlüsselter Gestalt in Brochs "Schlafwandler"-Romanen vor. Brochs Stärke ist nicht die Darstellung jener übergreifenden gesellschaftlichen Konflikte, wie sie die Handlung in Manns Trilogie bestimmen. Zwar sieht er nicht von ihnen ab, doch werden sie in den schon von Alfred Döblin so bewunderten "diskreten Details"[40] nur angedeutet. Wenn Broch etwa den reformistisch-revisionistischen Gewerkschaftler Martin Geyring in Köln und Mannheim agieren läßt, so ist dies kein Zufall. Auf dem großen Gerwerkschaftskongreß in Köln von 1905 und auf dem Mannheimer Parteitag der Sozialdemokraten von 1906 setzte sich nämlich jene pragmatisch-unideologische Richtung des Sozialismus durch, für die Geyring im "Esch" einsteht. Und es kommt auch nicht von ungefähr, daß der unpatriotische Deserteur Huguenau aus dem Elsaß stammt. Die Distanz der (1871 ungefragt ins Reich integrierten) Elsässer zum deutschen Staat trat ja erneut 1913 in der Zabern-Affäre[41] zutage. Anders als im Falle der "Kaiserreich"-Trilogie (man denke z.B. an Lannas/Bülow oder Fischer/Tirpitz im "Kopf") handelt es sich bei den Darstellungen der Brochschen Helden nicht um verschlüsselte Porträts historischer Persönlichkeiten. Bertrand und Huguenau tragen zwar einige Züge von Krupp und Hugenberg, aber sie sind als synthetische Romanfiguren Träger sehr komplexer Bedeutungen. Heinrich Mann bringt im "Kopf" die Pläne der imperialistisch-alldeutschen Fraktion direkt zur Sprache; bei Broch werden solche Bestrebungen nur angedeutet im Gespräch Eduards mit Joachim über die Kolonialromantik oder etwa durch die Erwähnung des "Kaiserpanoramas" (P 166) im "Pasenow". Die wirklichen und imaginär-zukünftigen kolonialen Handelsbeziehungen weckten damals ein allgemeines Interesse an Informationen über exotische Länder, ein Interesse, dem der Physiker August Fuhrmann entgegenkam, als er 1883 das Kaiserpanorama in Berlin eröffnete.[42] Dieses Panorama besuchen Joachim und Elisabeth, um etwas über Indien zu erfahren, wo ihr gemeinsamer Bekannter Eduard seine kommerziellen Kontakte knüpft. Heinrich Mann stellt die gesellschaftlichen Tendenzen und Konflikte seiner Zeit direkter dar: Das neue, kaiserlich-imperialistisch orientierte Bürgertum (siehe Heßling) kämpft gegen die liberal-demokratisch, antimonarchistisch eingestellte Bourgeoisie der Jahrhundertmitte (siehe Buck). Der altpreußische Beamten-, Militär- und Agraradel (Wulckow, Karnauke, Quitzin) sucht einerseits den wachsenden Einfluß der Industrie zurückzudämmen, muß aber andererseits Zweckbündnisse mit ihr gegen die alte republikanische Fronde eingehen. Diesem Adel fällt es im Laufe der Zeit immer schwerer, seine Identität und seine Standesprivilegien zu wahren. Das gesellschaftliche Leben auf "Villa Höhe" verdeutlicht den sich vollziehenden sozialen Umkehrungsprozeß der Aristokratisierung des Industrie-Bürgertums und der Verbürgerlichung des preußischen Adels. Dessen wenig adlige Spekulationsgeschäfte und rüde Manieren waren schon im "Untertan" kaum noch von Heßlings Praktiken und Umgangsformen zu unterscheiden; und bereits der junge Heßling drängt sich und seine Familie in die Salons aristokratischer Familien. Wie sehr im Kräfte-Dualismus ostelbisch-preußischer Adel/neudeutsches Industrie-Bürgertum, wie sehr in diesem Grundkonflikt des zweiten deutschen Kaiserreiches die Adligen den Kürzeren ziehen, ruft Mann im "Kopf" in Erinnerung. Mehr und mehr ist die preußische Nobilität in Regierung und Heer gezwungen, dem rheinisch-westfälischen Großkapital in die Hände zu arbeiten. Dem Einfluß der Industrie vermag auch die Intelligenz (verkörpert in Mangolf und Terra) sich nicht zu widersetzen.[43] Und der "Armen"-Roman demonstriert, daß weder die anarchistische noch die reformistische Richtung innerhalb der Arbeiterschaft etwas gegen die Macht der Industriellen auszurichten vermag. Auf dichterische Weise analysiert Heinrich Mann in seiner Trilogie die sozialen Prozesse, wie sie mit der rapiden Industrialisierung Deutschlands zur Zeit Wilhelms II. stattfanden. Damit schildert er auch die Verdeutschung Preußens, d.h. die rasche Verschiebung der Kräftekonstellation, wie sie zur Zeit der Bismarckschen Reichsgründung noch existierte. Hatte man damals gehofft oder gefürchtet, daß Deutschland verpreußt werde, so trat während der beiden letzten Dekaden des vorigen Jahrhunderts der umgekehrte Prozeß ein:[44] die Auflösung Preußens im Deutschen Reich. Mit der "Kaiserreich"-

Trilogie liegt wohl das Werk vor, in dem, was seine künstlerische Darstellung betrifft, diese Entwicklung am genauesten beschrieben worden ist. Broch hat als Industrieller selbst die hier behandelte Zeit noch miterlebt, und so war ihm jener sozialgeschichtliche Umbruchsprozeß nicht unbekannt. Dieser gesellschaftliche Vorgang wird - wenngleich nicht zentral behandelt - aus der Welt von Brochs Romantrilogie auch nicht ausgeklammert. So läßt der Autor den preußischen Adligen Eduard von Bertrand sich schon vor 1888 für eine Kaufmannskarriere und gegen die Offizierslaufbahn entscheiden. Broch weist sogar voraus auf das erneute Zusammenspiel der bürgerlich-ökonomischen mit den preußisch-militärischen Kräften im Deutschland der zwanziger Jahre. Wenn nämlich der Kaufmann Huguenau am Tage der Kieler Revolution (3.11.1918) den zwar stark lädierten und ohnmächtigen aber immerhin noch lebenden Major von Pasenow aus dem zusammenbrechenden Kaiserreich in die neue Zeit der deutschen Republik rettet, so ist in diesem Bild auf einprägsame Weise die gesellschaftliche Macht- und Konfliktsituation im Deutschland der Zwischenkriegsjahre eingefangen.

Broch und Mann sind sich auch in ihren roman-ästhetischen Konzeptionen verwandter, als man zunächst vermuten mag. Sie gehen in ihren Epochen-Porträts nicht mehr von einem Mimesis-Verständnis aus, wie es Realismus und Naturalismus im 19. Jahrhundert propagiert hatten. 1931 setzt Heinrich Mann sich in seinem Essay "Die geistige Lage" für den "überrealistischen"[45] Roman ein, und zwei Jahre später prägt Broch in seinem Vortrag "Das Weltbild des Romans" den Begriff des "erweiterten Naturalismus".[46] Beide Autoren zeigen dort, daß ihr "erkenntnistheoretisches Einsichtsvermögen weit über den Horizont des Naturalismus hinausreicht",[47] daß es ihnen nicht nur um die Schilderung der äußeren Welt in ihrer Faktizität geht, sondern daüber hinaus um die Darstellung von Bewußtseinsformen. Heinrich Mann schreibt dazu:

> Wichtig ist allein, daß eure Lebensangst, eure vergeblichen großen Anläufe und die Sehnsucht, die euch (...) verzehrt, - daß die Seele der Menschen und ihrer Gesellschaft in meinem Roman nackt und bloß handelt und dasteht.[48]

Ähnlich postuliert Broch:

> Der Roman [hat] innerhalb seines eigenen Bereiches weder

Wünsche noch Befürchtungen, er muß diese genau wie alles andere aus der geschilderten Welt entnehmen (...). Wir [finden] jenes Verhältnis zwischen Wunsch- und Angsttraum in den beiden dichterischen Tendenzen, die Welt zu zeigen, wie sie gewünscht und wie sie gefürchtet wird, widergespiegelt, die Einsicht gewinnend, daß sie beide der Angstbefreiung dienen.[49]

Beide Trilogien sind in diesem Sinne "überrealistisch" bzw. "erweitert-naturalistisch" konzipiert, und ihre Autoren stehen mit dieser Ästhetik zwischen traditionalistischen und modernistischen Kunstrichtungen. Weder im "Kopf" noch im "Huguenau" sind z.B. Einflüsse des Expressionismus zu leugnen,[50] und für die "Armen" wie für den "Esch" gilt: "Die Sprache ist exzentrisch und hyperbolisch, die Personen wirken teilweise bis zur gespenstigen Verzerrung grotesk."[51]

Daß hinsichtlich Aufbau, Inhalt, Zeitkritik und Romanästhetik so viele Ähnlichkeiten zwischen den Trilogien Brochs und Manns bestehen, ist kein Zufall. Schon der frühe Broch hat mit großer Aufmerksamkeit die dichterische und essayistische Produktion Manns beobachtet.[52] Eine seiner ersten Studien ist inspiriert durch Manns "Zola"-Aufsatz.[53] Vermutlich wären "Die Schlafwandler" ohne das Vorbild der "Kaiserreich"-Trilogie anders konzipiert worden. Es ist ja erstaunlich, daß der Österreicher Broch - anders als etwa Musil oder Roth - seine Zerfallserfahrungen und -theorien nicht am Beispiel der Habsburg-Monarchie demonstriert. Ohne die Romane Manns vor Augen hätte er vielleicht die "fröhliche Apokalypse Wiens um 1880"[54] behandelt, was er zwanzig Jahre später auf essayistische Weise dann in seinem Hofmannsthal-Buch nachholte.

Zum Schluß seien auch die Grenzen aufgewiesen, die einem Vergleich der beiden Werke Manns und Brochs gesetzt sind. Bei allen strukturellen, motivlichen und ästhetischen Parallelen dürfen wir die grundlegenden Unterschiede in den Trilogien nicht übersehen. Diese Differenzen machen sich sowohl in der Intention wie in der Ausführung der Romane bemerkbar. Erstens sind die geschichtsphilosophisch-werttheoretischen und die historisch-politischen Reihen anders gewichtet, zweitens liegt im Falle Brochs ein unverhältnismäßig größerer Einfluß der Psychologie vor, und drittens hat die Ästhetik der Avantgarde einen weitaus nachhaltigeren Einfluß auf Broch als auf Heinrich Mann ausgeübt. Heinrich Mann möchte vor allem die "soziale Geschichte"[55] des im

Kriegschaos endenden Wilhelminischen Zeitalters gestalten, Broch hingegen will die Endphase des europäischen Wertezerfalls darstellen, wobei ihm das zweite deutsche Kaiserreich nur als Exempel dient. Ist Heinrich Mann von einem genuinen politischen Engagement beseelt, wird Brochs Erkenntnisinteresse von einer betont philosophischen Fragestellung geleitet. Broch hebt diese anders gelagerte Absicht selbst hervor, wenn er schreibt:

> Das Buch ["Die Schlafwandler"] (...) ist nämlich nicht die Vorgeschichte des Krieges! Die Geistesentwicklung, in deren Ablauf der Krieg steht, ist ja viel breiter, die Kriegskatastrophe ist in ihr nur ein Nebenmotiv, ein Nebensymptom, denn das Wesentliche der drei Bücher liegt (...) in der ethischen Problematik, liegt in der Auflösung der alten Werthaltungen.[56]

Broch, der sich selbst psychoanalytisch behandeln ließ, zeigt in seinen Romanen eine enge Vertrautheit mit den Theorien der modernen Psychologie und vermag deren Einsichten in dichterische Bilder umzusetzen. Während Manns Begabung für die Darstellung ideologischer Konflikte sich romanfüllend Bahn bricht, setzt sich bei Broch immer wieder das Talent zum subtilen Erfassen unterbewußter Regungen, traumatischer Komplexe und geheimer Wünsche oder zum Festhalten von Nacht- und Tagträumen durch. Heinrich Mann geht es darum, die "öffentliche Seele"[57] der Wilhelminischen Ära zu analysieren; Broch hingegen versucht Einblicke in die Traumstruktur des kollektiven Unbewußten jener Epoche zu gewinnen. Schließlich haben Avantgardisten der modernen Literatur wie James Joyce[58] Broch stärker geprägt als Heinrich Mann. Auch Einflüsse des Surrealismus, die in Manns Oeuvre nicht zu finden sind, lassen sich bei Broch nachweisen.[59] All dies berücksichtigt, kann man im Falle der "Schlafwandler" nicht von einer Nachahmung Heinrich Manns sprechen, und gegen diesen Vorwurf hat Broch sich mit Recht gewehrt.[60] Doch zählt die "Kaiserreich"-Trilogie zweifellos zu jenen Romanen, die ihn bei der Konzeption seines Erstlingswerkes maßgeblich beeinflußten.

Was an den Trilogien Heinrich Manns und Hermann Brochs besticht, was ihnen eine anhaltende Wirkung sichern dürfte, ist die auf realistische und transrealistische Weise gelungene Darstellung der Sehnsüchte und Ängste einer Generation, der Innen- und Außenansicht einer Epoche, des Körpers und der Seele einer Ära sowie des Geistes und der Tat eines Zeitalters, das zu besichtigen lehrreicher Beunruhigung nicht entbehrt.

ANMERKUNGEN

[1] Zitiert wird in der Folge nach: Heinrich Mann: Das Kaiserreich. Die Romane der deutschen Gesellschaft im Zeitalter Wilhelm II.: Der Untertan: Roman des Bürgertums. Die Armen: Roman des Proletariers. Der Kopf: Roman der Führer. Berlin, Wien und Leipzig 1925; Ausgabe in zwei Bänden; Hermann Broch: Die Schlafwandler. Eine Romantrilogie: Der erste Roman: 1888. Pasenow oder die Romantik. Der zweite Roman: 1903. Esch oder die Anarchie. Der dritte Roman: 1918. Huguenau oder die Sachlichkeit. Frankfurt am Main 1978; Band 1 der Kommentierten Werkausgabe Hermann Broch. Hg. von Paul Michael Lützeler. Beim Zitieren werden folgende Abkürzungen vor der Seitenangabe benutzt: U = Der Untertan, A = Die Armen, K = Der Kopf, P = Pasenow, E = Esch, H = Huguenau.

[2] Vgl. dazu Klaus Schröter, Zu Heinrich Manns 'Untertan'. In: Etudes Germaniques 26 (1971), S. 342.

[3] Theodor Fontane: Irrungen, Wirrungen. München 1980. S. 89.

[4] Broch selbst bestritt jeden Einfluß Fontanes. Er behauptete sogar, "niemals Fontane gelesen" zu haben. Vgl. Brochs Brief an Daniel Brody vom 29. 1. 1931 in: Hermann Broch: Briefe 1 (1913-1938). Frankfurt am Main 1981. Band 13/1 der Kommentierten Werkausgabe, a.a.O., S. 127.

[5] Gordon A. Craig: Deutsche Geschichte 1866-1945. München 1980. S. 209, 696.

[6] Vgl. Paul Michael Lützeler: Hermann Broch: Ethik und Politik. Studien zum Frühwerk und zur Romantrilogie 'Die Schlafwandler'. München 1973. S. 120. Zur Bertrand-Figur siehe auch: Dorrit C. Cohn: The Sleepwalkers. Elucidations of Hermann Broch's Trilogy. The Hague. Paris 1966. S. 61-102.

[7] Vgl. Klaus R. Scherpe, 'Poesie der Demokratie'. Heinrich Manns Proletarierroman "Die Armen". In: Germanisch-Romanische Monatsschrift N.F. Bd. 25 (1975), S. 161.

[8] Frithjof Trapp: "Kunst" als Gesellschaftsanalyse und Gesellschaftskritik bei Heinrich Mann. Berlin u. New York 1975. S. 228.

[9] Renate Werner: Skeptizismus, Ästhetizismus, Aktivismus. Der frühe Heinrich Mann. Düsseldorf 1972. S. 253.

[10] Neues Testament, Apostelgeschichte 16, 28.

[11] Auf einige Ähnlichkeiten zwischen Heßling und Huguenau wird hingewiesen bei: Jean-Paul Bier, Hermann Broch und Heinrich

Mann. In: Hermann Broch und seine Zeit. Hg. v. Richard Thieberger. Bern 1980. S. 81.

[12]Vgl. David Roberts: Artistic Consciousness and Political Conscience. The Novels of Heinrich Mann 1900-1938. Bern u. Frankfurt am Main 1971. S. 95 und meinen folgenden Aufsatz.

[13]Friedrich Carl Scheibe, Rolle und Wahrheit in Heinrich Manns Roman der Untertan. In: Literaturwissenschaftliches Jahrbuch 7 (1966), S. 226. Zu Brochs Werttheorie vgl. Sverre Dahl: Relativität und Absolutheit. Studien zur Geschichtsphilosophie Hermann Brochs (bis 1932). Bern 1980. S. 160 ff.

[14]Vgl. Renate Werner, a.a.O., S. 268; zu Broch siehe seine Massenwahntheorie. Frankfurt am Main 1979. Band 12 der Kommentierten Werkausgabe, a.a.O., S. 101 ff.

[15]Klaus R. Scherpe, a.a.O., S. 154.

[16]Zum Beispiel in Heinrich Mann, Zola. In: H. M., Essays. Erster Band. Berlin 1954. S. 156-235.

[17]Ibid., S. 170.

[18]H. Mann: Essays, Erster Band, a.a.O., S. 57, 71.

[19]Vgl. Manfred Hahn, Zum frühen Schaffen Heinrich Manns. In: Weimarer Beiträge 12 (1966), S. 376.

[20]H. Mann: Essays. Erster Band, a.a.O., S. 16. Vgl. auch Edgar Kirsch und Hildegard Schmidt, Zur Entstehung des Romans Der Untertan. In: Weimarer Beiträge 6 (1960), S. 131.

[21]Hermann Broch: Philosophische Schriften 2: Theorie. Frankfurt am Main 1977. Band 10/2 der Kommentierten Werkausgabe, a.a.O., S. 73.

[22]Zum Einfluß Nietzsches auf den Gebrauch der Schauspielmetapher bei Heinrich Mann vgl. Klaus Schröter: Anfänge Heinrich Manns. Zu den Grundlagen seines Gesamtwerks. Stuttgart 1965. S. 105.

[23]Vgl. Paul Michael Lützeler (wie Fußnote 12).

[24]Vgl. David Roberts, a.a.O., S. 109.

[25]Ursprünglich hatte Broch den letzten Teil des Huguenau im Stil "opernhafter Szenen" angelegt. Vgl. Hermann Broch, Huguenau. In: H. B.: Novellen. Prosa. Fragmente. Frankfurt am Main 1980. Band 6 der Kommentierten Werkausgabe a.a.O., S. 112.

[26]Wie Fußnote 23.

[27]H. Mann, Kaiserreich und Republik. In: H. M.: Essays. Zweiter Band. Berlin 1956. S. 47.

[28]H. Broch, Hofmannsthal und seine Zeit. In: H. B.: Schriften zur Literatur 1: Kritik. Frankfurt am Main 1975. Band 9/1 der Kommentierten Werkausgabe, a.a.O., S. 140, 142.

[29]Vgl. dazu Klaus Matthias, Heinrich Mann und die Musik. In: Heinrich Mann 1871/1971. Hg. von Klaus Matthias. München 1973. S. 281.
[30]Ibid.
[31]Trapp spricht von der mit "Fabelwesen bevölkerten Welt" in den "Armen". F. Trapp, a.a.O., S. 202.
[32]Vgl. R. Werner, a.a.O., S. 249 und Hanno König: Heinrich Mann. Tübingen 1972. S. 245.
[33]Vgl. M. Hahn, a.a.O., S. 371.
[34]Zitiert nach Sebastian Haffner, Wilhelm der Zweite. In: Sebastian Haffner, Wolfgang Venohr: Preußische Profile. Königstein 1980. S. 210.
[35]G.A. Craig, a.a.O., S. 206, 242.
[36]Zitiert nach Hartmut Eggert, Das Persönliche Regiment. Zur Quellen- und Entstehungsgeschichte von Heinrich Manns "Untertan". In: Neophilologus 55 (1971), S. 289.
[37]Diese Meinung teilt auch D. Roberts, a.a.O., S. 99.
[38]Vgl. H. Eggerts Hinweis auf: Das persönliche Regiment. Reden und sonstige öffentliche Äußerungen Wilhelm II., zusammengestellt von Wilhelm Schröder. München 1907.
[39]Vgl. Preußen. Versuch einer Bilanz. Ausstellungsführer. Hg. von Gottfried Korff, Text von Winfried Ranke. Reinbek 1981. S. 548 ff.
[40]Vgl. den Brief Alfred Döblins an Genia Schwarzwald vom 3. 2. 1931, in: Hermann Broch-Daniel Brody. Briefwechsel 1930-1951. Hg. von Bertold Hack und Marietta Kleiß. Frankfurt am Main 1971. Nr. 101 A.
[41]Siehe Hans-Ulrich Wehler: Krisenherde des Kaiserreichs 1871-1918. Göttingen 1970. S. 65 ff.
[42]Wie Fußnote 39, S. 545 ff.
[43]Vgl. dazu Lorenz Winter: Heinrich Mann und sein Publikum. Köln u. Opladen 1965. S. 61 und H. König, a.a.O., S. 195.
[44]Siehe dazu Wolfgang Venohr, Preußen und Deutschland. In: S. Haffner, W. Venohr, a.a.O., S. 1-14. Zum Verhältnis Bürgertum-Adel vgl. ferner die Beiträge von Rudolf Vierhaus und Gerald N. Izenberg in: Legitimationskrisen des deutschen Adels. Hg. von Peter Uwe Hohendahl und Paul Michael Lützeler. Stuttgart 1979.
[45]H. Mann: Essays. Erster Band, a.a.O., S. 352.
[46]H. Broch: Schriften zur Literatur 2: Theorie. Frankfurt am Main 1975. Band 9/2 der Kommentierten Werkausgabe, a.a.O., S. 105.
[47]F. Trapp, a.a.O., S. 23.

[48]Wie Fußnote 45.
[49]Wie Fußnote 46, S. 97, 111.
[50]Zu den expressionistischen Einflüssen auf den "Kopf" vgl. N. Serebrow, Heinrich Manns Antikriegsroman "Der Kopf". in: Weimarer Beiträge 8 (1962), S. 19.
[51]F. Trapp, a.a.O., S. 187.
[52]Vgl. J.-P. Bier, a.a.O., S. 72 ff.
[53]H. Broch, "Zolas Vorurteil", in: H. B.: Schriften zur Literatur 1. Kritik, a.a.O., S. 34-40.
[54]Wie Fußnote 28, S. 145.
[55]Wie Fußnote 16, S. 158.
[56]Hermann Broch in einem Brief an Daniel Brody vom 29. 1. 1931, in: H. Broch: Briefe 1 (1913-1938), a.a.O., S. 127.
[57]Heinrich Mann plante ursprünglich als Untertitel für den "Untertan": "Geschichte der öffentlichen Seele unter Wilhelm II.". Zur politischen Aussage des "Untertans" vgl. auch Ulrich Weisstein: Heinrich Mann. Tübingen 1962. S. 111 ff. und André Banuls: Heinrich Mann. Le poète et la politique. Paris 1966. S. 215 ff. Zur politischen Analyse der "Schlafwandler" siehe: P.M. Lützeler (wie Fußnote 6) und Hartmut Steinecke, Hermann Broch: Zeitkritik zwischen Epochenanalyse und Utopie. In: Zeitkritische Romane des 20. Jahrhunderts. Hg. von Hans Wagener. Stuttgart 1975. S. 76 ff.
[58]Zum Einfluß von Joyce auf Broch vgl. Breon Mitchell, Joyce and Hermann Broch: The Reader Digests. In: B. M.: James Joyce and the German Novel 1922-1923, S. 151 bis 174; Manfred Durzak, Die Ästhetik des polyhistorischen Romans: James Joyce. In: M. D.: Hermann Broch. Der Dichter und seine Zeit. Stuttgart 1968. S. 76-113 und meinen folgenden Beitrag.
[59]Vgl. z.B. die im "Pasenow" vorkommenden Beschreibungen der Verwandlung des menschlichen Gesichts in eine Landschaft, ein Motiv, das häufig von Salvador Dali und René Magritte gemalt wurde.
[60]Hermann Broch in einem Brief an Frank Thiess vom 5. 6. 1931, in: H. Broch: Briefe 1 (1913-1938), a.a.O., S. 137. Broch bezieht sich auf eine Rezension von Paul Fechter, Esch oder die Anarchie. Der 2. Band der 'Schlafwandler'. In: Deutsche Allgemeine Zeitung, Nr. 233 (27. 5. 1931).

Nachbemerkung: Der Aufsatz erschien zuerst unter dem Titel "Heinrich Manns 'Kaiserreich'-Romane und Hermann Brochs 'Schlafwandler'-Trilogie" in: Heinrich Mann. Sein Werk in der Weimarer Republik, hg. v. Helmut Koopmann und Peter-Paul Schneider (Frankfurt am Main: Vittorio Klostermann, 1983), S. 183-210.

ZUR AVANTGARDE-DISKUSSION DER DREIßIGER JAHRE: LUKÁCS, BROCH UND JOYCE

I

Die Ähnlichkeiten in den Biographien des jungen Lukács und des jungen Broch sind auffallend: Beide sind etwa gleich alt (Lukács 1885, Broch 1886 geboren), beide entstammen großbürgerlich-jüdischen Familien aus den Metropolen Budapest bzw. Wien der österreichisch-ungarischen Monarchie, beide sind desinteressiert an Industriellen- bzw. Bankiers-Karrieren, wie sie ihnen von ihren aus bescheidenen Verhältnissen stammenden Vätern vorgelebt wurden, beide verfolgen literarische, literaturkritische und philosophische Interessen, beide werden angezogen von den Schulen des Neukantianismus, beide suchen in der Anfangsphase des Zweiten Weltkriegs das Erlebnis des Verfalls der europäischen Kultur mit Hilfe idealistischer geschichtsphilosophischer Denkmodelle zu deuten,[1] und bei beiden hat die russische Revolution sowie ihre Auswirkung auf Österreich-Ungarn in der Zeit nach dem Ersten Weltkrieg eine Politisierung und Hinwendung zu bzw. Auseinandersetzung mit sozialistischen Richtungen zur Folge. Lukács vollzieht in den zwei Jahren von 1917 bis 1919 eine radikale Wendung vom "ethischen Sozialisten Tolstoischer Prägung"[2] zum kommunistischen Klassenkämpfer, der ethische Fragen politisch-revolutionärer Taktik unterordnet. Fasziniert von der russischen Revolution beteiligt sich Lukács an der Etablierung der ungarischen Räterepublik, wird Volkskommissar für Kultur und Volksbildung[3] und propagiert sein auf die ungarischen Zustände zugeschnittenes kommunistisches Rätesystem. Broch dagegen stellt sich zur gleichen Zeit auf die Seite der ethischen Sozialisten. Wie Max Adler, Otto Bauer und Karl Vorländer lehnt er mit dem Sozialdemokraten Kautsky das Vorgehen der Bolschewisten in Rußland als undemokratisch und unethisch ab, und er entwirft in einem im Frühjahr 1919 veröffentlichten Aufsatz das Kompromißmodell eines Rätesystems, welches das Parlament als Errungenschaft der bürgerlichen Demokratie und das System der neuen sozialistischen Arbeiterräte zu verbinden sucht. Im April 1919 schreibt der Revolutionär Lukács in seinem Essay "Die moralische Grundlage des Kommunismus" über den Zusammenhang von Ethik und Taktik:

> Solange wir kämpfen, kann das neue moralische Grundprinzip, der Baupfeiler der Gesellschaft, nicht zur Geltung kommen. Solange ... kann nur der schonungslose Klassenkampf der Maßstab für das Handeln des Proletariats sein. ... Der Klassenkampf gegen die Bourgeoisie ist unerbittlich, bis zu dem Augenblick, wenn sie (als Klasse), vernichtet wird.[4]

Ganz entgegengesetzt lautet der von Broch propagierte Gedanke der Unterordnung politischer Taktik unter die politische Ethik. Bei Broch nämlich heißt es zur gleichen Zeit:

> Das demokratische Gerechtigkeitsprinzip verlangt nicht nur für den staatlichen Zielzustand, sondern auch für jene Entwicklungsstufe das Maximum politischer individueller Freiheit, in der sie eben auch die Gewähr der ruhigen, zielsicheren und fruchtbaren Entwicklung sieht. Auch sie kennt wohl eine Diktatur, und zwar die der Majorität über die Minorität, aber diese Diktatur ist keine usurpatorische, sondern ist Frucht des demokratischen Wahlganges ... und daher vom Wähler im voraus als legal anerkannt. ... Aus dem Geist des Sozialismus heraus [muß] immer wieder darauf verwiesen werden, daß jede imperative Vergewaltigung der Freiheit ... fluchwürdigstes Verbrechen ist. (KW 11 : 14)

Auch in den Rezensionen der frühen zwanziger Jahre betont Broch seine Positionsverwandtschaft mit ethischen Sozialisten wie Max Adler, Thomas Masaryk und Karl Vorländer.[5] Während Broch es begrüßt, daß neukantianische Philosophen wie Staudinger und Woltmann den "ethischen Gehalt, der dem Sozialismus innewohnt" zum Anlaß genommen haben, "die innere Verbindung zwischen Kant und Marx, resp. Engels aufzusuchen" (10/1, 266), ist es in Lukács' gleichzeitig entstandenem Werk "Geschichte und Klassenbewußtsein" gerade die "'ethische' Neubegründung des Sozialismus", die Lukács ablehnt, da sie zu einem "ökonomischen Fatalismus" führe und somit die "Einheit von Theorie und Praxis" der sozialistischen Revolution zerreiße. Der ethische Sozialismus eines Otto Bauer, von Broch als vorbildlich gepriesen, bedeutet für Lukács die "wirtschaftliche wie die ideologische Kapitulation vor dem Kapitalismus".[6] Und Max Adler, der gerade wegen seiner Kant-Nähe von Broch geschätzt wird, wird von Lukács mit dem Argument abgelehnt, daß er an die Stelle der marxistischen Geschichtsdialektik eine Kantsche Geschichtsphilosophie setze.[7]

II

1920, als Broch Lukács in Wien persönlich kennenlernte,[8] erschien Lukács' während des Ersten Weltkriegs entstandene 'Theorie des Romans' in Buchform, und es ist wahrscheinlich, daß Broch dieses Werk gelesen hat. Auf die erstaunliche Nähe der geschichtsphilosophischen Sicht, auf die Ähnlichkeiten der Auffassung dichterischer Totalität, auf die vergleichbare Gegenüberstellung von Epos und Roman sowie auf den ähnlich gesehenen Konnex von Ethik und Ästhetik, von Lyrik und Ekstase wie sie in Lukács' 'Theorie des Romans' und Brochs Schriften zur Literatur aus den dreißiger Jahren aufscheinen, haben verschiedene Germanisten bereits hingewiesen.[9] Aus den gleichen idealistischen geschichtsphilosophischen Gründen wie Lukács setzt Broch als Ende des Epos und als Entstehungszeit des Romans die Wende vom 16. zum 17. Jahrhundert an: Nach dem Zerfall der mittelalterlichen Seinstotalität wird der Roman sowohl zum Ausdruck des Verlusts dieser Totalität als auch zum Medium der Suche nach einer neuen Einheit.[10]

III

Vieles spricht dafür, daß Broch auch die späteren Schriften Lukács' gelesen hat, etwa dessen Beiträge zur Reportage-Diskussion 1932[11] in der 'Linkskurve' oder zur Expressionismus-Debatte 1938 in 'Das Wort'. Da Broch in seinen poetologischen Studien seit den dreißiger Jahren kaum andere Theoretiker zitiert, finden sich bei ihm auch keine direkten Lukács-Zitate. Lukács dagegen, zitierfreudiger und streitbarer, geht verschiedentlich auf Broch ein, wobei deutlich wird, daß ihre Geister sich beim Streit um die Einschätzung der künstlerischen Avantgarde scheiden.

Wer oder was zählt heute zur Avantgarde? Ist dies, wie Dieter Wellershoff meint, eine überflüssige Frage, weil "Avantgarde" unbrauchbar geworden sei als Unterscheidungskriterium oder Sammelbegriff im heutigen Neben- und Durcheinander der Konzepte, Macharten, Tendenzen und Stile?[12] Wellershoffs Resignation ist symptomatisch für die herrschende Unsicherheit über den Begriff Avantgarde, einen Begriff, dessen Fragwürdigkeit sich nach Enzensberger[13] schon dadurch verbürgt, daß jeder ihn im Munde führt. Versucht man, den literaturwissenschaflichen Konsensus über "Avantgarde" herauszuarbeiten, so fällt ein Nebeneinander formaler literaturtheoretischer Definitionen und literaturhistorischer Periodisierungen auf. Die Formaltheoretiker verstehen unter Avantgarde ein in der Literaturgeschichte wiederkehrendes Phänomen, die Periodisierer dagegen bestimmen sie als Epochenbegriff. Welche Aspekte sind es, die von den Verfechtern eines formalen bzw. eines periodischen Avantgardebegriffs beigetragen werden? Die Formaltheoretiker gruppieren ihre vorgeführten Denkfiguren um die Leitbegriffe Destruktion und Konstruktion. Die Negationsrichtung wird z.B. umschrieben als bürgerliche Revolution gegen bürgerliche Kunst und Ideologie.[14] Zur Aversseite der Negation und des Protests gehört die Reversseite der Avantgarde als Inbegriff innovativer Tendenzen.[15] Man versteht jene Kunstrichtungen als avantgardistisch, die ihrer Zeit vorauseilen, die die Entwicklung der Zukunft vorwegnehmen und sieht in ihnen die jeweils am weitesten fortgeschrittene künstlerische Praxis am Werk. Auch Georg Lukács favorisiert diesen formalen Avantgardebegriff, der für ein Vorwegnehmen künftiger Tendenzen steht. Im Sinne dieser Antizipationsthese scheidet er die sogenannten "wirklichen" Avantgardisten von den "Avantgardisten" in Anführungszeichen, also von den Vertretern der, wie Lukács sagt, "Pseudo-Avantgarde", des "Avantgardeismus". Die "wirklichen" Avantgardisten sind bei Lukács die "großen Realisten"; zu ihnen zählen gleichermaßen Cervantes, Balzac und Thomas Mann.[16] Mit der Kennzeichnung der Realisten als Avantgardisten steht Lukács in der Theoriediskussion alleine. Die übrigen Kritiker denken eher an die Repräsentanten jener Kunstrichtungen, welche Lukács als Pseudo-Avantgarde abqualifiziert, und für die hier stellvertretend die Namen Joyce, Kafka, Dos Passos, Döblin und Broch genannt seien. Im Gegensatz zu Lukács lassen die anderen Theoretiker ihre formalen Definitionen nur gelten für einen beschränkten Zeitraum der neueren Literaturgeschichte, für bestimmte literarische Epochen entweder seit dem frühen 19. oder erst seit Beginn des 20. Jahrhunderts.[17] Auch die formalen Avantgardebestimmungen werden also nur innerhalb eines von Periodisierungsgrenzpfählen deutlich markierten Zeitraums zugelassen. Und aus diesem historischen Abschnitt greift man nochmals eine bestimmte Epoche heraus, auf welche die idealtypischen Charakteristika der Avantgarde am einwandfreiesten zutreffen. Bei fast allen Theoretikern - bis auf Lukács - herrscht nämlich Übereinstimmung darüber, daß es sich bei der "historischen", der "großen", der "klassischen" Avantgarde um jene radikal-innovativen künstlerischen Gruppierungen vom italienischen Futurismus, vom Kubismus und Dadaismus bis zum französischen Surrealismus gehandelt habe. Über diese Avantgarde im engeren Sinne hat Peter Bürger erstmals eine kohärente Theorie entwickelt. Nach Bürger will der Avantgardist (sprich Surrealist) mit seinem nicht-organischen, nicht-autonomen Kunstwerk die Kunst in Lebenspraxis überführen, was auf eine Zerstörung der Institution Kunst hinauslaufe.[18] Von den Vertretern der historischen Avantgarde im Sinne Bürgers soll hier nicht die Rede sein. Gleichwohl geht es bei Broch um einen Autor, der zur Avantgarde gezählt wird. Das Ziel Brochs und vergleichbarer Autoren seiner Generation war es nicht, die Institution Kunst zu zerstören, und von nicht-organischen Kunstwerken kann im Zusammenhang mit ihm nur sehr bedingt die Rede sein. Den theoretischen Rahmen einer sowohl formalen Definition als auch historischen Festlegung von Avantgarde, einen Rahmen, der auch die Werke dieses Romanciers umgreift, hat Edgar Lohner abgesteckt. Für Lohner gibt es immer neue Avantgarde-Ansätze seit Beginn der Frühromantik, Strömungen, deren Vertreter man als Angehörige einer Avantgarde im weiteren Sinne bezeichnen könnte: Im Gegensatz zu den Traditionalisten sind bei Lohner Künstler gemeint, die in ihren Werken den Verlust einheitlicher Sinngebung demonstrieren, die sich zur Auflösung normativer ästhetischer Grundsätze bekennen, und die gewillt sind, dichterische bzw. künstlerische Grenzen zu überschreiten.[19]

Seit den zwanziger Jahren wurde auch in Deutschland eine erregte Kontroverse um den 'Ulysses' von Joyce geführt. Curtius, Döblin, Broch, Seghers, Bloch, Lukács, Brecht, sie alle sahen sich zu Stellung- und Parteinahmen herausgefordert. Der 'Ulysses' erwies sich als listenreicher Spaltpilz der ideologischen Fronten. Im marxistischen Lager bekannte Brecht, daß er das Joyce-Opus als realistisch einschätze.[20] Lukács dagegen stieß das "Allegorisieren", der "Formalismus", die "Dekadenz", der "Naturalismus" und die "Unmittelbarkeit" am Werk des Iren ab. Bei seiner Kritik an Joyce holte er sich, was er sonst selten tut, Schützenhilfe bei Ernst Bloch.[21] Wie Lukács sah Bloch in Joyce lediglich eine "interessante Zerfallsfigur", und er qualifizierte den 'Ulysses' ab als "taube Nuß", als "Beliebigkeit aus lauter zerknüllten Zetteln", als "Affengeschwätz" und "Fragmente aus Nichts".[22] Dieses negative Urteil Blochs spielte Lukács aus gegen Brochs in "James Joyce und die Gegenwart" vorgenommener Deutung des 'Ulysses' als Totalitätskunstwerk, als "allegorische Kosmogonie" (KW 9/I : 73). Der bezeichnendste Zug in den Werken avantgardistischer Romanciers wie Joyce und Broch ist nach Lukács die Tendenz zum Allegorisieren. Wenn Lukács Broch einen "Verkünder der Allegorie"[23] nennt, ist zu fragen, ob er nicht Brochs Allegoriebegriff mit der Benjaminschen Bedeutung auflädt und folglich mißversteht. Benjamin, auf den Lukács sich hier beruft, sieht die Allegorie als Bruchstück, als ein aus der Totalität des Lebenszusammenhangs herausgerissenes Element im Gegensatz zum organischen Symbol. Durch Zusammenfügen der isolierten Realitätsfragmente, deren unmittelbare, sinnliche Wirklichkeit vernichtet ist, stiftet der Allegoriker neuen Sinn, d.h. an Bedeutung kommt der Allegorie das zu, was der Allegoriker ihr verleiht. Die geschichtsphilosophische Perspektive des Allegorikers ist die des Verfalls. Nach der bekannten Benjaminschen Sentenz sind "Allegorien im Reiche der Gedanken, was Ruinen im Reiche der Dinge".[24] Brochs Geschichtstheorie macht deutlich, daß sein Verständnis von Allegorie mit dem Benjamins nur partiell übereinstimmen kann. Die historische Gegenwart sieht Broch zwar auch unter der Verfallsperspektive ("Zerfall der Werte"), doch setzt er in seiner zyklischen Geschichtstheorie seine Hoffnung auf einen "Wertzusammenschluß" in der Zukunft. Anders als beim Allegoriker im Sinne Benjamins läuft Brochs Theorie nicht hinaus auf die Vernichtung der Geschichtlichkeit infolge der Transzendenz ihres Wesens. Vielmehr ist es die polare Spannung zwischen der Diagnose des gegenwärtigen Zerfalls und der Hoffnung auf den zukünftigen Neubeginn, die Brochs Verständnis der Allegorie prägt.

Erzähltheoretisch gesehen ist es ein Schichtenmodell, das Broch hier im Zusammenhang der Allegorie-Diskussion am Beispiel des Joyceschen Romans entwickelt, ein Modell, das auch der Struktur seiner eigenen Trilogie 'Die Schlafwandler' zugrundeliegt. Auf einer ersten Schicht des 'Ulysses' werde eine naturalistische Registrierung der Alltags-Totalität der Epoche geleistet. Darüber hinaus erkennt Broch in diesem Roman eine weitere Bedeutungsschicht, die Joyce durch ein Verfahren erziele, das Broch "esoterisch-allegorisch" (KW 9/I : 73) nennt. Es ist ein Verfahren, wie es innerhalb der Malerei ähnlich von Chirico, den Broch als Geistesverwandten betrachtete, beschrieben wurde.[25] Durch Allegorisieren werde auf dieser zweiten Ebene eine "Entnaturalisierung des Naturalismus" und somit der Verweis auf eine "übernaturalistische Wirklichkeit" (KW 9/I : 70-71) erreicht. Die "Realität des Objektes" werde auf dieser zweiten Ebene zum "Stellvertreter des Abstrakten" (KW 9/I : 80-81). Erst das Vorhandensein der nichtnaturalistischen, der übernaturalistischen Bedeutungsschicht mache den 'Ulysses' zur "allegorischen Kosmogonie" im Sinne von Brochs Geschichtstheorie. Wie der durch Joyce selbst beeinflußte Stuart Gilbert interpretiert Broch den 'Ulysses' als Totalitätskunstwerk.[26] Deshalb greifen seiner Meinung nach Analysen zu kurz, die - wie etwa jene von Lukács und Bloch - dem Joyceschen Roman "Naturalismus" im Sinne eines perspektivelosen Sich-Verlierens in Details unterstellen.[27] Mit seinem poetologischen Konzept des "erweiterten Naturalismus" hat Broch zum erzähltheoretischen Schichtenmodell die literaturhistorische Ergänzung geliefert: Die erste Ebene der "naturalistischen Totalität" soll im Sinne des traditionellen realistischen und psychologischen Romans erfaßt, die Ebene der "übernaturalistischen Wirklichkeit" dagegen mit avantgardistischen Mitteln dargestellt werden.[28]

Wenn Broch die Vorzüge des realistischen Romans, also die genaue und detaillierte Wirklichkeitsbeschreibung, durch den modernen Roman beerbt sehen will, so besagt das nicht - und hier unterscheidet er sich wieder von Lukács -, daß er auch unbedingt die Erzähltechniken der Realisten übernehmen möchte. Lukács' Vorwurf des Formalismus gegen die Avantgarde, sein Propagieren der alten realistischen Erzählweisen und -techniken, bleiben Broch unverständlich. Als Nicht-Marxist hat Broch sich an der Expressionismus-Debatte nicht beteiligt. Aber nach seinen romantheoretischen Äußerungen zu urteilen, hätte er sich wohl auf die Seite Brechts geschlagen, der Lukács entgegenhielt, daß Realismus "keine Formsache" sei, daß man nicht die Form eines einzigen Realisten nehmen und sie "die" realistische nennen könne. Die innere Widersprüchlichkeit von Lukács' Konzept brachte Brecht auf die ironische Formel: "Seid wie Tolstoi - ohne seine Schwächen! Seid wie Balzac - aber von heute!"[29] "Neue Erkenntnis kann nur durch neue Form geschöpft werden" (GW 8 : 78[30]) stellt Broch fest, und er betont, daß "mit alten Mitteln" neue Einsichten der Realität nicht abzugewinnen seien (BB 356[31]). Ähnlich sah es später auch Adorno. Die Blindheit gegen das Phänomen Avantgarde, schreibt Adorno, rühre bei Lukács daher, daß er sich weigere, der literarischen Technik ihr zentrales Recht zuzusprechen. Lukács glaube, ältere, "nach der immanenten Logik der Sache" überholte Techniken als verbindlich restaurieren zu können.[32] Die avantgardistischen Gestaltungsmittel wie Montage, erlebte Rede und Gattungsmischungen sind für Broch die angemessenen Techniken, um im modernen Roman Totalitätsgestaltung zu erreichen. Die Zwischenposition von Brochs Ästhetik wird deutlich: Anders als im

Falle der Surrealisten bedeutet bei Broch das Einsetzen der typischen Mittel des nicht-organischen Kunstwerks kein Preisgeben der Totalitätsdarstellung. Sein in der Theorie des "erweiterten Naturalismus" beschriebener Roman kann weder als organisches Werk im Sinne des Lukácsschen Realismus, noch als nicht-organisches Werk im Stil der historischen Avantgarde bezeichnet werden.[33] Mit dem nicht-organischen Kunstwerk ist es insofern verwandt, als es Gestaltungsmittel der Avantgarde übernimmt, organisch ist es deshalb, weil es auf ein Totalitätskonzept nicht verzichtet. Sowohl im 'Ulysses' als in den 'Schlafwandlern' gibt es ein gestaltendes Totalitätsprinzip, das alle Teile durchherrscht und sie zu einer Einheit verbindet. Im 'Ulysses' ist es der Odysseus-Mythos, auf den hin alles Partielle organisiert ist,[34] und in den 'Schlafwandlern' übernimmt diese ordnende Funktion eine Geschichtstheorie. Schichtenmodell und "erweiterter Naturalismus" machen deutlich, daß Brochs Dichtung von Anfang an zwischen Traditionalismus und Avantgarde angesiedelt war. Je nach historischer Konstellation und subjektiver Situation wird seine funktional zu verstehende Praxis und Theorie sich in der Folge in tendenziell konventionelle bzw. avantgardistische Richtungen entwickeln.

Broch war keineswegs ein blinder Joyce-Verehrer, und die Gefahr eines extremen Subjektivismus im Werk des Iren wurde von Broch durchaus diagnostiziert (KW 9/I : 90). Wenn er sich auch gegen die subjektivistische Unmittelbarkeit des Künstlers ausspricht, so bedeutet das aber keineswegs, daß er Subjektivität bei der künstlerischen Produktion ausschließen möchte. Um die Rolle, die das Subjektive innerhalb seiner Produktionsästhetik spielt zu verdeutlichen, grenzt Broch sich Anfang der dreißiger Jahre ab von den Intentionen des zeitgenössischen Reportageromans. Im marxistischen Lager stritt Lukács zur gleichen Zeit gegen die Reportage, und Broch hat diese Diskussion offenbar verfolgt. Obwohl sie in der Bewertung des 'Ulysses' entgegengesetzter Meinung waren, sind sich Lukács und Broch ziemlich einig in der Ablehnung der Reportage-Literatur. Der Mangel der Reportage besteht nach Broch darin, daß sie nicht in der Lage sei, Totalität zu gestalten. Die "konsequente" Reportage müsse gemäß ihrer Prinzipien danach trachten, Faktum an Faktum "in ewiger Iteration" aneinanderzureihen, müsse "endlos werden wie die Welt selber". Da sie nur "Fakten belauschen" wolle, werde der Dichter zum Schweigen gebracht, d.h. die Reportage begebe sich jener Instanz, die eine

Auswahl der Fakten zu treffen habe (KW 9/II : 104). Wie Broch durchdenkt auch Lukács die erkenntnistheoretische Prämisse der Reportage, ihr Postulat der Objektivität. Brochs Kritik berührt sich mit der von Lukács. Auch für ihn ergibt die Summe von Tatsachen, wie die Reportage sie ausbreitet, noch keine Totalität. Die "Teilwahrheit", die die Reportage vorführe, so Lukács, geriere sich als "ganze Wahrheit" und schlage damit in eine "Entstellung der Wahrheit" um. Mit ihrem "Objektivismus"[35] bzw. ihrem "Hypernaturalismus" (KW 9/II : 101), stellen Lukács und Broch fest, entwickle die Reportage Tendenzen ins Extrem, wie sie bereits bei Zola angelegt seien. Einen Broch-Satz über künstlerische Totalität wie diesen, hätte auch Lukács unterschreiben können: "Die Ganzheit der Welt ist nicht erfaßbar, indem man deren Atome einzelweise einfängt, sondern nur, indem man deren Grundzüge und deren wesentliche (...) Struktur aufzeigt" (KW 9/II : 215). Lukács bemängelt ebenfalls, daß die Reportage keine Totalitätsgestaltung leisten könne. Denn es sei unwahrscheinlich, daß in der objektivistisch beschriebenen empirischen Wirklichkeit Kombinationen von Einzelzügen so vorkommen könnten, daß sie die "Vereinigung des Wesentlichen", die "treibenden Kräfte"[36] zeigten. Wie Broch ist Lukács der Meinung, daß der subjektive Faktor unverzichtbar für die Auswahl der Fakten sei.[37] Die Aufgabe, die dem faktenauslesenden künstlerischen Subjekt übertragen wird, beschreiben Lukács und Broch freilich sehr unterschiedlich. Lukács bringt hier Perspektive und Parteilichkeit ins Spiel, also Kategorien, die im Sinne einer übergeordneten Theorie den Bereich künstlerischer Subjektivität wieder einschränken. Broch will von solchen ideologischen Begrenzungen nichts wissen. Um zu verdeutlichen, wie er sich das Verhältnis von Subjektivität des Künstlers zur objektiven Welt vorstellt, führt er einen Vergleich aus der Grammatik an: Das der objektiven Sphäre zugehörige "Material der Dichtung" seien die "Vokabeln" der äußeren Welt, die der Autor in seine subjektive Sphäre, in seine "Syntax" einbaue. Die der Objektwelt entnommenen "Realitätsvokabeln"[38] erleben nach Broch durch ihre Einsetzung in die subjektive dichterische Syntax jene Umschmelzung in einen "Symbolwert" (KW 9/II : 106), der die Voraussetzung der Totalitätsgestaltung sei. Totalität könne nicht im Sinne der Reportage durch permanente Faktenaneinanderreihung, sondern nur mittels Symbolen gestaltet werden, die es ohne subjektiv-künstlerische Formung nicht gebe.

IV

In den Monaten und Jahren nach Hitlers Machtergreifung gerät Broch in eine Krise, die zunächst zu einer Überprüfung seiner künstlerischen Methoden, schließlich - jedenfalls vorübergehend - zur Abwendung von einer wirkungsorientierten Literatur überhaupt führt. Während der Revision seiner Poetik kommt er ständig auf die soziale Komponente seiner Arbeit zu sprechen. Brochs Reflexionen gelten jetzt weniger produktions- als rezeptionstheoretischen Problemen. Seine ästhetischen Überlegungen kreisen um die Frage, wie die künstlerische Vielfalt eines Joyce in mitteilbare und wirkungsmögliche Formen zu bringen sei, ohne daß diese Form "in ihrem Ehrlichkeitsgehalt eine Einbuße" (BB 384) erleide. Auch Lukács hatte die inhärente Rezeptionsverweigerung am Werk von Joyce beanstandet.[39] Die Unverständlichkeit von Joyces 'Finnegan's Wake (Work in Progress)' erscheint Broch unter dem Aspekt der Wirkung als ethischer Defekt (BB 405 A). Er bemängelt die Publikumsfremdheit dieser Dichtung, kritisiert sie als "eingesperrt im schwarzen Raum des Esoterischen" (KW 10/I : 237). Bewußt wendet er sich ab von der Esoterik und sucht statt dessen eine - wie er es nennt - "soziale Form" (BB 344) für seine schriftstellerischen Projekte zu finden. Bis zu einem gewissen Grade Brecht und Benjamin ähnlich, geht es Broch damals darum, ein den Massenerwartungen entgegenkommendes, nicht-auratisches, pädagogisches Kunstwerk zu schaffen. Als Beispiel dieser intendierten sozialen Form liegen Brochs Dramen, sein Filmskript 'Das Unbekannte X' und der Roman 'Die Verzauberung' vor. In diesen Arbeiten bewegt Broch sich fort vom Avantgardismus hin zu traditionelleren Formen.

Nach jenen - von Broch selbst als unbefriedigend empfundenen - Neuansätzen verschärft sich seine Schriftstellerkrise wiederum, eine Krise, wie sie für antifaschistische Autoren der dreißiger Jahre geradezu typisch wird. Radikaler noch als die sogenannten klassischen Avantgardisten sucht Broch den Zugang zur Lebenspraxis. Jene wollten mit künstlerischen Mitteln die als autonom verstandene Institution Kunst zerstören bzw. in Lebenspraxis überführen, Broch dagegen erkennt die Grenze der politischen Wirkungsmöglichkeit nicht nur in der autonomen Kunst, sondern auch im bewußt nicht-autonomen Kunstwerk. Er gibt daher die dichterische Tätigkeit überhaupt auf, um unvermittelt mit nichtkünstlerischen politischen Schriften bzw. Aktionen wie der "Völkerbund-Resolution" (KW 11) in gesellschaftliche Vorgänge einzugreifen. Zwei Dinge gilt es hier anzumerken. Erstens kommt Brochs Entscheidung gegen die politische Literatur keiner Absage an engagierte Dichtung überhaupt gleich, sondern ist abhängig von der Einsicht, daß speziell gegen den Hitlerismus im "Schutz der Metapher" zu kämpfen sinnlos wird, wie Karl Kraus nicht zu Unrecht meinte.[40] Zweitens bedeutet Brochs Versuch, sich mit nicht-fiktionalen Mitteln politisch zu engagieren nicht, daß er Dichtung als subjektive Vergewisserung und Erkenntnismöglichkeit preisgebe. Als solch subjektive Aufzeichnung entsteht seit 1937 Brochs Vergil-Dichtung. Nach Aufbau, Technik, allegorischer Struktur und Esoterik zu urteilen, ist 'Der Tod des Vergil' ein avantgardistisches Werk. Die esoterische Form ist bedingt durch den subjektiven Gegenstand, der nämlich Brochs existentielle Dichtungskrise selbst ist. Die Möglichkeiten der Literatur, ihre Ansprüche und Selbsttäuschungen werden im 'Tod des Vergil' einer kritischen Prüfung unterzogen. Am Ende dieser Revision, nachdem ihre Grenzen abgesteckt, ihre Gefahren des unverbindlichen Spiels und des politischen Mißbrauchs aufgewiesen sind, wird sie wieder in ihrer Notwendigkeit, Eigengesetzlichkeit, ja Autonomie anerkannt. Diesem Roman liegt damit eine Intention zugrunde, die als Umkehrung des Programms der historischen Avantgarde aufgefaßt werden kann: Im Medium der Kunst wird nicht ein Ausbruch aus ihrer Institution versucht, vielmehr geht es darum, die Institution Kunst mit künstlerischen Mitteln zu überprüfen, wobei diese Revision auf eine Anerkennung ihrer Autonomie hinausläuft. Damit ist aber kein "Zurück-zur-Klassik" gemeint. Denn es geht bei dieser Autonomie weder um die notwendige Bedingung des ästhetisch-erzieherischen Umwegs zum ethischen bzw. liberalen Staat im Sinne Schillers,[41] noch um Autonomie als Voraussetzung der subjektiven Identitätsbildung des Künstlers à la Goethe.[42] Wie Brochs theoretischen Arbeiten aus der Exilzeit - etwa dem Interview "Der Schriftsteller in der gegenwärtigen Situation" (KW 9/II) - zu entnehmen ist, hat die hier ins Auge gefaßte Autonomie eine neue Qualität. Sie will weder den Schutzwall der Welt des poetisch schönen Scheins gegen die Einflüsse der Prosa der Verhältnisse abgeben, noch geht es ihr darum, sich in surrealistischem Drange selbst aufzuheben. Sie wird vielmehr verstanden als die Garantie freier, auf Wahrheit abzielender literarischer Tätigkeit: Es ist eine Autonomie, die einen Freiheitsraum garantiert, innerhalb dessen Alternativen zum Bestehenden erst denkbar werden, und die stets die Voraussetzung zur Entfaltung kritischer Intelligenz abgibt. Eine so verstandene Autonomie impliziert ein Engagement, das sich nicht auf Propaganda reduzieren läßt, das sich nach Broch vielmehr - besonders in der Satire[43] - an den Menschenrechten und der Menschenwürde ausrichtet. Literarische Stile können nur als variable Funktionen dieser zugleich autonomen und engagierten Dichtung betrachtet werden, womit auch die eingangs erwähnte Lukácssche Dichotomie aufgehoben wäre. Avantgardistisch wird diese Literatur immer zugleich sein, wenn man als zentrales Kriterium der Avantgarde gelten läßt die je erneute Opposition gegen den etablierten oder besser dogmatisierten Kunstwerkbegriff. Diese Opposition umschreibt Broch mit den Worten: "Der Revolutionismus der künstlerischen Avantgarde (besitzt) eine Radikalität, die (...) zu einem Umsturz der Realitätssicht hinstrebt und sie in ihrem Kern, im menschlichen Ausdruck attackiert und verändert." (KW 9/I : 237-238.) Was Brochs Arbeiten also kennzeichnet - und dies weist sich auch an seinem letzten Roman 'Die Schuldlosen' aus - ist der Versuch einer Synthese von formalem Experiment und humanem Engagement. Seine Dichtung dokumentiert und seine Ästhetik reflektiert somit originelle Legierungsmöglichkeiten repräsentativer Kunst- und Denktraditionen der Moderne: Realismus und Surrealismus, Subjektivismus und Engagement, Zeitkritik und Mythos, Allegorie und Utopie, rationale Konstruktion und irrationale Intuition, Mystik und Ratio, Überschätzen der Dichtungspotenzen und Zweifel an künstlerischen Wirkungsmöglichkeiten sind einige jener polaren Markierungen, innerhalb deren Grenzen sich Broch bewegt. Übergeordnete und nicht in Frage gestellte künstlerische Kategorie ist aber immer in Brochs Ästhetik das Ideal der Totalitätsdarstellung. Hiermit blieb er der geschichtstheoretischen Grundthese von Lukács' 'Theorie des Romans' verpflichtet, welche besagt, daß jene Totalität, die als solche in der vorgefundenen Wirklichkeit nicht mehr vorhanden ist, dem Roman als Gestaltungsziel auferlegt sei. Dieses Konzept, der prosaischen Ordnung des modernen Weltzustandes mit seiner "transzendentalen Obdachlosigkeit" im Medium der Literatur die potentielle neue Einheit zumindest als Vision entgegenzustellen, weist u.a. zurück auf die Ästhetik des jungen Friedrich Schlegel.[44] Dessen gegen das klassische Harmonie-Ideal gerichtete Theorie der romantischen Universalpoesie kann als erste avantgardistische Poetik bezeichnet werden. Auch Broch steht im Banne dieser Poetik, für die seit Schlegel Formbruch, Gattungsmischungen und das Transzendieren dichterischer Grenzen, das Übergreifen auf andere Disziplinen typisch sind. Hier wurde ein Literaturverständnis begründet, das sich seiner Natur nach gegen Erstarrung sperrt, dessen Avantgardecharakter sich stets erneut auf eigenständige Weise dokumentiert.[45]

V

Aber nicht nur die durch Hegel und die Frühromantiker geprägte allgemeine geschichtsphilosophische Analyse der Gattung Roman, wie sie im ersten Teil von Lukács 'Theorie des Romans' vorgenommen wird, scheint Broch nachhaltig beeinflußt zu haben, sondern auch die im zweiten Teil vorgenommene Roman-Typologie. Lukács führt drei Grundtypen des Romans vor: erstens den Roman der "Innerlichkeit der Romantik", zweitens den des "abstrakten Idealismus" und drittens den der "Versöhnung des Individuums mit der gesellschaftlichen Wirklichkeit" (135-137). Bei der Beschreibung der Romantypen und der sie repräsentierenden Romanhelden geht Lukács aus von einem jeweils anders gelagerten Verhältnis zwischen "Seele und Wirklichkeit": Die Seele des innerlichen Romantikers sei breiter, die des abstrakten Idealisten schmaler als die Außenwelt, während sich Seele und Außenwelt beim dritten Typus in ihren Größenordnungen anglichen. Der Romantiker wird umschrieben als Typus, der seine "innerliche Wirklichkeit" für "die einzig wahre Realität, für die Essenz der Welt" halte (114). Charakteristisch für ihn sei die "Tendenz zur Passivität" (115), seine Seelenstruktur sei "eher kontemplativ als aktiv" (118). Nach dem "Auseinanderfallen von Innerlichkeit und Welt" erscheine ihm die Außenwelt als "Inbegriff sinnesfremder Gesetzlichkeiten", als "ganz von der Konvention beherrscht" (115). Der innerlich-romantische Held erscheint Lukács als typisch für den Roman des neunzehnten Jahrhunderts, und als Beispiele führt er 'Niels Lyhne' von Jens Peter Jacobsen und Gontscharows 'Oblomow' an. Der abstrakte Idealist dagegen wird definiert als jener Romanheld, der den "direkten, ganz geraden Weg zur Verwirklichung des Ideals einschlagen muß", der sich entsprechend durch "einen Mangel an innerer Problematik" auszeichne und ständig "an der Grenze der unfreiwilligen Komik" (96) stehe. Eine "übermäßige und durch nichts gehemmte Aktivität" zeichne diesen Typus aus. Im Gegensatz zum innerlichen Romantiker gerate er "mit der Außenwelt" ständig "in Konflikt", da der abstrakte Idealismus, "um überhaupt existieren zu können, sich in Handlung umsetzen" müsse (114). Als Beispiele für den Typus des abstrakten Idealisten nennt Lukács Don Quichotte und Marquis Posa (96). Im 'Don Quichotte' sei der "Grund aller Abenteuer die innere Sicherheit des Helden und die inadäquate Haltung der Welt" gegenüber (111). Der dritte repräsentative Typus des Romanhelden schließlich stehe "in der Mitte zwischen Idealismus und Romantik". Sein Ideal sei, "in den Gebilden der Gesellschaft Bindungen und Erfüllungen" (136) zu finden. Durch die von ihm angestrebte Versöhnung von Ideal und Wirklichkeit werde "wenigstens postulativ die Einsamkeit der Seele aufgehoben". Diese Versöhnung dürfe freilich nicht einem philiströsen "Sichabfinden" (137) mit der Wirklichkeit gleichgesetzt werden. Als beispielhaft für diesen dritten Typus erscheint Lukács Goethes 'Wilhelm Meister'.

Welcher Kenner von Brochs Werk würde bei dieser Typologie nicht an die Helden der drei Teile des 'Schlafwandler'-Romans denken? Paßt nicht die Beschreibung des innerlich-passiven Romantikers auf Pasenow, die des abstrakten aktivistischen Idealisten auf Esch und die des gesellschaftsorientierten dritten Typus in gewisser Weise auf Huguenau? Die Untertitel der Trilogieteile Romantik, Anarchie und Sachlichkeit scheinen die Annahme zu bestätigen, daß Broch sich bei der Anlage des Romans durch die Lukácssche Typologie inspirieren ließ. Freilich sind Lukács' Beschreibungen von Broch nicht einfach als Rezepte übernommen worden, aber als - im einzelnen variierte - Grundmuster haben sie wohl die Konzeption der Trilogie mitbestimmt.

Die Entsprechungen zwischen dem romantheoretischen Entwurf Lukács' und der Romanpraxis Brochs gehen noch weiter. Am Ende der 'Theorie des Romans' kommt Lukács auf einen ganz neuen Romantyp zu sprechen, den er bei Dostojewski erstmals verwirklicht sieht: Es ist ein Roman, der kein Roman mehr ist, sondern wiederum die Totalitäts-Dimensionen des alten Epos besitzt. Lukács schreibt: "Dostojewskij hat keine Romane geschrieben. [...] Er gehört der neuen Welt an. Ob er bereits der Homer oder der Dante dieser Welt ist [...] kann nur die Formanalyse seiner Werke aufzeigen." (158) Auch Broch fahndete nach dem Roman, der die mythischen Qualitäten der Epen Homers und Dantes aufweise. Aber so wenig wie Lukács sicher war, ob Dostojewskis Werk bereits "eine Erfüllung" sei oder "nur ein Anfang" (158), so wenig sprach Broch Anfang der dreißiger Jahre von einem durch die Literatur bereits etablierten neuen Mythos, sondern lediglich von einer sich in der Dichtung seiner Zeit bemerkbar machenden "Sehnsucht nach dem Mythos" (KW 9/II : 197). Broch scheint den Epilog seiner 'Schlafwandler'-Trilogie im Sinne der Lukácsschen These vom Roman, der nicht mehr Roman ist, gestaltet zu haben. Denn hier wird versucht, der von Lukács artikulierten Hoffnung auf eine neue Totalitätssicht Form zu geben. Inhaltlich gesehen handelt es sich beim Epilog um den Ausdruck der Hoffnung auf einen erneuten Wertzusammenschluß, und formal betrachtet wird die sprachliche Ebene des Romans, die des Erzählens, transzendiert zur philosophisch-utopischen Vision.

Auf welche Weise hat Broch versucht, in den 'Schlafwandlern' den Roman des innerlich-romantischen, des abstrakt-idealistischen und des konkret-gesellschaftlich orientierten Helden zu schreiben? Brochs Absicht war es, im Sinne Lukács' die Konturen einer neuen Totalitätssicht zu verdeutlichen. Da ihm, wie Joyce, Thomas Mann und Döblin, im Mythos diese Einheitssicht am deutlichsten aufscheint,[46] sucht er jeder der drei Zentralgestalten der Trilogie ein dichterisch-mythisches Grundmuster zu unterlegen. Broch selbst hat einen Hinweis auf dieses Verfahren gegeben. In seinem Vortrag "Geist und Zeitgeist" von 1934 schreibt er: "Die Erzeugung eines Mythos läßt sich nicht auf Kommando bewerkstelligen; nicht einmal aus Sehnsucht. Denn die Konkretisierungen des Mythischen haben offenbar nur eine sehr geringe Variabilität, vielleicht weil eben die Grundstruktur des Humanen, das im Mythos zum Ausdruck kommt, von so großer Einfachheit ist, und es bedarf verhältnismäßig sehr großer Veränderungen der Menschheitsseele, ehe sie sich ein neues mythisches Symbol, wie es in der Gestalt des Dr. Faust gewachsen ist, zu schaffen vermag. Und wenn ein Dichter, getrieben von jener Sehnsucht nach dem Mythos und seiner Ewigkeitsgeltung, getrieben wird, Mythisches neu zu gestalten, so ist es nicht nur Bescheidenheit, wenn er sich gezwungen sieht, mit dem schon Bestehenden vorlieb zu nehmen" (KW 9/II : 197). Nach diesem Grundsatz ist Broch offenbar in den 'Schlafwandlern' verfahren, und es ist nicht schwer herauszufinden, daß im "Pasenow" der Faust-Mythos, im "Esch" ein Freiheitsmythos, wie er etwa mit Schillers Werk oder Amerika assoziiert wird, und im "Huguenau" u. a. die Homersche 'Odyssee' als mythische Folie des Erzählten figurieren. Am transparentesten ist dabei die Faustgeschichte im "Pasenow", denn die Figuren dieses Romanteils werden direkt mit ihrem Prototypen aus Goethes 'Faust' verglichen: Ruzena mit Margarete, ihr imaginierter Bruder mit Valentin, Bertrand mit Mephisto und Elisabeth mit der Erlösung verheißenden Himmelskönigin Maria. Alte Mythen erscheinen in Brochs Roman freilich in neuem Zusammenhang und in neuer Funktion. Neben dem mythischen Substrat, das darf nicht vergessen werden, sind die 'Schlafwandler' auch von einem starken historischen Substrat durchsetzt, wenngleich es schwerfällt - ähnlich wie bei Joyces 'Ulysses' und Thomas Manns 'Josephs'-Romanen - von einer Dominanz der mythischen oder der historischen Rasterelemente innerhalb des gesamten Anspielungsgeflechts von Mythos und Geschichte zu sprechen.[47] Zudem kann von einer Huldigung an alte Mythen im Falle der 'Schlafwandler' keine Rede sein. Broch spielt mit den Mythen, verwandelt sie, gibt ihnen - wie bereits Goethe es in seinen Dichtungen tat[48] - neue Bedeutungen, funktioniert sie um, wie es die dichterische Imagination erlaubt oder der zeitgeschichtliche Hintergrund erforderlich macht. Die satirische Anlage des "Pasenow" wird deutlich, wenn man sich vergegenwärtigt, daß dem innerlichen und passiven Romantiker Pasenow die Rolle des Faust zufällt, daß Margarete als Animierdame Ruzena in zwielichtigen Lokalen auftaucht, daß Mephisto als Nietzscheanisch gestimmter, international agierender Großkaufmann erscheint, daß Valentin eine Mischung aus einem nur in Pasenows Phantasie existierenden Bruder Ruzenas und aus seinem eigenen Bruder Helmuth darstellt, der wie sein Goethesches Vorbild wegen der "Ehre" im Duell tödlich getroffen wird. Wie sehr Broch mit den überlieferten Mythen bzw. mit den zeitgenössischen Auffassungen von ihnen spielt, wird hier deutlich. Oswald Spengler hatte in seinem 'Untergang des Abendlandes' die Wilhelminisch-gründerzeitliche Faust-Ideologie überhöht zur "faustischen Mythologie", hatte den Faust-Mythos zum Mythos des "modernen" bzw. "abendländischen" Menschen schlechthin erklärt.[49] Eine größere Diskrepanz als jene zwischen dem Wilhelminisch-imperialen Ideal vom Dr. Faustus und dem innerlich-romantischen, scheuen, entschlußlosen und unselbständigen, mit einem Wort unheldischen Pasenow Junior kann man sich kaum vorstellen. Broch hat im "Pasenow" aber nicht nur den Faust-Mythos, sondern auch den Mythos von der preußischen Ehre und den Nietzsche-Mythos parodiert. Für Pasenows Bruder Helmuth besitzt der "Ehrenkodex" als "höhere Idee", der "man sich unterordnen darf" (KW 1 : 46) die Funktion eines Mythos. Im Verlauf des Romans erweist sich das ständige Berufen auf die "Ehre" - besonders beim alten Pasenow - als leere Idealphrase. Hatte Spengler im 'Untergang des Abendlandes' (1918-1922) getrachtet, die Faust-Gestalt in mythisch-menschheitliche Dimensionen zu erheben, so versuchte Ernst Bertram dies gleichzeitig mit der Person Nietzsches. Bertrams Nietzsche-Buch von 1918 trägt den Untertitel "Versuch einer Mythologie". Der Erzähler in Brochs Roman kommentiert die Faust- und Nietzsche-Ideologie der Vorkriegszeit: "Man wollte Eindeutiges und Heroisches

[...] sehen, man glaubte, daß dies die Haltung des europäischen Menschen sein müsse, man war in einem mißverstandenen Nietzscheanismus befangen" (KW 1 : 46). Daß im "Pasenow" Eduard von Bertrand Züge eines Nietzscheaners trägt, ist in der Forschung bereits festgestellt worden.[50] Innerhalb des Faust-Modells, das dem "Pasenow" zugrundeliegt, ist von Bertrand die Rolle des Mephisto zugewiesen, und das nicht von ungefähr, denn das tertium comparationis des Denkers Nietzsche und der dichterisch-mythologischen Figur Faust sind Nihilismus und Immoralismus. Wahrscheinlich hat Broch den Namen Bertrand nicht zuletzt wegen der Ähnlichkeit mit Bertram gewählt. Denn Ernst Bertrams Buch über Nietzsche war in den zwanziger und dreißiger Jahren außerordentlich populär, und man darf behaupten, daß es das Nietzsche-Bild einer ganzen Generation geprägt hat. Bertram dämonisiert Nietzsche zum Philosophen des "luziferischen Trotzes", des "esprit méphistophélique", beschreibt ihn als großen "Einsamen", als "echtesten Repräsentanten des gefährlichen Vielleicht", als "typisch Zweideutigen" und als "unwissentlichen Angehörigen der deutschen Romantik"[51] - lauter Epitheta, die auch auf von Bertrand zutreffen. Die Bertrand-Figur im "Pasenow" ist somit angelegt auf ein Spiel mit mehreren Mythen: mit dem Nietzsche-Mythos, wie er von Bertram zu etablieren versucht wurde, mit dem Mephisto-Mythos und schließlich mit dem sogenannten "neuen Mythos" überhaupt, als dessen Inaugurator sich Nietzsche verstanden hatte.[52] "Ohne Mythus", so findet man Nietzsche bei Bertram zitiert, "geht jede Kultur ihrer gesunden schöpferischen Naturkraft verlustig: erst ein mit Mythen umstellter Horizont schließt eine ganze Kulturbewegung zur Einheit ab" (351).

Pasenow wird erstmals mit Faust in Zusammenhang gebracht bei der Beschreibung seines Besuchs der Faust-Oper. Bei ihr handelt es sich wahrscheinlich um die im neunzehnten Jahrhundert populäre Faust-Oper Ludwig Spohrs, der mit Karl Maria von Weber einer der Hauptvertreter der romantischen Oper in Deutschland war. Beim musikalischen Tee der Baddensens wird Spohr gespielt, und es heißt, daß Pasenow diese Musik liebte (KW 1 : 104). Noch im "Huguenau" äußert er, daß Spohr für ihn ein "tüchtiger Komponist" (485) sei. Broch notiert eine auf den ersten Blick rätselhafte Gedankenassoziation, die Pasenow beim Besuch der Faust-Oper durch den Kopf geht. Pasenow "bemerkte, daß in den geliebten Zügen Margaretens das Antlitz Valentins verborgen liegt und daß Margarete dafür und für nichts anderes zu büßen hat" (40).

Vor und nach der Aufführung begegnet Pasenow einem italienisch aussehenden Besucher der Oper, von dem er meint, daß es sich bei ihm um den Bruder Ruzenas handeln könne. Das ist freilich ein Hirngespinst. Als er dem "Italiener" nach Opernschluß begegnet, "fühlte er [Pasenow] dankbar, daß damit auch die Schwester [Ruzena] ihm verboten war" (40). Verständlich wird diese eigenartige Folgerung erst, wenn im weiteren Verlauf des Romans der Italiener mit dem eigenen Bruder Helmuth in Verbindung gebracht wird, und zwar dergestalt, daß das Bild Helmuths das des eingebildeten italienischen Bruders verdrängt. Die Erinnerung an seinen Bruder bringt Pasenow "zur Wirklichkeit zurück". Der "blond[e] und männlich[e]" (41) Bruder Helmuth erscheint ihm als die Inkarnation von Tradition, Reglement, Familientradition und preußischer Ehrauffassung. Wichtig zum Verständnis von Pasenows Gedankenreihe ist, daß Helmuth wie Valentin aus Goethes 'Faust' für die überlieferte Ehrauffassung einsteht und für sie im Duell den Tod findet. Sobald Helmuths Bild auftaucht, wird ihm deutlich, daß er als preußischer Offizier kein Verhältnis zur Animierdame Ruzena unterhalten kann.

In Pasenows Vorstellungswelt existiert von Bertrand als "Mephisto" (128, 139, 176). Er ist ihm ein "Dämon" (33, 160) aus dem "Höllenpfuhl" (33), der "Versucher" (158), der "Böse" (176), der "Leibhaftige" (176), ein "Abenteurer" (32), "Zyniker" (139) und "Schauspieler" (32). Aber wie Faust auf Mephisto, so ist Pasenow auf Bertrands "Weltgewandtheit und praktische Erfahrung" (72) angewiesen. Mephisto führt Faust nach dessen Trennung von Margarete in ihren Kerker, und Bertrand gibt Pasenow den Hinweis, er solle, nachdem Ruzena verschwunden ist, "die Nachtlokale ein wenig durchsuchen" (139), um seine Geliebte wiederzufinden. Der Bezug zu Goethes Tragödie wird direkt hergestellt, wenn es an dieser Stelle im Roman heißt: "Dieser Bertrand war eben ein widerlicher Zyniker. Er [Pasenow] sah Bertrand an: wußte der mehr? Mephisto allein wußte, wofür Margarete zu büßen hatte. Aber Bertrand ließ sich nichts anmerken" (139). Der "Verdacht" taucht bei Pasenow auf, daß "Bertrands Intrigen [...] Ruzena ins Sinnlose getrieben" (142) haben. Dem tragischen Abschied zwischen Margarete und Faust im Kerker entspricht die komische Streitszene zwischen Pasenow und Ruzena in der Toilette eines Nachtlokals (141). Ruzena hat eine Abneigung gegen und Furcht vor Bertrand wie Margarete vor Mephisto. Sie sieht Bertrand als "schlechten Freund" und "häßlichen Menschen" (88, 71) an.

Sittlichen und metaphysischen Halt verspricht Pasenow sich

von seiner Verbindung mit Elisabeth von Baddensen. Sie erscheint ihm als "Heilige" (28), als "jungfräuliche Gottesmutter" (129), als "zarteste silberne schwebendste Madonna", als "erdenwallende Maria, ehe sie zum Himmel anstieg" (159), und er assoziiert Elisabeth mit einem Lieblingsbild der deutschen Romantiker, mit der "Assunta, die er in Dresden gesehen zu haben glaubte" (155), also mit Raffaels Sixtinischer Madonna. Faust wird am Ende der Goetheschen Tragödie von der Mater Gloriosa "zu höhern Sphären" emporgehoben, und Joachim sucht bei Elisabeth die "Sphäre des Himmlischen" (159), hofft bei ihr "rettende Hilfe der Gnade" (177) zu finden. Alle aus der Faust-Handlung übernommenen Personen und Problemkonstellationen erscheinen in Brochs Roman satirisch verfremdet. Als Satire ist auch die Schilderung der Hochzeitsnacht angelegt. Damit er die sakrale Aura um Elisabeth nicht zerstöre, verzichtet Pasenow aufs Gurgeln nach dem Zähneputzen: "Wer durfte es wagen, in der Nähe Elisabeths zu gurgeln?" (173). Er baut um Elisabeth die Requisiten einer makabren Schneewittchen-Idylle auf und ist peinlich um die Ordnung seiner Uniform besorgt, auch als er, fast unfreiwillig, "in eine liegende Stellung" (177) neben Elisabeth gerät. Die Auflösung der metaphysischen Hoffnung ins Profan-Alltägliche wird dem Leser in den letzten Sätzen des Romans noch mitgeteilt, wenn es heißt, daß Elisabeth "nach etwa achtzehn Monaten ihr erstes Kind" (179) hatte. "Pasenow" ist nicht nur eine satirische Variation des Faust-Themas, sondern auch die Satire auf den innerlich-romantischen Romanhelden der Lukácsschen Typologie. Denn im Gegensatz zu diesem gleitet der kontemplativ-passive Romanheld nach metaphysisch potenzierten Seelen-Ekstasen immer wieder ab ins Banale und Konventionelle, in Bereiche, die der Typus des innerlich-romantischen Helden im Sinne Lukács' flieht.

Als ständig an der "Grenze der unfreiwilligen Komik" stehend, ist der zweite Lukácssche Typus, der abstrakte Idealist, von vorneherein der Held eines zumindest potentiell satirischen Romans. Don Quichotte und der Schillersche Freiheitsheld werden von Lukács als Vertreter dieses Dichtungstypus genannt, und genau sie sind es, deren Charaktereigenschaften und Eigentümlichkeiten Broch synthetisierte bei der Gestaltung des Esch, des Protagonisten seines zweiten Trilogieteils "Esch oder die Anarchie". Broch vergleicht Esch direkt mit Don Quichotte, wenn von ihm die Rede ist als einem "hageren Ritter, der mit seiner eingelegten Lanze Angriff um Angriff reiten muß zu Ehren der Rechnung, die in der Welt glatt aufgehen soll" (415). Im Falle des "Esch" kann - anders als im "Pasenow" - von einer eigentlichen Parodie nicht die Rede sein. Denn Cervantes' Don Quichotte war selbst schon als Parodie angelegt. Wie häufig in der Literaturgeschichte wird hier die satirische Methode des Cervantes übernommen.

Mit Don Quichotte hat Esch eine Reihe von Wesenszügen gemeinsam: beide verstehen sich als Beschützer der Armen, Witwen und Waisen und wollen jegliches Unrecht aus der Welt schaffen, beide interpretieren die Welt entschlossen im Sinne ihres Idealismus um, und beide schaffen oft erst Mißstände, obwohl sie mit ihren Unternehmungen gerade diese beseitigen wollen. Wie Don Quichotte seine Aldonza, so stilisiert Esch Ilona zur liebes- und erlösungsbedürftigen Dulcinea. "Opfer" will Esch bringen, um Ilona zu "erlösen" (308), will die "Zarte" den gefährlichen Händen des Messerwerfers entreißen (203) und sie auf ein "fernes, unerreichbares Schloß" (361) führen. Auch die tagtraumartige Begegnung zwischen Esch und Bertrand ist im "Don Quichotte" vorgebildet: in der Höhle von Montesinos, in die der Hidalgo auf der Suche nach geheimnisvollen Abenteuern hinabgestiegen ist, begegnet er im Traum den Helden seiner Ritterromane. Und wie Don Quichotte im Kreis der Hirten mit religiöser Inbrunst das Goldene Zeitalter preist, das einst allen Menschen Glück und Frieden gebracht habe, so entwirft Esch für sich und seine Bekannten das Bild eines utopischen Freiheitsstaates, den er Amerika nennt. Da Eschs "Gebiß" und sein "schwerer Tritt" an ein "Pferd" und seine Schuhe an "Sattelzeug" gemahnen (399, 400), erinnert er nicht nur an Don Quichotte, sondern auch an Rocinante. Wo ein Don Quichotte, wo Rocinante und Dulcinea, wird ein Sancho Panza nicht weit sein. Züge Sanchos, des bedachten Pragmatikers, der sich an greifbare Realitäten hält, trägt in Brochs Roman Martin Geyring. Als praktisch denkender Gewerkschaftler stellt er das Gegenbild zum gesellschaftspolitischen Phantasten Esch dar.

Eine besondere Faszination geht für Esch vom Freiheitsdramatiker Schiller aus. In Mannheim besucht er sein Denkmal (343), kauft für Mutter Hentjen eine "bronzene Nachbildung des Schillerdenkmals" (248) und weiß von dem Mannheimer Theater zu berichten, daß darin "die Première [...] von Schillers Stück stattgefunden" (249) habe. Sicherlich ist Esch von keinem philologischen Interesse an Schiller bewegt, und er kennt offenbar nicht einmal den Titel jenes Schillerschen Dramas, von dem die Rede ist. Entscheidend ist, daß er - auf welch vage Weise auch immer – mit Schiller Freiheit bzw. Freiheitssehnsucht assoziiert. Aber nicht nur eine Schillerstatuette verehrt Esch Mutter Hentjen, sondern noch ein weiteres Symbol von Unabhängigkeit, Neubeginn und Rebellion, eine "kleine bronzene Freiheitsstatue", eine Nachbildung der Statue of Liberty im New Yorker Hafen, von der es heißt, daß Esch sie "als ein glückliches Pendant zu der Schillerstatue" (301) empfand. Auf dem Büffetbord in Mutter Hentjens Gaststätte werden der sich dort bereits befindenden Nachbildung des Pariser Eiffelturms das Schillerdenkmal en miniature und die Imitation der Freiheitsstatue hinzugesellt. "Da standen nun", heißt es im Roman, "der Freiheitssänger, die amerikanische Statue und der französische Turm als Symbole einer Gesinnung, die Frau Hentjen nicht zu eigen war" (301), die jedoch, so läßt sich ergänzen, die ganze Phantasie Eschs ausfüllt und seine impetuosen Handlungen bestimmt. Die Freiheitsstatue gehört zu jenem Motivkomplex, der sich um die zentrale Amerika-Metapher des Esch gruppiert und die wiederum sich einfügt in das übergeordnete Freiheits- und Anarchiethema dieses Trilogieteils. Wirft Esch einen Blick in einen Buchladen, bleibt sein Blick haften "auf einem Bild der Freiheitsstatue", das den Titel "Amerika heute und morgen" (287) trägt. Sieht er "in einer Illustrierten Zeitung [...] Bilder aus New York", heißt es gleich entschlußfreudig: "Weg nach Amerika" (234). Trifft Esch auf dem Domplatz in Köln "Englisch sprechende Menschen", so umfängt ihn "ein Hauch von Freiheit", und er geht "unverzüglich daran [...] englische Vokabeln zu lernen", wobei "hinter jedem Wort [...] das Wort 'Freiheit'" (289) steht. "Er spürt", so umschreibt Broch die Eschsche Fixierung auf die Utopie von der amerikanischen Freiheit, "daß es in seinem Kopfe eine Gegend gibt, die Amerika ist, eine Gegend, die nichts anderes ist, als der Platz der Zukunft in seinem Kopf, und die doch nicht existieren kann, solange die Vergangenheit so hemmungslos sich in die Zukunft stürzt, das Vernichtete in das Neue" (353). Mit der Hoffnung auf den totalen Neubeginn in Amerika verbinden sich Wunschvorstellungen von der apokalyptischen Zerstörung alles aus der Vergangenheit Überlieferten: "Esch sah die Freiheitsstatue vor sich, deren Fackel all das verbrennt und erlöst, was herüben zurückgelassen wird, alles Gewesene und alles Tote dem Feuer überantwortet" (291). Dem Prinzip des Eschschen abstrakten Idealismus steht freilich das des konkreten Realismus der Mutter Hentjen entgegen. Und anders als seine literarischen Vorbilder Don Quichotte und die Schillerschen Freiheitshelden paßt Esch sich diesem Realitätsprinzip im Lauf der Erzählung an. "Mit Amerika war's also Essig", sieht Esch bald ein, "endgültig. Jetzt hieß es in Köln bleiben. Die Käfigtür war zugefallen. Man war eingesperrt. Die Fackel der Freiheit war erloschen" (371). Erst als Mutter Hentjen "die Gefahr der Auswanderung" nach Amerika "endgültig gebannt" sieht, beginnt "sie selber von den amerikanischen Luftschlössern zu sprechen" (379). So wie am Ende des "Pasenow" aus dem innerlichen Romantiker ein Vertreter banal-alltäglicher Konvention wird, wandelt sich auch Esch am Schluß des zweiten Trilogieteils vom abstrakten Idealisten zum angepaßten Realisten. Erneut wird deutlich, daß es Broch in diesen Romanen nicht lediglich um eine Konkretisierung der Lukácsschen Typologie, sondern gerade um ihre satirische Auflösung geht. Wie im Pasenow wird auch im Esch die Wandlung des Helden in dem jeweils nur wenige Zeilen umfassenden Schlußkapitel lakonisch mitgeteilt. Im zweiten Trilogieteil ist dort zu lesen, daß der ehemals anarchistisch-freiheitsdurstige Esch sich gewandelt hat zu einem von "seiner Gattin bewunderten [...] Oberbuchhalter in einem großen Industrieunternehmen seiner luxemburgischen Heimat" (381).

Daß es sich bei den Protagonisten der Trilogieteile um Satiren auf die Lukácssche Typologie handelt, wird vollends deutlich, wenn wir den gesellschaftsorientierten dritten Typus Lukács' mit dem Helden des Huguenau-Romans vergleichen. Wilhelm Huguenau hat mit seinem literarischen Vorgänger Wilhelm Meister nur noch den Vornamen gemeinsam. Nach Lukács ist das Thema im 'Wilhelm Meister' Goethes "die Versöhnung des problematischen, vom erlebten Ideal geführten Individuums mit der konkreten, gesellschaftlichen Wirklichkeit". Bei der Versöhnung handelt es sich weder um eine "von vornherein bestehende Harmonie" noch um ein "Sichabfinden"; sie sei vielmehr "in schweren Kämpfen und Irrfahrten gesucht" (135) worden. Mit dem Bild von der "Irrfahrt" spielt Lukács auf den mythischen Vorfahren Wilhelm Meisters an, auf Odysseus. Auch Broch vergleicht Wilhelm Huguenau mit dem Helden des Homerschen Epos. Huguenaus "Kriegsodyssee" bezeichnet Broch freilich - wieder in satirischer Absicht - als "schöne Ferienzeit" (687) und nicht etwa als eine "von schweren Kämpfen" begleitete Irrfahrt. Anders als Wilhelm Meister wird Wilhelm Huguenau auch nicht von einem "Ideal" geführt, das sich auf problem- und konfliktreiche Weise erst allmählich mit der "gesellschaftlichen Wirklichkeit" versöhnen müßte. Bei Huguenau ist tatsächlich eine "von vornherein bestehende Harmonie" mit der Gesellschaft, als deren Teil er sich versteht, festzustellen. "Die reine Innerlichkeit der Romantik" und "das Heldentum des abstrakten Idealismus" werden von Lukács als durch den gesellschaftsorientierten Typus "zu überwindende Tendenzen" (137) betrachtet. Während aber Wilhelm Meister auf sublime Weise in sich selbst jene idealistischen Tendenzen (etwa der schönen Seele) und die romantischen (etwa Mignons) überwindet, ist diese Überwindung bei Wilhelm Huguenau eine brutal nach außen gerichtete: Er ermordet den abstrakten Idealisten Esch und bedient sich des im wörtlichen Sinne ohnmächtigen innerlichen Romantikers Pasenow zur Abdeckung seiner kriegsgewinnlerischen Interessen. Huguenau ist Vertreter des "Philistertums" im Sinne Lukács', d. h. er findet sich ab mit "jeder noch so ideenlosen Ordnung" (137). Obgleich Deserteur, ist er ein "Angehöriger des Krieges, dessen Vorhandensein er guthieß" (390).[53] Im Gegensatz zu Wilhelm Meister gibt es bei Huguenau auch keine Entwicklung des Charakters. Huguenau ist gerade jenseits der Dreißig, doch sind "alle Züge der Jugendlichkeit aus seinem Gesicht und aus seinem Gehaben verschwunden" (385). Im "Wilhelm Meister" spielen bei der Ausbildung der Persönlichkeit des Protagonisten die verschiedenen Freundschafts- und Liebesbeziehungen eine zentrale Rolle. Die einzige erotische Zuneigung, von der wir bei Huguenau wissen, ist die zu einer Maschine, zu Eschs Druckmaschine: "Und das Übermaß seiner Liebe", so heißt es bewußt satirisch überspitzt, "zu diesem lebendigen Wesen [der Druckmaschine] erfüllte ihn so sehr, daß kein Ehrgeiz in ihm aufkeimen oder gar der Versuch entstehen konnte, diese unverständliche und wunderbare Maschinenfunktion je zu begreifen; bewundernd und zärtlich und fast ängstlich nahm er sie hin, wie sie war" (491).

Broch nennt Huguenaus Desertion eine "Kriegsodyssee" und gibt hiermit einen Hinweis darauf, daß Huguenau Züge des mythischen Odysseus trägt. Freilich geht es nicht an, die einzelnen Gesänge der Homerschen Odyssee den Kapiteln der Huguenau-Handlung zuzuordnen. Ein dem Vorgehen Stuart Gilberts bei der Interpretation des Joyceschen 'Ulysses'[54] analoges Verfahren ist hier nicht möglich. Denn was Broch an Odysseus fasziniert, sind nicht die konkreten Abenteuer, die er bestanden hat, sondern sein Charakter. Wie wohl jede Odysseus-Figur in der Literatur, hat auch die Brochsche zwei typische Merkmale: Sie ist ein Wanderer und verkörpert Intelligenz und Wendigkeit in einer gefahrenreichen Welt.[55] Im einleitenden Abschnitt zur ersten "Huguenau"-Fassung hieß es bezeichnenderweise:

"Wurde Odysseus in vorgerückten Jahren [...] nach seinen Lebensschicksalen gefragt, da war es ihm, als wäre das wechselvolle und lärmende Geschehen, in dessen Mittelpunkt er doch einst gestanden, irgend eine überflüssige und vergessenswürdige Geschichte, die er in müßiger Stunde von einem der orientalischen Märchenerzähler gehört haben mochte. Ja, wenn er etwas über sich aussagen konnte, so war es wohl, daß er stets ein Kerl gewesen sei, der sich in der Welt zurechtfand, dem es an allerlei Klugheit nicht fehlte und den es auch auf die Dauer nicht auf einem Fleck ließ: und in seiner Greisenweisheit war es ihm klar [...], daß das zufällige Geschehen als rechte Nebensächlichkeit zum Charakter hinzutrete, daß mit Recht jenes vergessen werde, dieser aber als unantastbarer Bewußtseinsbesitz bleibe" (KW 6 : 37).

Wenn es Broch auch offenbar nicht darum geht, Huguenau die gleichen Erlebnisstationen wie seine mythischen Ahnen durchlaufen zu lassen, sondern er lediglich vorführen will, wie ein moderner Odysseus-Charakter sich während der letzten Kriegsmonate von 1918 verhält, ist man trotzdem versucht, einige Parallelen zwischen dem Homerschen Opus und dem Brochschen Roman zu ziehen: Wie Kalypso sich mit Odysseus im "Inneren der gewölbten Höhle [...] an der Liebe erfreut" (5. Gesang),[56] besucht "eine Magd den Fremdling [Huguenau] im Heu" (389). Statt einer Nausikaa verhilft Huguenau der Kleinstadt-Friseur dazu, "gewaschen und glatt gesalbt" (6. Gesang) bzw. "frisch rasiert" (397) zu werden. Die Rolle der Phaiaken, die den Fremden "freundlich aufnehmen" (7. Gesang), wird von Honoratioren des Moselstädtchens übernommen. Nicht den Verführungen einer Kirke (10. Gesang), sondern der erotischen Attraktion einer Druckmaschine droht Huguenau zu erliegen (491). Skylla und Charybdis (12. Gesang) stellen für Huguenau die Vertreter des Militärs und die Revolutionäre dar, die ihn beide zu vernichten drohen und deren Zugriffen er sich wie sein mythischer Ahn zu entziehen versteht. Und wie Odysseus endlich zu seiner Penelope zurückfindet, so vermählt sich auch Huguenau nach überstandenen Abenteuern. Schließlich endet Homers Opus im letzten Gesang mit der "Versöhnung der Streitenden durch Athene" (24. Gesang), und Brochs Trilogie-Epilog klingt aus mit der Paulinischen Tröstung (716).

Die Frage drängt sich auf, warum Broch, der zu Lukács' früher philosophisch-ästhetischer Sicht eine starke Affinität aufweist, in satirischer Absicht mit Lukács' Typologie aus der 'Theorie des Romans' spielt. Sicherlich nicht, um diese Typologie an sich ad absurdum zu führen. Brochs Verfahren wird verständlich, wenn man in Erinnerung ruft, daß er – was Lukács ferngelegen hätte – die drei Grundtypen von Romanhelden als repräsentative Vertreter der Wilhelminischen Ära versteht. Broch verändert damit völlig das thematische, temporale und lokale Bezugsfeld, innerhalb dessen die Lukácsschen Typen Geltung zu haben beanspruchen. Lukács geht es um die idealtypische Charakterisierung bestimmter, in der europäischen Dichtung zwischen dem sechzehnten und dem neunzehnten Jahrhundert auftauchender Grundmuster von Romanhelden. Broch verändert das Verständnis der Lukácsschen Typologie insofern, als er der literaturtheoretischen Definition eine historisch-soziologische Dimension hinzufügt. Pasenow, Esch und Huguenau stehen nicht lediglich als Beispiele des romantischen, idealistischen und gesellschaftsorientierten Romanhelden im Sinne Lukács', sondern sie symbolisieren auch Repräsentanten distinkter Phasen der preußisch-deutschen Geschichte und ihrer Gesellschaft zwischen 1888 und 1918. Es wäre ein Unding gewesen, einen romantischen Oblomow, einen idealistischen Don Quichotte und einen gesellschaftsorientierten Wilhelm Meister als repräsentativ für die Epoche des Wilhelminismus anzusehen. Wollte man diese literarischen Vorfahren als Präfigurationen der drei Brochschen Romanprotagonisten wählen, blieb nur die Möglichkeit der Parodie übrig. Mit dieser Parodie auf mythische und literarische Vorbilder steht Broch in einer für die moderne Dichtung bereits typisch gewordenen Tradition.[57] Aber auch die parodistisch verfremdeten Lukácsschen Typen in Brochs Trilogie müssen sich die kritische Frage gefallen lassen, ob sie als soziologisch-historisch repräsentativ gelten können. Wären 'Die Schlafwandler' lediglich als zeitkritischer Roman konzipiert worden – wie etwa Heinrich Manns 'Kaiserreich'-Trilogie, Feuchtwangers 'Erfolg' oder Döblins 'Berlin Alexanderplatz' –, so würde man mit Recht Zweifel an der Epochenrepräsentanz Pasenows, Eschs und Huguenaus anmelden. Die eingearbeitete Zeit- und Gesellschaftskritik in Brochs Roman ist zweifellos beachtlich,[58] aber sie bildet eben nur eine der beiden Hauptkomponenten des Romanganzen, der mythisch-religiösen und der historischen.

Das Augenmerk Brochs gilt einem gleichsam unterschwellig sich vorbereitenden "neuen Glauben" (727). Er versucht, "die Endstationen der alten europäischen Werthaltungen" (723) darzustellen, d. h. er will neue religiöse Strömungen ex negativo erfassen, indem er auf metaphysisch-ethische Sackgassen, Verirrungen und Auflösungserscheinungen hinweist. Im "Pasenow" sucht er die "traditionelle Religiosität" (727) als "herrschende Fiktion" (720) zu entlarven. Eschs "erotischer Mystizismus" (724) unterliegt der "fortschreitenden Entfesselung des [...] Irrationalen" (725), und Huguenau wird als "wertfrei" (726) apostrophiert, als Mensch ohne religiöse Bindungen. Gleichwohl wirkt sich - wie Broch es sieht - bei allen Protagonisten die "Sehnsucht" nach religiöser "Erweckung", nach "Erlösung" aus, besitzen sie alle eine "Ahnung des kommenden Ethos" (735). Bei dem Unterfangen, diese Ahnung von einer zukünftigen Religiosität bzw. von einem neuen Mythos in symbolhaft-dichterischen Bildern auszudrücken, hat Broch als Orientierungsraster auch die Sprache des christlichen Mythos verwendet. Das Interessante dabei ist, daß Broch über die Bildersprache des Christus-Mythos, also einer noch geglaubten Religion, so frei verfügt wie über die des Odysseus- oder des Faust-Mythos. Die "Nullpunktsituation", die nach Broch das Ende des von ihm angenommenen Zerfalls der Werte in seiner Gegenwart markiert, macht den Christus-Mythos wie jeden anderen zu einem historischen, einem der Vergangenheit angehörigen Phänomen. Aufschlußreich ist, welche Bilder des Christus-Mythos in den drei Trilogieteilen jeweils vorherrschen. Im "Pasenow" taucht leitmotivartig ein Traumbild von der Gottesmutter mit dem Jesuskind auf (1129); im "Esch" kehrt das Bild des Gekreuzigten wieder (202, 339), und im "Huguenau" hat der Protagonist die Vision des himmelfahrenden Christus, wie er auf dem bekannten Grünewald-Gemälde dargestellt ist (387). Offenbar hängen die Bilder, welche die Helden der betreffenden Trilogieteile sich vom Gott ihrer Religion machen, von ihren unterschiedlichen - eher unbewußten als bewußten - religiösen Sehnsüchten ab: Der romantisch-innerliche Pasenow ist fixiert auf die Idylle von der Madonna mit dem Jesuskind; dem idealistischen, vom Gedanken des Opfers besessenen Esch drängen sich Kreuzigungsvorstellungen auf, und dem Sieges-Ideologen Huguenau erscheint Christus als Triumphierender. Zudem könnte man die dergestalt in den Roman hineinverwobenen Bilder von den Phasen im Leben Christi (Kindheit, Passion und Auferstehung) als Gleichnis verstehen für die sich im status nascendi befindliche neue, nach-christliche Religion. Die Christus-Metaphern bildeten, so gesehen, als Hoffnungssymbole das optimistische Gegengewicht zur insgesamt pessimistisch gestimmten Essay-Folge über den "Zerfall der Werte". Während dieser vor allem den Untergang der überlieferten christlichen Kosmologie analysiert, sollen die religiösen Symbole die Heraufkunft eines neuen Ethos signalisieren. Im Epilog, in dem die Romanhandlung und die Essay-Folge zusammenfließen, dominiert am Schluß die aus dem Christus-Mythos übernommene Metaphernsprache. Dort ist von der "Messiashoffnung" auf den erwarteten "Heilsbringer" die Rede, von dessen "Aufopferung und Sühne für das Geschehene", und von der "Verlassenheit des Sohnes, [...] da er vom Vater verlassen ward". Das Paulinische Trostwort am Ende der 'Schlafwandler' macht vollends deutlich, daß Broch sich mit diesem Roman als Sprachrohr jener verstand, die ihre Hoffnung auf eine kulturelle Erneuerung mit der Erwartung einer neuen Religion verbanden. Zu ihnen gehörte auch der junge Lukács, dem sich in Dostojewskis Werk etwas von dem erwarteten neuen Ethos ankündigte. Nach Lukács' "geschichtsphilosophischer Zeichendeuterei" wird bei Dostojewski die Überwindung des "Standes der vollendeten Sündhaftigkeit", die "Hoffnung auf die Ankunft des Neuen" (158) bemerkbar.

Lukács gab diese metaphysische Erwartungshaltung bereits in den zwanziger Jahren auf, Broch während der vierziger Jahre. Fand Lukács im Sozialismus und dessen anti-religiöser Ethik eine neue ideologische Heimat, so versuchte Broch sich an der Definition eines nicht-metaphysischen, eines "irdischen" Absoluten, das er als Basis einer neuen, religionsunabhängigen Ethik betrachtete. Nicht wegen, sondern trotz ihrer zeitbedingten geschichtstheologischen Perspektive haben die 'Theorie des Romans' und 'Die Schlafwandler' als literaturtheoretische bzw. dichterische Dokumente wenig von ihrer Aktualität eingebüßt. In der 'Theorie des Romans' sind es die Einsichten in die Struktur, Typologie und Geschichte der epischen Gattung, die das Werk heute noch lesenswert machen; und an den 'Schlafwandlern' fasziniert nach wie vor die subtile Verknüpfung von mythologischer Anspielung und konkreter Zeitkritik.

ANMERKUNGEN

1 Georg Lukács, 'Die Theorie des Romans' (Neuwied und Berlin: Luchterhand, [3]1965 und Hermann Broch, "Zur Erkenntnis dieser Zeit", in KW 10/II : 11-80. Die von mir edierte Kommentierte Werkausgabe Hermann Broch, Frankfurt am Main: Suhrkamp, 1974-1981 wird in der Folge mit KW 1-13 abgekürzt.

2 George Lichtheim, 'Georg Lukács' (München: dtv, 1971), S. 41 und Fritz J. Raddatz, 'Georg Lukács' (Reinbek: Rowohlt, 1972), S. 41.

3 Erhard Bahr, 'Georg Lukács' (Berlin: Colloquium, 1970), S. 22.

4 Georg Lukács, 'Taktik und Ethik. Politische Aufsätze I. 1918-1920' (Neuwied und Berlin: Luchterhand, 1975), S. 87.

5 Vgl. P.M. Lützeler, 'Hermann Broch: Ethik und Politik' (München: Winkler, 1973), S. 43 ff.

6 Georg Lukács, 'Geschichte und Klassenbewußtsein' (Neuwied und Berlin: Luchterhand, 1970), S. 109.

7 Ibid., S. 74.

8 Broch traf sich mit Georg Lukács 1920 bei einer gemeinsamen Bekannten, Edit Rényi. Vgl. Brochs Eintragung in das Tagebuch in Briefen für Ea von Allesch vom 6. und 16. Juli 1920 in KW 13/I. Wie mir Edit Rényi mitteilte, diskutierten Broch und Lukács seinerzeit u.a. Ernst Blochs 1918 erschienenes Buch 'Geist der Utopie'.

9 Vgl. Manfred Durzak, 'Gespräche über den Roman' (Frankfurt am Main: Suhrkamp, 1976), S. 33 ff.; Jürgen Schramke, 'Zur Theorie des modernen Romans' (München: Beck, 1974), S. 27 ff.; Rolf Peter Janz, "Zur Historizität und Aktualität der 'Theorie des Romans' von Georg Lukács", in: 'Jahrbuch der deutschen Schillergesellschaft', 22. Jg., 1978, S. 686.

10 Vgl. KW 1 : 731-734 und Lukács, 'Theorie des Romans', S. 31 ff.

11 Vgl. Brochs Vortrag "Das Weltbild des Romans", KW 9/II, S. 89-117.

12 Dieter Wellershoff, 'Die Auflösung des Kunstbegriffs' (Frankfurt am Main: Suhrkamp, 1976), S. 80.

13 Hans Magnus Enzensberger, "Die Aporien der Avantgarde" in: ders., 'Einzelheiten' (Frankfurt am Main: Suhrkamp, 1962), S. 290.

14 Hans Egon Holthusen, 'Avantgardismus und die Zukunft der modernen Kunst' (München: Piper, 1964), S. 14; Edgar Lohner, "Die Problematik des Begriffs Avantgarde", in: 'Herkommen und Erneuerung. Essays für Oskar Seidlin', hg. v. Gerald Gillespie und

Edgar Lohner (Tübingen: Max Niemeyer, 1976), S. 33; Roland Barthes, 'Mythen des Alltags' (Frankfurt am Main: Suhrkamp, 1976), S. 126.

[15]Helmut Krapp/Markus Michel, "Noten zum Avantgardismus", in: 'Akzente', 2. Jg. (1955), S. 399; Burkhardt Lindner, "Aufhebung der Kunst in Lebenspraxis? Über die Aktualität der Auseinandersetzung mit den historischen Avantgardebewegungen", in: W. Martin Lüdke (Hrsg.), 'Theorie der Avantgarde. Antworten auf Peter Bürgers Bestimmung von Kunst und bürgerlicher Gesellschaft' (Frankfurt am Main: Suhrkamp, 1976), S. 72; Wolfgang Max Faust, "Zeitbombe oder Kuckucksei. Avantgarde und Gebrauchsliteratur als Problem eines Paradigmawechsels in der Literaturwissenschaft", in: 'Sprache im technischen Zeitalter', Heft 60 (1976), S. 337; Dolf Oehler, "Hinsehen, Hinlangen: Für eine Dynamisierung der Theorie der Avantgarde. Dargestellt von Marcel Duchamps", in: W.M. Lüdke, a.a.O., S. 143; Hans Ulrich Gumbrecht, Rezension zu Peter Bürgers 'Theorie der Avantgarde', in: 'Poetics 7' (1975), S. 230.

[16]Georg Lukács, "Es geht um den Realismus", in: Hans-Jürgen Schmitt (Hrsg.), 'Die Expressionismusdebatte' (Frankfurt am Main: Suhrkamp, 1976), S. 216.

[17]Lohner, Oehler und Beaucamp sehen die Anfänge der Avantgarde in der Frühromantik. Vgl. Eduard Beaucamp, 'Das Dilemma der Avantgarde' (Frankfurt am Main: Suhrkamp, 1976), S. 259 ff. Lindner, Krapp/Michel, Faust und Bürger bezeichnen als avantgardistisch Kunstströmungen im ersten Viertel unseres Jahrhunderts. Vgl. Peter Bürger, 'Theorie der Avantgarde' (Frankfurt am Main: Suhrkamp, 1974).

[18]P. Bürger, a.a.O., S. 122 ff.

[19]E. Lohner, a.a.O., S. 36.

[20]B. Brecht, "Praktisches zur Expressionismusdebatte", in: H.-J. Schmitt (Hrsg.), a.a.O., S. 305.

[21]G. Lukács, 'Ästhetik I', Luchterhand-Gesamtausgabe, S. 769.

[22]Ernst Bloch, 'Erbschaft dieser Zeit' (Zürich: Oprecht & Helbling, 1935), S. 186.

[23]G. Lukács, 'Ästhetik I', S. 769.

[24]Walter Benjamin, 'Ursprung des deutschen Trauerspiels' (Frankfurt am Main: Suhrkamp, 1972), S. 205 u. S. 197.

[25]Vgl. Giorgio de Chirico, 'Sulla Arte Metafisica', Rom 1919. Zu Brochs geistiger Verwandtschaft mit Chirico siehe: 'Hermann Broch - Daniel Brody. Briefwechsel 1930-1951', hg. v. B. Hack

u. M. Kleiß (Frankfurt am Main: Buchhändlervereinigung, 1971) Nr. 470. In der Folge abgekürzt mit BB.

[26] Stuart Gilbert, 'Das Rätsel Ulysses' (Frankfurt am Main: Suhrkamp, 1977), S. 21. Broch zitiert die englische Originalausgabe von 1930 in KW 9/I : 74. Zur Beziehung Broch-Joyce vgl. Manfred Durzak, 'Hermann Broch. Der Dichter und seine Zeit' (Stuttgart: Kohlhammer, 1968), S. 76 ff. und Breon Mitchell, 'James Joyce and the German Novel 1922-1933' (Athens/Ohio: Ohio University Press, 1976), S. 151 ff.

[27] Kritik an seiner Joyce-Studie trug Broch sich auch von Walter Benjamin ein. Leider beließ Benjamin es in seiner kurzen Rezension zu 'James Joyce und die Gegenwart' bei einigen polemischen Randbemerkungen. Dabei hätte die Auseinandersetzung über die allegorische Struktur des 'Ulysses' eine interessante Diskussion zeitigen können. Vgl. W. Benjamin, 'Gesammelte Schriften III', hg. v. Hella Tiedemann-Bartels (Frankfurt am Main: Suhrkamp, 1972), S. 517.

[28] Zu Brochs Romanästhetik vgl. vor allem Hartmut Steinecke, 'Hermann Broch und der Polyhistorische Roman' (Bonn: Bouvier, 1968). Zum Thema "erweiterter Naturalismus" bei Broch vgl. die gründliche Untersuchung von Hartmut Reinhart, 'Erweiterter Naturalismus' (Köln: Böhlau, 1972).

[29] B. Brecht, "Praktisches zur Expressionismusdebatte", a.a.O., (siehe Anm. 16), S. 317.

[30] Briefband der alten Broch-Ausgabe, Zürich: Rhein-Verlag, 1975, abgekürzt mit GW 8.

[31] Vgl. Fußnote 25.

[32] Theodor W. Adorno, "Erpreßte Versöhnung", in: 'Noten zur Literatur II' (Frankfurt am Main: Suhrkamp, 1961), S. 167.

[33] Vgl. Peter Bürger, 'Theorie der Avantgarde'.

[34] Vgl. Stuart Gilberts Studie (siehe Anm. 26).

[35] G. Lukács, Probleme des Realismus I (Luchterhand-Ausgabe), S. 35, 46.

[36] Ibid., S. 42 ff.

[37] Mit ähnlichen Argumenten sprach sich auch Adorno gegen die Reportage aus. Vgl. Fußnote 32.

[38] Die Fruchtbarkeit des Begriffs "Realitätsvokabel" für die Realismustheorie unterstreicht Viktor Žmegač in seinem Aufsatz "Ästhetik und Romantheorie bei Hermann Broch", in: ders., 'Kunst und Wirklichkeit. Zur Literaturtheorie bei Brecht, Lukács und Broch' (Bad Homburg v.d.H.: Gehlen, 1969), S. 51 ff. Im Gegensatz zu ihm wertet Siegel Brochs Beitrag zur Reportage-

Diskussion gering ein. Vgl. Christian Siegel, 'Die Reportage' (Stuttgart: Metzler, 1978), S. 80 ff.

[39]G. Lukács, "Es geht um den Realismus", in: H.-J. Schmitt (Hrsg.), a.a.O., S. 227-228.

[40]Karl Kraus, in: 'Die Fackel, 890-905', S. 2.

[41]Vgl. Jochen Schulte-Sasse, "Autonomie als Wert. Zur historischen und rezeptionsästhetischen Kritik eines ideologisierten Begriffs", in: Gunter Grimm (Hrsg.), 'Literatur und Leser. Theorien und Modelle zur Rezeption literarischer Werke' (Stuttgart: Reclam, 1975), S. 101-118.

[42]Vgl. Christa Bürger, 'Der Ursprung der bürgerlichen Institution Kunst. Literatursoziologische Untersuchungen zum klassischen Goethe' (Frankfurt am Main: Suhrkamp, 1977).

[43]Vgl. P.M. Lützeler, "Hermann Broch und Karl Kraus. Zum Zusammenhang von Kritik und Utopie in der modernen Satire", in: 'Modern Austrian Literature', 8/1-2 (1975), S. 211-239.

[44]G. Lukács, 'Theorie des Romans' (Berlin: Luchterhand, 1965), S. 10.

[45]Den Beginn der künstlerischen Avantgarde im allgemeinen sieht auch Renato Poggioli in der europäischen Romantik. Vgl. R. Poggioli, 'The Theory of the Avant-Garde' (Cambridge: Harvard University Press, 1968). Was die französische Literatur betrifft, setzt allerdings John Weightman die Anfänge der Avantgarde in der Aufklärungszeit des 18. Jahrhunderts fest, wobei er ähnliche Kriterien wie Lohner gelten läßt. Er geht davon aus, daß die französische Literatur früher als andere Nationalliteraturen die historischen und kulturellen Umbrüche erfaßt und gestaltet habe. Vgl. John Weightman, 'The Concept of the Avant-Garde' (La Salle/Illinois: Library Press, 1973), besonders S. 22 ff.

[46]Jost Hermand/Frank Trommler, 'Die Kultur der Weimarer Republik'. München 1978, S. 156 ff.

[47]Vgl. Wolfgang Iser, "Der Archetyp als Leerform. Erzählschablonen und Kommunikation in Joyces 'Ulysses'". In: Manfred Fuhrmann (Hrsg.), 'Terror und Spiel. Probleme der Mythenrezeption'. München 1971, S. 702 ff.

[48]Vgl. Wilhelm Emrich, "Symbolinterpretation und Mythenforschung. Möglichkeiten und Grenzen eines neuen Goetheverständnisses". In: W. E., 'Protest und Verheißung'. Bonn/Frankfurt am Main 1963, S. 86.

[49]Oswald Spengler, 'Der Untergang des Abendlandes'. München 1963, S. 512 ff.; Hans Schwerte, 'Faust und das Faustische'. Stuttgart 1962, S. 9; Theodore Ziolkowski, "Der Hunger nach

dem Mythos. Zur seelischen Gastronomie der Deutschen in den zwanziger Jahren." In: Reinhold Grimm/Jost Hermand (Hrsg.), 'Die sogenannten zwanziger Jahre'. Bad Homburg 1970, S. 186.

[50]Dorrit C. Cohn, 'The Sleepwalkers. Elucidations of Hermann Broch's Trilogy', The Hague 1966, S. 67, 72.

[51]Ernst Bertram, 'Nietzsche. Versuch einer Mythologie'. Berlin 1922, S. 9, 51, 45, 8, 105.

[52]Th. Ziolkowski (vgl. Anm. 49), S. 181, und Robert Weimann, "Literaturwissenschaft und Mythologie." In: R. W., 'Phantasie und Nachahmung'. Halle/Saale 1970, S. 112 ff.

[53]Im "Huguenau" spielen wie in den übrigen Romanteilen nicht nur mythologische und literarische, sondern auch historische Anspielungen eine wichtige Rolle. Siehe dazu den vierten Beitrag in diesem Band.

[54]Stuart Gilbert. (Vgl. Anm. 26).

[55]Theodore Ziolkowski, "The Odysseus Theme in Recent German Fiction". In: 'CL', 14 (1962), S. 226.

[56]Zitiert wird in der Folge nach: Homer, 'Die Odyssee'. Deutsch von Wolfgang Schadewaldt, Reinbek 1958.

[57]Theodore Ziolkowski, "Some Features of Religious Figuralism in Twentieth-Century Literature". In: Earl Miner (Hrsg.), 'Literary Uses of Typology'. Princeton 1977, S. 360 ff.

[58]Vgl. Hartmut Steinecke, "Hermann Broch: Zeitkritik zwischen Epochenanalyse und Utopie". In: Hans Wagener (Hrsg.), 'Zeitkritische Romane des 20. Jahrhunderts'. Stuttgart 1975, S. 76-96.

Nachbemerkung: Bei dieser Studie handelt es sich um die Zusammenfassung von drei gekürzten Aufsätzen, die unter folgenden Titeln erschienen: "Broch, Lukács und die Folgen", in: 'Modern Austrian Literature' 13/4 (1980). Special Hermann Broch Issue, S. 99-120; "Hermann Broch und Georg Lukács: Zur Wirkungsgeschichte von James Joyce", in: 'Etudes Germaniques' 35/3 (1980), S. 290-299; "Lukács' 'Theorie des Romans' und Brochs 'Die Schlafwandler'", in: 'Hermann Broch und seine Zeit', hg. v. Richard Thieberger (Bern: Peter Lang, 1980), S. 47-59.

HITLER ALS METAPHER: FASCHISMUSKRITIK IM EXILROMAN

Einem derart brutalen Phänomen wie dem des Nationalsozialismus, so konstatiert Karl Kraus, ist überhaupt nicht mit den Mitteln der Dichtung beizukommen. Dieser Bewegung gegenüber, die "zum erstenmal der politischen Phrase die Tat, dem Schlagwort den Schlag entbunden" habe, sei es unmöglich, "im Schutz der Metapher [...] die Stirn zu bieten". Kraus lehnt eine antinationalsozialistische Literatur ab. In ihr, so argumentiert er, sei "eine Welt zurückgeblieben", in der man "immer noch wähne, die Tat lasse mit sich reden". Was Kraus formuliert, ist die Einsicht in das Ungenügen literarischer Opposition gegenüber dem Nationalsozialismus, und diese Einsicht läuft hinaus auf die Artikulation seiner Sprachlosigkeit in der Sentenz: "Mir fällt zu Hitler nichts ein."[1] Es dürfte wohl kaum einen antifaschistischen Schriftsteller geben, der in den dreißiger und vierziger Jahren nicht Phasen der Resignation durchlebt, in denen er seinen Pessimismus von Kraus auf die adäquate Formel gebracht findet. Feuchtwanger, Stefan Zweig, Döblin, Zuckmayer, Toller, Broch, Canetti - sie alle halten die schriftstellerische Tätigkeit während der Hitler-Zeit für irgendwie unangemessen.[2] Trotzdem gehen sie wie die meisten emigrierten Schriftsteller geradezu verbissen mit dem Medium der Literatur gegen den Nationalsozialismus an. Die Romanciers unter ihnen machen dabei vornehmlich von literarischen Formen Gebrauch, die schon während der Zeit der Weimarer Republik populär waren: Erstens vom historischen Roman, zweitens von der realistisch-reportagehaften Gegenwartsanalyse und drittens von der symbolisch-parabelhaften Darstellung der zeitgenössischen Situation.

Schrifsteller wie Heinrich Mann, Brecht, Feuchtwanger und Broch, die in den zwanziger Jahren die Gegenwart auf direkte Weise porträtierten und kritisierten, greifen nun im Exil zur Form des historischen Romans. Der Umgang mit diesem Genre hat verschiedene Gründe. Einer davon ist die Meinung, daß man als ins Ausland Verbannter bei der Rapidität der politischen Entwicklung nicht genügend Einblick in die innerdeutschen Vorgänge habe, um sie im Detail realistisch darstellen zu können. Das Modell dieses historischen Romans weist zwei inhaltliche Konstanten auf: Zum einen ist als geschichtliche Epoche durchweg die einer europäischen Zeitenwende gewählt, das heißt vornehmlich das Rom der Cäsaren oder das Jahrhundert der Reformation; zum anderen wird ein Konflikt zwischen freiheitlichem und tyrannischem Prinzip personalisiert in der Gegnerschaft eines humanistischen Intellektuellen zu einem diktatorischen Politiker. Brecht, Feuchtwanger und Broch lassen ihre positiven und negativen Romanhelden im alten Rom agieren; in die Reformationszeit werden sie von Stefan Zweig, Heinrich Mann, Bruno Frank und Hermann Kesten versetzt. In Brechts 'Die Geschäfte des Herrn Julius Caesar' (entstanden 1937) kommt es nicht direkt zu einer Konfrontation zwischen einem Intellektuellen und Caesar. Vielmehr wird nach dem Tode des Politikers von einem jungen Schriftsteller und Geschichtsschreiber die Biographie des Imperators kritisch recherchiert und dadurch ein Caesar-Mythos widerlegt, der während der Zeit des Faschismus Triumphe feiert. Brecht zerstört das Denkmal vom "großen Mann", wie es die heroisierende Geschichtsschreibung errichtet hat. Er zeigt die Führerfigur in ihrer Abhängigkeit von einem sozio-ökonomischen System, dessen Vertreter hinter den Handlungen des "starken Mannes" ihre Interessen zu verbergen wie durchzusetzen verstehen. Einen Geschichtsschreiber, Josephus, als humanistische Kontrastfigur zu einem römischen Caesaren, Domitian, wählt auch Lion Feuchtwanger in 'Der Tag wird kommen' (1945), dem dritten Band der 'Josephus-Trilogie'. Anders als bei Brecht steht hier nicht der Aspekt von Hochfinanz und Politik im Vordergrund, sondern das Problem der Toleranz gegenüber der jüdischen Minorität im Staat einer Großmacht. Dem Brechtschen Roman eher verwandt ist Feuchtwangers 'Der falsche Nero' (1936). Dort wird durchsichtig gemacht, wie in der römischen Provinz des "Zwischenstromlandes" ein Senator, Varro, sich einen neronischen Herrscher, Terenz, aufbaut. Zum Gegner des Tyrannen, der sich als Kaiser Nero ausgibt, entwickelt sich der christliche Prophet Johannes von Patmos. Der Dichter Vergil und der Caesar Augustus sind die Diskussionspartner in Brochs 'Der Tod des Vergil' (1945). Während der autoritäre Augustus die Freiheit der Staatsbürger als Fiktion betrachtet, betont Vergil die Notwendigkeit der Freiheit. Sie - und nicht die Politik des Augustus - sieht er als Voraussetzung für eine Regeneration des Imperiums an. Schriftsteller und Chronist wie seine klassischen Geistesbrüder ist ebenfalls Castillo in Hermann Kestens 'Ferdinand und Isabella' (1936), ein Roman, der einführt in die europäischen Mächteverhältnisse am Vorabend der Reformationsepoche. Castillo durchschaut und demaskiert den Fanatismus und die Tyrannei der spanischen Königin. Er wird als Ketzer verbrannt. In diesem Sinne tritt "ein Gewissen gegen die Gewalt" - so der Untertitel - auch in Stefan Zweigs Roman 'Castellio gegen Calvin' (1936) auf. Der humanistische Theologe Castellio, Verkünder der Gewaltlosigkeit, streitet gegen die "geharnischte und gepanzerte Diktatur" Calvins. Das Ketzerschicksal sieht ebenfalls Calvin für seinen Opponenten vor. Zweig weist auf die Geistesverwandtschaft der Humanisten Castellio und Montaigne hin. Montaigne spielt eine wichtige Rolle in Heinrich Manns 'Henri Quatre' (1935 bis 1938). Zwar scheint auf den ersten Blick in diesem Werk die Konstellationskonstante "Geist contra Macht" durchbrochen zu sein, doch ist sie indirekt auch hier gegenwärtig. Denn Henri orientiert sich an den humanistischen Ideen des Philosophen Montaigne[3] und sucht dessen Gedanken durchzusetzen gegen den Herzog von Guise, der Hitler-Figur im Roman. Anders als in den übrigen historischen Romanen ist in der Figur dieses Königs der Typ des "zuschlagenden Humanisten" gestaltet, der Geist und Macht verbindet zur "Macht der Güte".[4] Henris Verhältnis zu Spanien ist ein gebrochenes. Als Kenner der zeitgenössischen Literatur schätzt er den 'Don Quijote' des Cervantes, doch ist ihm als anti-tyrannischem Politiker Philipp II. verhaßt. Auch in Bruno Franks Opus 'Cervantes' (1934) ist Philipp Vertreter der europäischen Reaktion. Das Elend Spaniens unter dem Regiment des Habsburgers wird enthüllt durch die Aufzeichnung der Biographie des Cervantes, der wie Castillo und Henri IV. die Güte repräsentiert. In all diesen Romanen wird derjenige Grundkonflikt im historischen Modell vorgeführt, den in der Gegenwart auszutragen dem emigrierten Schriftsteller nicht möglich ist, nämlich der direkte Kampf des humanistisch-freiheitlich gesonnenen Intellektuellen gegen den Faschismus. Wird aber die zeitgenössische Problematik in eine frühere Epoche projiziert, so ergibt sich aufgrund der immanenten Beschränkung des gewählten Geschichtsmodells eine Verzerrung des aktuellen Konflikts; die historische Analogie involviert automatisch Unstimmigkeiten. Aus der beabsichtigten Darstellung der Konfrontation des Humanismus mit dem Faschismus wird durchweg die Analyse einer allgemeineren Gegnerschaft zwischen freiheitsorientierter Humanitas und diktatorischer Politik. Das Fehlen der Unmittelbarkeit beim Kampf mit dem Opponenten zieht es nach sich, daß die vorgetragene Kritik häufig nicht spezifisch genug ist. So ist die Frage, ob im historischen Roman der Emigranten "die allgemeinen Bedingungen des Nationalsozialismus und seine

Menschenauffassung"[5] verdeutlicht werden, wie es in einer neueren Studie zu diesem Thema behauptet wird. Georg Lukács kritisiert mit Recht, daß eine Reihe dieser episch-geschichtlichen Analogien "nur den unmittelbaren Gefühlen gegen den Hitlerismus Ausdruck" geben, ohne einen Beitrag zur Lösung des "Rätsels dieser Massenbewegung"[6] zu leisten.

Der Aufdeckung dieses Rätsels versuchen jene Exil-Romanciers näherzukommen, die in ihren Werken auf das historische Kostüm verzichten und Hitler-Deutschland direkt auf realistisch-reportagehafte Weise beschreiben. Anders als beim historischen Roman bestehen hier die inhaltlichen Konstanten darin, daß typische Einzelaspekte des Nationalsozialismus wie Massenwahn, kleinbürgerliche Militanz, Judenpogrome und Widerstand im Vordergrund der Schilderung stehen. Die verbreitete Massenhysterie wird dargestellt in Irmgard Keuns 'Nach Mitternacht' (1937), Hans Sahls 'Die Wenigen und die Vielen' (begonnen 1933) und F.C. Weiskopfs 'Lissy oder die Versuchung' (1937). In diesen Romanen wie auch in Walter Mehrings Satire 'Müller. Chronik einer deutschen Sippe von Tacitus bis Hitler' (1935) und Oskar Maria Grafs 'Anton Sittinger' (1937) wird besonders auf die Affinität des Kleinbürgertums zum Nationalsozialismus eingegangen. Um das Schicksal der jüdischen Bevölkerung im nazistischen Deutschland geht es in Robert Neumanns 'An den Wassern von Babylon' (1939) und Lion Feuchtwangers 'Die Geschwister Oppenheim' (1933). Widerstand und Opposition in ihren verschiedenen Formen sind Themen in Walter Schönstedts 'Auf der Flucht erschossen' (1934), Willi Bredels Konzentrationslagerroman 'Die Prüfung' (1934), Heinz Liepmanns '... wird mit dem Tode bestraft' (1935), Hermynia zur Mühlens 'Unsere Töchter, die Nazinen' (1938), Alfred Neumanns 'Es waren ihrer sechs' (1944) und Vicky Baums 'Hotel Berlin'43' (1944). Die sozio-politischen Einzelphänomene in einer Gesamtschau zu vermitteln, unternehmen Ernst Glaeser in 'Der letzte Zivilist' (1935), Anna Seghers in 'Das siebte Kreuz' (1939) und Arnold Zweig in 'Das Beil von Wandsbek' (1943). Gemeinsam ist den hier genannten Werken, daß die Reaktionen typischer Vertreter der verschiedenen Sozialschichten auf den Nationalsozialismus gezeigt werden, daß aber Hitler selbst und seine Paladine entweder gar nicht ins Blickfeld geraten oder nur am Rande in Erscheinung treten. Die Konstellation der Handlungsträger ist anders als in den historischen Romanen. Eine direkte Kollision von "Geist und Macht" bzw. "Gewissen und Gewalt" auf quasi höchster intellektueller und politischer Ebene gibt es nicht. Die Absicht, die dem historischen Roman zugrundeliegt, nämlich mit der Darstellung tyrannischer Herrscher Facetten der faschistischen Führerfiguren kritisch zu erfassen, tritt hier in den Hintergrund. So die Regel. Ausnahmen von dieser Regel gibt es kaum. Freilich geht es in Ernst Weiss' 'Der Augenzeuge' (beendet 1939) unmittelbar um die Person Hitler. Zentrales Thema des Romans ist jedoch die psychologische Analyse des jungen Lazarett-Hitlers in Pasewalk und weniger die des Führers im "Dritten Reich". Insgesamt gesehen vermitteln die ihrer Intention nach realistischen Beschreibungen Hitler-Deutschlands ein detaillierteres Bild vom Nationalsozialismus,[7] als es die historisch-modellhaften Darstellungen zu tun vermögen. Doch merkt man auch vielen Exemplaren dieser Gattung an, daß es sich nicht um Augenzeugenberichte handelt. Ihnen liegen häufig Vorstellungen zugrunde, die noch geprägt sind durch die Erlebnisse im Deutschland der Weimarer Republik.[8]

Eine dritte Gruppe von Romanschriftstellern im Exil geht die Deutung des Phänomens Nationalsozialismus mit symbolisch-parabelhaften Erzählmitteln an. Sucht man nach inhaltlichen Konstanten, so fällt auf, daß die Zeit der Handlung stets die Periode des sich etablierenden europäischen Faschismus ist, und daß die Ortsangaben sowie die Namen der Personen durchweg symbolisch-fiktiv sind. Der Vorzug gegenüber dem historischen Roman liegt darin, daß auf den aktuellen zeitgenössischen Geschehensrahmen nicht verzichtet wird. Verglichen mit der realistischen Darstellung ist es hier leichter, komplexe Vorgänge auf einfache Handlungsverläufe zu reduzieren, bzw. in den Aktionen symbolischer Figuren zu verdichten. Gestaltet im Sinne der Kritik am nationalsozialistischen Führer ist Llalado in Walter Mehrings 'Die Nacht des Tyrannen' (1937) und Hitler in Fritz von Unruhs 'Der nie verlor' (beendet 1944). Mehrings Llalado ist ein faschistischer Politiker, der mit Hilfe seiner paramilitärisch organisierten "Lilahemden" an die Macht kommen will. Als Verkörperung des "Ur-Bösen" und als Personifikation des "Dämonischen" ist Hitler in Unruhs 'Der nie verlor' eher eine allegorische Konfiguration des Diktators. Der politische Aufklärungswert des Romans ist damit sehr beschränkt. Diese beiden Werke sind mit der Hervorhebung einer Hitler-Figur den historischen Romanen nicht unähnlich. Näher verwandt mit den realistisch-reportagehaften Beschreibungen sind dagegen jene symbolischen Erzählwerke, deren Personen Träger von

Wesenszügen spezifischer sozialer Gruppen sind. Für einen Großteil des deutschen Militärs steht Horváths namenloser "Soldat" in 'Ein Kind unserer Zeit' (1938). Vom gleichen Autor wird die junge, dem Faschismus verfallende Generation kritisch porträtiert in 'Jugend ohne Gott' (1938). Bei der Analyse der "deutschen Seele" diagnostiziert Thomas Mann einen dämonisch-apokalyptisch-selbstzerstörerischen Krankheitserreger, den er als Ursache ihrer Anfälligkeit für den Faschismus zu erkennen glaubt. Die Personifikation dieses Teutonisch-Dämonischen ist Leverkühn im 'Doktor Faustus' (begonnen 1943). In diesem Roman werden bekanntlich einige Streiflichter geworfen auf die Affinität einer bestimmten irrationalistischen Richtung der bürgerlichen Philosophie und Kunst zum Nationalsozialismus. Man denke an die Diskussionen des Kridweiß-Kreises und an Leverkühns letztes Werk, die Kantate "Dr. Fausti Weheklag".[9] Die Allegorie zweier Seelen in der Brust des deutschen Volkes entwirft Hermann Kesten in 'Die Zwillinge von Nürnberg' (abgeschlossen 1945): Die beiden Schwestern Uli und Primula symbolisieren das "gute" und das "böse" Deutschland; Primula schließt sich dem Nationalsozialismus an, Uli dagegen emigriert. Von einem politischen Deutungsversuch des Hitlerismus kann hier wegen der Tendenz zur Dämonisierung wie bei Thomas Mann und Unruh kaum die Rede sein. Das einzige symbolisch-parabelhafte Erzählwerk und einer der wenigen antifaschistischen Romane überhaupt, die sowohl das Phänomen Hitler wie die Bedingungen seiner Massenbewegung untersuchen, liegt mit Hermann Brochs 'Die Verzauberung' (beendet 1936) vor.

Stellt man sich die Frage, welche der drei von den Emigranten gewählten Romanformen wohl die adäquateste Faschismusanalyse leistet, so fällt eine Antwort schwer. Die Entscheidung für die eine oder andere Gattung hängt davon ab, welchen Aspekt der Kritik man für besonders wichtig erachtet. Die Darstellung der politischen Führung bekommen - trotz historischer Verfremdung - insgesamt die Verfasser geschichtlicher Romane besser in den Griff als die Autoren der reportagehaften Beschreibungen. Die Reaktionen der verschiedenen Sozialgruppen auf den Faschismus werden dagegen in den realistischen Romanen meistens umfassender porträtiert als in den epischen Historiengemälden. Beide Aspekte könnten potentiell im symbolisch-parabelhaften Werk verbunden werden, doch geschieht dies faktisch selten. Einen dieser seltenen Fälle stellt der Roman 'Die Verzauberung' von Hermann Broch dar, und ihm gilt daher die folgende Analyse.

Seinen Antifaschismus äußert Broch bereits 1932, also schon vor der Machtergreifung der Nationalsozialisten. In dem Aufsatz "Leben ohne platonische Idee" erkennt er "den verbrecherischen Charakter der Zeit" darin, daß sie wünsche, einem "Diktator bis zur tiefsten Erniedrigung schweigend Gefolgschaft zu leisten." Und in dem 1934 gehaltenen Vortrag "Geist und Zeitgeist" charakterisiert er den faschistischen Jargon als "den fürchterlichen Lärm der Stummheit, der den Mord begleitet". Diese Rhetorik kenne "keine Zwiesprache, kein Argument, kein Gegenargument" mehr, sie stamme "nicht aus den Sphären des Intellekts", sie "überzeuge nicht", sondern stehe "im Dienst des Glaubens an die Macht" und reiße "hin zu Irrsinn, zu Taumel, [...] Vernichtung und Mord".[10] Die nationalsozialistische Politik und die massenwahnartigen Verfolgungen aus rassischen und politischen Gründen sind es, die Broch 1935 zur dichterischen Gestaltung und Analyse faschistischer Demagogie und massenpsychotischen Geschehens in seinem Roman 'Die Verzauberung' veranlassen.

Daß es sich bei Hermann Brochs 'Die Verzauberung'[11] um eine Auseinandersetzung mit dem Hitlerismus handelt, ist in der Broch-Sekundärliteratur oft betont worden. Eine detaillierte Beschreibung der politischen Aussage dieses Romans liegt bisher aber noch nicht vor. In diesem Zusammenhang geht es uns vor allem um eine Analyse von Ideologie und Praxis der beiden faschistischen Führerfiguren des Romans, Rattis und Wenzels.

Marius Ratti ist die Romanfigur, die in der Broch-Forschung ständig mit Adolf Hitler verglichen wird. Sie weist in der Tat eine große Ähnlichkeit mit dem NS-Diktator auf: Seine Gemeinschaftsideologie, sein irrationalistischer Blut- und Bodenmythos, sein antikapitalistischer Affekt, seine anti-erotische Gesinnung, sein Militarismus, sein Selbstverständnis als religiöser Erneuerer und Erlöser, sein Appell an die Opferbereitschaft, seine Rhetorik und Propaganda, die Behauptung des Führerprinzips, die Behandlung der Massen, sein Bündnis mit den Oberschichten, sein Terror Andersdenken gegenüber und die Verfolgung von Minoritäten – all diese Momente sind Bestandteile faschistischer Theorie und Praxis. Ratti verkündet: "Das Volk ist immer gerecht" (163). Die Zweckgerichtetheit der Volks-Mythisierung scheint durch, wenn er sich mit "Volkes Stimme" (163) identifiziert. Angestrebt werden soll nach Ratti eine "Gemeinsamkeit", in der "alle für einen [...] einstehen" (392). Der Weg zu dieser Gemeinschaft als dem "neuen Reich" (329) sei verbunden mit Opfern. Die Parallelität zu den Ideen von der Volksgemeinschaft[12] im "neuen" oder "dritten Reich", das unter der Parole "Gemeinnutz geht vor Eigennutz"[13] aufgebaut werden sollte, ist offensichtlich. In beiden Fällen werden die bestehenden sozialen Konflikte durch die Phrasen von der "Gemeinschaft" nicht beseitigt, sondern nur verdeckt. Im Zusammenhang mit der Volksgemeinschaft steht die Rasse- bzw. Blut-Ideologie. Ratti plädiert dafür, das "schlechte" und "schuldige Blut" (249) aus der "Gemeinschaft" auszuschließen. Er bezeichnet es als ein Resultat der "Religion der Feigheit", die Schwachen "gesund zu pflegen", denn "was gebrochen" sei, "soll zugrunde gehen" (409). Das liest sich wie eine Paraphrase bestimmter Stellen aus 'Mein Kampf', wo davon die Rede ist, daß "die Sünde wider Blut und Rasse die Erbsünde dieser Welt ist".[14] Wo vom Völkischen und vom Blut geraunt wird, da findet man auch an "Boden"-Sätzen Geschmack. "Wem die Liebe zum Boden fehlt", so schwadroniert Ratti, "der ist kein Mensch, der schändet die Erde, [...] den muß man fortscheuchen" (404). Die Glorifizierung alles Agrarischen hat Ratti ebenfalls mit Hitler gemeinsam. Ratti wünscht eine regressive Utopie zu realisieren, deren wichtigstes Merkmal die Rückkehr zu vorkapitalistischen Zuständen ist. Er doziert darüber: "Aus der Erde wächst der Mensch, aus der Erde wächst die Gemeinschaft, eine einzige Gemeinschaft wäre die Welt, wenn es nur Bauern gäbe ... aber die Städte stehen außerhalb jeder Gemeinschaft, weil [...] sie die Erde verloren haben" (404). Die Bauern im Dorf versucht Ratti davon zu überzeugen, daß der "Maschindrusch Sünde ist" (81). Die gleiche Angst vor "amerikanischer Technik" und "anonymer Verstädterung" beherrscht auch Hitler.[15] Ratti hat sich dem faschistischen Ideal der Unterdrückung der Sexualität und der damit verbundenen Idee der Umwandlung sexueller Energie zum Nutzen der "Gemeinschaft" verschrieben. "Alle Krankheiten kommen von der Unkeuschheit" (89), so deutet er die Übel der Welt. Erst wenn "die Hurerei" (89) aufhöre und die Menschen "keusch leben", könne "es auf der Welt besser werden" (9). Aufgrund dieses Anti-Sexualismus wird Ratti als impotent bezeichnet, ein Gerücht, das auch über sein Vorbild Hitler im Umlauf war. Zur Kompensation für den Lustverzicht bieten Ratti wie Hitler ihren Anhängern ekstatisch-orgiastische Gefühle bei Massenveranstaltungen. Als quasi Religionsersatz will Ratti seine Weltverbesserungslehren verstanden wissen. Als er aus taktischen Gründen an einem Gottesdienst teilnimmt, ist "Rebellion in seiner Haltung" (51).[16] Von seinen Gefolgsleuten verlangt er, daß sie ihm einen unbedingten "Glauben" (87) schenken, den er sich durch "Treue-Eide" (190) bestätigen läßt. Systematisch sucht er den Einfluß der Kirche zurückzudrängen. Die "Bergkirchweih", die auf heidnische Bräuche zurückgeht, baut er als Konkurrenzveranstaltung zu dem kirchlichen Fest auf. Auch Hitler verstand seine Weltanschauung nicht lediglich als parteipolitische Überzeugung. In 'Mein Kampf' betont er, daß die "nationalsozialistische Weltanschauung" die Dimension einer Religion habe, und daß sie wie eine solche "ihre Unfehlbarkeit"[17] proklamieren müsse. In der Forschungsliteratur zum Nationalsozialismus ist der Aspekt der Ersatzreligion schon häufig herausgestellt worden.[18] Mit ihrer bewußt anti-christlichen Einstellung und ihrer ständigen "Aufforderung zum Haß" (22) sind Ratti und Hitler Propheten des Hasses. In beiden Fällen handelt es sich um eine Projektion von Angst nach außen.[19] Beide fürchten die christliche Liebeslehre sowie alle grundlegenden Errungenschaften des neuzeitlichen Emanzipationsprozesses: die Demokratisierung, die Frauenemanzipation, die Auflösung der rigiden Sexualmoral, die Rassenmischung, die Industriealisierung und das Großstadtleben.[20] Ratti und Hitler bleibt nur der Rekurs auf eine Minderheit, der als Sündenbock die Verantwortung für diese "Übel" angelastet wird. Haß und Angst als die Wurzeln des Hitlerschen Weltanschauungsgemischs gilt es im Auge zu behalten. Sie sind es, die diese Ideologie zu einer eigentlich operablen in dem Sinne machen, daß Teile von ihr ausgeschaltet, verändert oder völlig verkehrt werden können. Je nachdem, wie sich die Ursachen der Angst verändern und die Projektionsziele des Hasses verlagern, so wechselt - gewissermaßen opportunistisch - auch die Hitlersche Ideologie. Hier liegt die Ursache von Hitlers Prinzip, sich, wie der NS-Führer es selbst ausdrückt, "an gar keine Prinzipien"[21] zu halten. Ähnlich verhält es sich mit Rattis Überzeugungen. Für Ratti und Hitler erweisen sich z.B. der anti-industrielle Affekt und der Haß auf das Großstadtleben als inoperabel, und entsprechend kommen sie im Lauf der Zeit auf diese Themen immer weniger zurück.[22] Letzten Endes geht es beiden um die Macht, um die Verdrängung der Angst und um die Ermöglichung der Entladung von Haß durch Macht.[23] Die Ausdehnung der Macht um jeden Preis und mit allen - auch den verlogensten und inhumansten - Mitteln ist sowohl Rattis wie Hitlers Ziel. Der Weg zur Macht ist bei beiden gekennzeichnet durch die Gewinnung der Massen mittels einer demagogischen Rhetorik.

In 'Mein Kampf' legt Hitler mit geradezu zynischer Offenheit die Regeln seiner Rhetorik bloß. Nur der "überragenden Redekunst einer beherrschenden Apostelfigur" könne es gelingen, die "Menschen mit blindem Glauben an die Richtigkeit einer Lehre"[24] zu erfüllen. Mit seinem "Prophetenton" (391), seinem "nach innen gewandten Blick" (391), dem "Schauspielerischen" (28) seines Auftretens, seiner "immer schriller und hysterischer" (405) werdenden Stimme und den "Reden [...] ohne Ende" (393) ist der Rhetoriker Ratti dem Demagogen Hitler nachgebildet.[25] Im Mittelpunkt von Brochs Roman steht die Wechselbeziehung von Führererwartung und Führerverhalten. Mit der Darstellung dieser Interrelation kommt der Romancier dem Erfolgsmechanismus der nationalsozialistischen Bewegung auf die Spur: Die Sehnsucht der verunsicherten Massen nach weltanschaulichem und politischem Halt will Hitler zugleich befriedigen und ausnutzen. Seine Taktik der Massenbeeinflussung ist oft beschrieben worden.[26] Noch vor seinem Auftritt soll das Publikum in einen tranceartigen Zustand versetzt sein. Mit dröhnender Marschmusik und Bierkonsum wird die Erwartungsstimmung angeheizt und das kritische Denken ausgeschaltet. Wie versteht Hitler die Masse, und was glaubt er ihr bieten zu müssen? Er sagt selbst:

> Die Massen wünschen [...] etwas, das ihnen Schauder des Entsetzens einjagt. [...] Der einfache Mensch von der Straße respektiert nichts anderes als brutale Kraft und Gewissenlosigkeit.[27] [...] Die Psyche der breiten Masse ist nicht empfänglich für alles Halbe und Schwache. [...] Die Aufnahmefähigkeit der großen Masse ist nur sehr beschränkt, das Verständnis klein, dafür jedoch die Vergeßlichkeit groß. Aus diesen Tatsachen heraus hat sich jede wirkungsvolle Propaganda auf nur sehr wenige Punkte zu beschränken und diese schlagwortartig solange zu verwerten, bis auch bestimmt der letzte unter einem solchen Worte das Gewollte sich vorzustellen vermag.[28]

In dieser zynischen Art geht auch Ratti mit der Masse um. Seine beiden öffentlichen Auftritte finden in Bierdunstatmosphäre statt, zunächst im Wirtshaus, dann während der Bergkirchweih. Das ständig wiederholte Reizwort "Gold" ist es, das im Wirtshaus seine Wirkung tut, und das Losungswort "Opfer" hat während der Bergkirchweih den Effekt eines springenden Funkens, der die massenwahnartige Atmosphäre zur explosiven Entladung bringt. Die Bergkrichweih, ehemals "ein harmloses Volksfest mit etwas Hoppsasa und Mummerei" (104), läßt Ratti durch seine Gehilfen in eine Art Veitstanz umfunktionieren. Nachdem derart die rationale Sphäre der Beteiligten ausgeschaltet ist, taucht Ratti auf und schreit, gleichsam Hitlersche "Schauder des Entsetzens einjagend" in die Menge: "Fürchtet euch! [...] Ich bin der Blitz, entsendet zu töten" (326/323). Durch seine Blut- und Bodenanschauung hat sich bei Ratti die Idee des "reinen Opfers" festgesetzt, wodurch die "Erde" wieder versöhnt werden müsse. Im Zustand der Hysterie läßt sich die Menge dazu hinreißen, ihm das barbarische Menschenopfer abzuverlangen. "Das Opfer, das Opfer. [...] Tu's! brüllte [...] die Menge" (320/322). Im Rausch des Massenwahns tötet der Schlächter des Ortes ein als "Opfer" ausgewähltes junges Mädchen. Nach dem Mord verfliegt der Wahn. "Eine sonderbare Leerheit [...], Ermattung und Enttäuschung" erfaßt die Menge, die nunmehr, da die rationale Sphäre wieder wirksam wird, unfähig ist, "den Sinn eines Irrsinns zu erfassen" (336). Im Zustand dieser Ernüchterung fühlt sich die Menge "betrogen" um die erhoffte "Erlösung" und "zurückgestoßen in das Vorherige" (333). Da Ratti dies weiß, muß er immer wieder die Erwartungen der Menge mit ständig neuen Versprechungen steigern. Auch damit ähnelt er seinem Modell Hitler.

Die Analyse des Nationalsozialismus in Brochs Roman beschränkt sich nicht auf die Darstellung des Verhältnisses von Demagoge und Masse, sondern bemüht sich, jene Bevölkerungskreise darzustellen, welche sich der faschistischen Bewegung anschließen oder entgegensetzen. Dabei wird auch nach den Gründen für die jeweilige Unterstützung und Opposition gefragt. Bejahung und Verneinung des Faschismus werden gesehen in Abhängigkeit von der sozialen bzw. sozialpsychologischen Situation. Wie Hitler hat auch Ratti seine Gehilfen. In 'Die Verzauberung' ist Wenzel - nomen est omen - der "Wenzel" im Rattischen Spiel um die Macht. Er verkörpert die aus dem Skatspiel bekannten vier "Wenzel" (= "Buben" = "Unter"). Es fällt nicht schwer, in ihm Züge der vier Hitler-Paladine Goebbels, Göring, Röhm und Himmler zu erkennen. Mit seiner Zwergenfigur und seinem großen Mundwerk ist er äußerlich Goebbels[29] nachgebildet, mit dem er auch eine besondere Leidenschaft für das andere Geschlecht teilt; in seiner militärischen Eitelkeit erkennt man die Görings; Führer einer paramilitärischen Einheit ist er wie Röhm - wie dieser wird er später auch fallen gelassen - ; und wie Himmler ist er ein "erbarmungsloser Verfolger" und "Henkersknecht" (152). Besonders groß ist Wenzels Ähnlichkeit mit Goebbels.[30] Seine Hörigkeit gegenüber Ratti (vgl. 194), sein "Zynismus" (155) und seine propagandistisch-organisatorischen Fähigkeiten, die nicht zuletzt zur Steigerung des Nimbus um Ratti eingesetzt werden, machen dies deutlich. Wenzel nimmt auch die Hetzaktion gegen den Händler Wetchy auf, der im Roman für die jüdische Minorität steht. Wie Ratti beruft sich Wenzel dabei auf den Willen des Volkes, wenn er argumentiert: "So was hat's nötig, sich fortzupflanzen. [...] Ist doch besser, wenn so was gar nicht auf die Welt kommt. [...] Er belästigt doch [...] alle [...] mit seinen Versicherungen und mit seinem Radiozeugs. [...] Die Leute können eben den Wetchy nicht leiden" (153). Bei den kapitalkräftigen Gönnern der neuen Bewegung ist Wenzel bald beliebter (vgl. 179, 287) als Ratti selbst. Ratti hat, nach Wenzel zu urteilen, "immer nur Ideen"; er rede viel über das auszubeutende Gold, aber dabei "geschehe nichts" (195). Wenzel dagegen schreitet mit seiner Garde zur Aktion, indem er den Goldbergbau eröffnet. Das jedoch bringt ihn in Konflikt mit seinem Idol. Wie Hitler über seine Paladine spottet, so macht sich Ratti über Wenzel lustig. Wiederholt äußert er mit "wegwerfender Geste [...], um die Belanglosigkeit des Themas zu unterstreichen": "Ach, der Wenzel ... (88) [...] Der Wenzel ist ein Hanswurst" (162). Wenzels Alleingang bei der Goldsuche scheitert, denn es geschieht ein Bergunglück. Er selbst wird schwerverletzt und ist von nun an aktionsunfähig. Als Ratti ihm vorwirft: "Du hast das Verbrechen begangen, du hast mir nicht gehorcht" (390), antwortet Wenzel mit der Verbalinjurie "Scheißkerl" (390). Damit ist der Bruch zwischen ihnen besiegelt.[31] Die Parallele zum sogenannten Röhm-Putsch ist offensichtlich. Auch dort ging es dem Führer der paramilitärischen Einheit der Bewegung darum, die Revolution selbst in die Hand zu nehmen. Nach dem Scheitern dieses Versuchs blieb die SA ebenfalls aktionsunfähig.

Bis ins Detail ist die Wenzel-Garde der nationalsozialistischen SA nachgebildet. Die Aufgabe der Garde besteht für Ratti darin, die Dorfjugend für seine Ideen zu gewinnen, den Massenwahn mitzuinszenieren, militärische Übungen abzuhalten und die Minorität zu verfolgen bzw. zu verjagen. Eine Ansprache Wenzels an seine Garde liest sich wie die Rede eines NS-Funktionärs im 'Völkischen Beobachter':

> Kameraden, ich weiß, daß ihr Disziplin zu halten versteht. [...] Vergeßt nicht, daß ihr einen Eid geschworen habt, einen

heiligen und freiwilligen Eid, und daß jeder eine Sau ist, der einen Eid bricht, eine Sau, die man absticht. [...] Die Zeit der Tat kommt heran. Der Tag der Vergeltung. Der Tag der Rache. Und dann wehe unseren Feinden. Freilich, wenn ihr feige Säue sein wollt, so ist es besser, wenn ihr gleich wieder heimgeht. [...] Es ist bequemer herumzuhuren, als seine Pflicht zu tun. Wenn einer lieber huren will, soll er sich am besten sofort melden. Wir lassen ihn ohne Bedauern gehen. [...] Schön. Es meldet sich keiner. Es tut mir leid, daß der Marius nicht da ist. Er hätte sich über euch gefreut. (190-191)

Hier wird zum Haß aufgerufen und werden Feindbilder aufgestellt. Die Lust an einem militärischen Dienst in "Disziplin" und "Treue", die Unterwerfungsgelüste unter die Autorität des Führers sollen - wie im Faschismus üblich[32] - die Kompensation für den sexuellen Verzicht bieten. Die Verlogenheit dieser anti-sexuellen Haltung wird deutlich durch die Benutzung des pornographischen Vokabulars. Der militante Kampf- und der sexuelle Krampfgeist spricht ferner aus dem Marschlied der Wenzel-Garde. Es erinnert an solche NS-Lieder wie Hans Friedrich Bluncks "Die Gassen hallen von unseren Schritten" oder "Es zittern die morschen Knochen" von Hans Baumann.[33] Die Wenzel-Garde singt:

Wir sind Männer, keine Knaben
Unsern Boden soll kein andrer haben
Wir fluchen Händlern und Agenten
Sie tun unsern Boden schänden
Wir Jungen die Zukunft in Händen halten
Ehren die Väter, hassen die Alten
Tapfer treu und keusch und rein
Im Sonnen- wie im Mondenschein.(189)

Der Aspekt des Fremdenhasses bzw. des Antisemitismus kommt besonders kraß in dem Vierzeiler zum Ausdruck, den Wenzels "Bande" (339) in der "Schreckensnacht" (344) grölt, als sie Wetchy "zuschanden schlägt" (344) und sein Haus demoliert:

Wer hat dich gerufen
du blöder Agent
stiehlst du unser Geld,
so geht's jetzt zu End. (339)

Aus ihren Liedern und Aktionen wird ersichtlich, wes Geistes Kind die Jugend der Wenzel-Garde ist. Sie entspricht den Vorstellungen, wie Hitler sie sich von der unter seiner Regierung aufwachsenden jungen Generation macht. Hitler sagt:

> Meine Pädagogik ist hart. [...] Eine gewalttätige, herrische, unerschrockene, grausame Jugend will ich. [...] Wissen ist Verderben für meine jungen Leute. [...] Sie brauchen Disziplin, sie dürfen keine Todesfurcht kennen.[34]

Als bei dem Bergwerksunglück ein Mitglied der Garde tödlich verunglückt, nimmt Ratti die Gelegenheit wahr, diesen Sterbefall als Heldentod, als Opfer für die Sache der Bewegung zu feiern. In dieser an die Mutter des Gardisten gerichteten Rede heißt es:

> Härmt Euch nicht, Mutter, denn Euer Sohn ist für eine große Sache gefallen, und nicht nur wir, die wir hier um Euch herum sind, auch unsere Kinder und Kindeskinder werden seines Heldentodes in Dankbarkeit gedenken. [...] Und wenn der Bergbau blühen wird, dann sollt auch Ihr, die jetzt um Euren tapfern Sohn so trauert, nicht vergessen werden ... jeder weiß, was er Euch schuldig ist. [...] In jedem Stück Gold wird sein Name blinken. (392/393)

Die gleiche schamlose Ausnutzung von Todesfällen zur Verfolgung der subjektiven Machtinteressen, verbrämt mit den selben sentimentalen Floskeln finden sich in Ansprachen Hitlers, der ja geradezu einen "Todeskult"[35] betrieb. Die Skizze, die Broch von der Wenzel-Garde entwirft, ist eine Umrißzeichnung von der faschistischen Jugend, wie sie in den paramilitärischen Gruppen und NS-Bünden organisiert war. Zu Recht räumt er ihrer Behandlung eine zentrale Stelle im Roman ein, denn die Jugend war für den Faschismus die wichtigste Zielgruppe, die es zu gewinnen und zu fanatisieren galt.[36]

Von Wenzel läßt Ratti sich einen Wehrverband als Drohmittel und als Voraussetzung der Massenbasis aufbauen. Er selbst knüpft Kontakte zu den einflußreichsten und kapitalkräftigsten Dorfbewohnern. "Der eigentliche Beherrscher der Gemeinde" (51) ist der Großbauer, Jagdinhaber, Sägemühlenbesitzer und Erste Gemeinderat Robert Lax. Über Rattis anti-industriell ausgerichtete Predigten gegen den Maschindrusch macht er sich lustig und bezeichnet ihn deswegen als "einen hundsföttischen Narren" (391). In Rattis Plänen, den stilliegenden Goldbergbau im Dorf wiederzueröffnen, wittert Lax aber ein Geschäft. Er beeilt sich, aus seiner Sägemühle das Stützholz dafür zu liefern (vgl. 377, 380, 389). Lax ist im Roman der Vertreter der Großagrarier bzw. der Großunternehmer. Wie jene Hitler den Weg zur Macht ebneten, weil sie sich durch dessen Expansionspolitik Profite versprachen, so wird Ratti von diesen Kreisen aus den gleichen Gründen unterstützt. Freilich verficht Broch mit seiner Darstellung nicht die orthodox-marxistische "Agenten-These", die besagt, daß Hitler ein willenloses Werkzeug des Kapitals gewesen sei. Am Ende des Romans bleibt offen, ob Lax von Ratti oder Ratti von Lax beherrscht wird. Am ehesten läßt sich mit Nolte[37] auch hier das Verhältnis zwischen Großunternehmertum und faschistischer Führung begreifen aus der Dialektik einer "nichtidentischen Identität": In den unmittelbaren Zielsetzungen gibt es zwar Interessenüberschneidungen, doch liegen die ideologischen und politischen Richtungen zu weit auseinander, als daß es auf Dauer zu einer konfliktlosen Konvergenz kommen könnte.[38]

Auch die Vertreter anderer sozialer Schichten erhoffen sich Verbesserungen ihrer Lage durch die Politik Rattis. Da sein Programm aus allgemein gehaltenen, nebulösen Versprechungen besteht, interpretiert es jeder zu seinen Gunsten um.

Die Reichen kalkulieren mit unwahrscheinlichen Profiten, und die Armen glauben vor der Erfüllung ihrer Wohlstandssehnsüchte zu stehen. Die zukurzgekommenen Alten hoffen auf phantastische Kompensationen, aber die Jugend verficht Opferbereitschaft. Die religiös Suchenden greifen zum Rattischen Mythosersatz, mit einer Stärkung seiner Position dagegen rechnet der Vertreter der Kirche. In Kriegsvorstellungen und Bluträuschen schwelgen die Sadisten, doch die Morgenröte eines Reiches der Ordnung und Gerechtigkeit scheint den Friedfertigen am Horizont der neuen Zeit aufzugehen. Zur positiven Gegenfigur bestimmt Broch eine mythische Gestalt, Mutter Gisson. Das Prinzip des Mütterlichen, Fruchtbaren und Gütigen soll der Infantilität und Zerstörungssucht, der Machtgier und dem Haß Rattis entgegengesetzt werden. Mit der Öffnung des Blicks auf eine notwendige humanere Gesellschaft in der Zukunft wird am Schluß des Romans protestiert gegen die etablierten inhumanen faschistischen Systeme.

Noch während der Arbeit an der 'Verzauberung' kommen

Broch Zweifel am Sinn der antifaschistischen Literatur. Gleich nach Abschluß des Romans schreibt er im Frühjahr 1936 an Stefan Zweig:

> Der Roman ist fertig und dürfte einige Qualitäten haben, freilich solche, die in der Relativität der Fabulierkategorie verbleiben. Die Frage wozu? warum? für wen? steht ja heute mehr denn je hinter all dieser Beschäftigung.[39]

Zwei Monate später schon ist er von der vollkommenen Überflüssigkeit dieser Tätigkeit" des Romanschreibens als Mittel antifaschistischer Opposition überzeugt. Da er "nicht fähig ist, sich Scheuklappen aufzusetzen",[40] bricht er vorläufig seine literarischen Projekte ab.

Die zunehmende Bedrohung durch den Nationalsozialismus zwingt Broch 1936, seine politische Kritik im "Schutz der Metapher" aufzugeben. 1936/37 entsteht seine antifaschistische Schrift 'Völkerbund-Resolution'.[41] Nach der Aufkündigung des Locarno-Paktes durch Hitler, nach der Annektion Äthiopiens durch Mussolini und nach der Entfesselung des Spanischen Bürgerkrieges durch Franco bleiben keine Zweifel an der Aggressionspolitik der faschistischen Politiker. Mit der 'VölkerbundResolution' strebt Broch eine Aktion der humanistisch gesonnenen europäischen Intelligenz an, die sich, vereint mit Friedensorganisationen, für eine Reform und eine Stärkung des Völkerbundes einsetzen soll. Die Schrift will ein "Gegengewicht bilden zu der humanitätsfeindlichen [...] Propaganda" der faschistischen Staaten, gegen deren "hohle Appelle" nichts mehr nottue als die "Berufung auf die Ratio, die den alleinigen Seinsgrund allen Fortschritts, aller Wahrheit und allen guten Willens bedeute".[42] Broch fordert den Völkerbund auf, gegen die Praxis der Verfolgung von Minoritäten und gegen den Emigrationszwang aus politischen und rassischen Gründen einzuschreiten.

Als Antifaschist wird Broch am 13. März 1938, also sofort nach der Annektion Österreichs, verhaftet. Ende Juli gelingt ihm die Flucht nach Großbritannien, und Anfang Oktober emigriert er von dort in die USA. Brochs Aktivitäten im amerikanischen Exil stehen vor allem im Zeichen des Kampfes gegen die Ausbreitung des Faschismus, bzw. der theoretischen und dichterischen Auseinandersetzung mit dieser politischen Bewegung. So unterschiedlich das literarische Projekt und das wissenschaftliche Vorhaben auf den ersten Blick erscheinen, so haben sie doch einen gemeinsamen Anlaß, nämlich die Erfahrung mit dem Faschismus und die Auseinandersetzung des Intellektuellen mit dem totalitären Staat. Während die 'Vergil'-Dichtung die Thematik zu entaktualisieren trachtet und sie im historischen Modell expliziert, sind die theoretischen Arbeiten zur 'Massenpsychologie' auf das aktuelle Zeitgeschehen und seine Veränderung abgestellt. Den Roman 'Der Tod des Vergil' versteht Broch als private Chronik seiner geistigen und psychischen Reaktionen auf die Bedrohung durch den Nationalsozialismus, seiner Gefängniszeit und seiner Emigration. Mit der 'Massenpsychologie' dagegen bemüht er sich um die Aufdeckung objektiver Tatbestände auf wissenschaftlicher Grundlage.

Gleichzeitig beteiligt er sich an Publikationen zur Propagierung des demokratischen Gedankens. So erscheint z.B. 1940 die Gemeinschaftsarbeit amerikanischer und emigrierter europäischer Intellektueller mit dem Titel 'The City of Man. A Declaration of World Democracy'.[43] Broch ist an der Erstellung der Schrift federführend beteiligt und verfaßt den wirtschaftspolitischen Teil des Buches. Was ihm als Alternative zu Kapitalismus und Kommunismus vorschwebt, ist der "dritte Weg" einer privatwirtschaftlichen Planwirtschaft. Sie sei die Voraussetzung dafür, daß der Demokratie ein Abgleiten in Rechts- und Linksdiktaturen erspart bleibe. In Roosevelts "New Deal"-Programm sieht er Ansätze dieses "dritten Weges" verwirklicht.

Während der Diskussionen zur 'City of Man' mit seinen Princetoner Freunden faßt Broch den Entschluß, sich dem Studium der Massenpsychologie zu widmen. Der Titel des Buches soll heißen: 'Eine Studie über Massenwahn. Beiträge zu einer Psychologie der Politik'.[44] Das Werk ist in drei Bänden geplant, wovon die wichtigsten Teile 1939 bis 1948 geschrieben werden. Die Überschrift des ersten Bandes lautet: 'Der Dämmerungsbereich'. Es handelt sich um den einführenden erkenntnistheoretischen Band, in dem es Broch um das Auffinden von Gesetzen für das Massengeschehen geht. Broch bringt in diesem Buch massenpsychische Vorgänge in Verbindung mit sogenannten "Dämmerbereichen" des Bewußtseins, die nicht durch intellektuelle Erkenntnis erhellbar seien. Das zweite Buch behandelt den psychologischen Aspekt des Projekts. Broch will Maßstäbe für normales und abnormales psychisches Verhalten finden. Während der erste Band die erkenntnistheoretische und der zweite die psychologische Seite der Studie behandelt, geht es im dritten Band um den politischen Aspekt. Vergleicht man die vorliegenden Arbeiten zu den ersten beiden Bänden der 'Massenpsychologie' mit denen zum dritten Buch, so fällt ins Auge, daß Broch in den politischen Teil des Projektes die meiste Arbeit investiert. Broch betont ständig, daß dieser Band "der wichtigste ist und in Anbetracht der Weltlage zuerst auf dem Markt sein sollte".[45] Denn, so stellt er 1942 fest: "Im Augenblick gibt es bloß einen einzigen Lebenssinn, nämlich mitzuhelfen, dem Hitlerismus einen Riegel vorzuschieben".[46] Will man einen Eindruck von Brochs 'Massenwahntheorie' bekommen, so gilt es, sich vornehmlich mit dem dritten Buch auseinanderzusetzen. Bereits im Titel ist die politische Zielsetzung des Bandes formuliert: 'Der Kampf gegen den Massenwahn (Eine Psychologie der Politik'). Das Buch teilt sich auf in einen diagnostischen ersten und einen therapeutischen zweiten Teil. Bei der Diagnose wird der Faschismus in seiner historischen Genese analysiert und seine voraussichtliche Weiterentwicklung skizziert. Broch vergleicht ihn mit anderen Totalitarismen wie dem Stalinismus, betont aber, im Gegensatz zu den Vertretern der Totalitarismustheorie, die Unterschiede zwischen den faschistischen und kommunistischen Staatsformen.

Bei dem therapeutischen Kapitel des dritten Buches stehen zwei Aspekte im Vordergrund, der propagandistische und der juristische. Damals, nämlich in den Kriegsjahren 1941 bis 1943, beschäftigt Broch die Frage, wie die Demokratie mit dem expandierenden Faschismus auf dem Gebiet der Behandlung der Massen konkurrieren, wie gegen ihre Infizierung durch den Faschismus angekämpft werden könne.

Broch sucht, ein praktikables Modell für demokratische Propaganda zu finden. Er steht in Kontakt mit dem 'Council for Democracy', einer Gruppe amerikanischer Intellektueller, welche sich 1940-42 für die Verteidigung der Demokratie und für die Gleichberechtigung der Rassen in Radiosendungen und Versammlungen einsetzt, um der stärker werdenden faschistischen Infiltration entgegenzuarbeiten. Zentraler Aspekt der Gegenpropaganda soll nach Broch der Kampf gegen das faschistische "Siegesprinzip" sein. Allgemein kann hier festgestellt werden, daß der diagnostische Teil von Brochs Faschismuskritik in der 'Massenwahntheorie' bleibenderen Wert hat als der therapeutische. Das ist verständlich, denn während die Kritik auf wissenschaftliche Distanz und umfassende Analyse aus ist, sind die Vorschläge zur Bekämpfung des Faschismus an die aktuelle Situation zu Ende der dreißiger und Anfang der vierziger Jahre gebunden.

Brochs überreizte Reaktion ist auf dem Hintergrund der Zeitverhältnisse zu sehen. Zu diesen Reaktionen sind auch seine Vorschläge zur Bildung einer "totalen Demokratie" zu zählen. Im Mittelpunkt jener Überlegungen stehen juristische Argumente. Es geht ihm darum, die Basis für eine Gesetzgebung zu finden, die von vorneherein die Etablierung von Totalitarismen unmöglich mache. Broch sieht Lücken in der Gesetzgebung der Demokratien, denn, so konstatiert er, der Faschismus habe sich im Rahmen demokratischer Gesetzgebung entfalten können. Er glaubt, daß der Demokratie geholfen wäre, wenn sie ihre Verfassungs-'rechte' (wie die der 'Bill of Rights') ergänze durch Verfassungs-'pflichten' wie etwa durch eine Bill of Duties.[47] Den letzten Anstoß zu diesen juristischen Reflexionen erhält Broch im Juni 1943 durch die Rassenunruhen in Detroit, als ihm quasi vorexerziert wird, daß Rassenkonflikte und -diskriminierungen nicht auf die faschistischen Staaten beschränkt sind. Er verfaßt den Essay "The Twenty-third and Thirty-third amendment".[48] Hierin tritt er für die Sanktionierung eines "Gesetzes zum Schutz der Menschenwürde" ein.

Die einzige dichterische Arbeit Brochs aus der Zeit des Exils, die sich direkt mit der Person Hitlers beschäftigt, ist die Mitte 1944 geschriebene fiktive Radioansprache "Hitlers Abschiedsrede" (KW 6). Was er damit anstrebe, schreibt Broch, sei die Aufdeckung der bei dem Diktator vorliegenden Kombination von Verfolgungs- und Größenwahn gewesen, die zu seinem Vernichtungswollen geführt habe. In Brochs Alterswerk, dem Roman 'Die Schuldlosen' von 1949, steht im Mittelpunkt weniger die Person Hitlers als der zu seinem Gefolgsmann prädestinierte Typus, über den es heißt:

> Romantisierend dem Gestrigen zugetan,
> doch heutigen Vorteil witternd und auf ihn bedacht,
> ein Gespenst, [...] blutrünstig in schier haßloser Sachlichkeit,
> erpicht auf Dogmen, erpicht auf geeignete Schlagworte
> und drahtpuppig von ihnen bewegt, [...]
> immer aber feigmörderisch und durch und durch tugendboldisch.[49]

Mit dem Porträt vom Studienrat Zacharias hebt Broch in den 'Schuldlosen' den Zusammenhang von Masochismus und Sadismus in ihren extremen Ausprägungen bei einem Menschen hervor, der die Befehls- und Gehorsamsmechanismen eines autoritären

Systems verinnerlicht hat. Mit Alexander Mitscherlich stand Broch zur Zeit der Arbeit an diesem Roman in einem Gedankenaustausch. Was Mitscherlich[50] als Theoretiker einer Psychologie des Faschismus zum Thema "autoritärer Charakter" sagt, hat Broch hier dichterisch gestaltet.

In den 'Schuldlosen' rekapituliert er nochmals seinen Entschluß aus der Mitte der dreißiger Jahre, beim Kampf gegen den Nationalsozialismus den "Schutz der Metapher" preiszugeben:

> Als [...] das Untier sich nahte und das Maul vollnahm, [...] verloren wir unsere Rede, [...] wer noch dichtete war ein verächtlicher Narr.[51]

Als Broch Ende der vierziger Jahre diese Zeilen schreibt, ist die aktuelle Bedrohung durch den Faschismus vorüber. Hitler muß nicht mehr mit Pamphleten, die auf Sofortwirkung aus sind, bekämpft werden. Brochs Faschismuskritik verlagert sich wieder von der politischen Theorie und Publizistik auf die Literatur. Im gleichen Jahr - 1949 - entschließt er sich, seinen 1936 wegen der 'Völkerbund-Resolution' abgebrochenen antifaschistischen Roman 'Die Verzauberung' neu zu bearbeiten und zu publizieren. Der Gebrauch des literarischen Mediums bedeutet keine Flucht mehr in den "Schutzkreis der Metapher". Denn die Gefahr durch den alten Gegner Nationalsozialismus ist nicht mehr gegeben und die Literatur wieder addressiert an ein Publikum, dessen "Tat", um mit Karl Kraus zu sprechen, "mit sich reden läßt". Wichtiger als die Kritik an der Vergangenheit ist die Warnung vor der Gefolgschaft faschistischer Systeme in der Zukunft. In den 'Schuldlosen' appelliert Broch an den Leser:

> Preise nimmer den Tod, [...]
> Habe den Mut Scheiße zu sagen,
> wenn einer um sogenannter Überzeugungen willen
> zum Mord am Nebenmenschen aufhetzt.[52]

Die Faschismuskritik des späten Broch wird wieder metaphorisch, aber metaphorisch dergestalt, daß sie zukunftsgerichteten Verweisungscharakter erhält. In diesem Sinne ist Hitler in den beiden letzten Romanen Bezugsfigur: Hitler als Metapher ist hier nicht Gegenstand einer literarischen Retrospektive, sondern Hinweis auf einen potentiell in der Zukunft heraufkommenden Faschismus.

Versucht man, Brochs theoretische und literarische Kritik

am Faschismus einzuordnen in die Hauptströmungen der Faschismuskritik der Nachkriegszeit, so stellt man fest, daß sich eine klare Zuordnung zu keiner von ihnen vornehmen läßt. Bis zu einem gewissen Grade ist er Anhänger der Totalitarismustheorie wie Arendt,[53] Friedrich und Brzezinski,[54] ohne jedoch die grundlegenden Unterschiede zwischen Faschismus und Kommunismus aus dem Auge zu verlieren. Psychologisch argumentiert er ähnlich wie Mitscherlich, ohne sich auf den psychologischen Aspekt zu beschränken. Mit Popper[55] denkt Broch in den Kategorien "offener" und "geschlossener" Gesellschaften, ohne mit ihm im Demokratiebegriff übereinzustimmen. Wie Nolte[56] kennt Broch sich aus im Sammelsurium faschistischer Ideologie, ohne die Wichtigkeit des ökonomischen Bezugsrahmens zu unterschätzen. Die wirtschaftlichen Ursachen für den Erfolg des Faschismus sind ihm so klar wie Abendroth[57] und Kühnl,[58] ohne daß er den Nationalsozialismus als logische Folge des Kapitalismus bzw. Liberalismus betrachtet. Was Broch positiv von diesen Theoretikern des Faschismus unterscheidet, ist der interdisziplinäre Ansatz. Broch beabsichtigt eine umfassende, die Gebiete der Erkenntnistheorie, Psychologie, Politologie, Soziologie, Ökonomie und Jurisprudenz einbeziehende Analyse des Faschismus. Der entscheidende Nachteil von Brochs Studien gegenüber den Arbeiten der genannten Wissenschaftler besteht darin, daß der interdisziplinäre Entwurf die Ausführungsmöglichkeiten eines einzelnen überstieg und notwendigerweise nicht über den fragmentarischen Zustand hinaus gedieh. Broch hat das selbst eingesehen und sich konsequenterweise für die Gründung einer "Internationalen Universität" eingesetzt, in der gesellschaftliche Formen wie Demokratie, Kommunismus und Faschismus auf interdisziplinärer Basis untersucht werden sollten. Der Plan wurde seinerzeit von der New School for Social Research in New York unterstützt. Weniger in ihrem fragmentarischen Vorhandensein als im Anstoß zur Weiterführung liegt somit die Bedeutung von Brochs Kritik am Faschismus. Auf theoretisch-analytische Weise kam Broch nicht zu einer umfassenden Deutung des Phänomens Nationalsozialismus. Die dichterisch-symbolische Erfassung dieser politischen Bewegung scheint mir dagegen in seinem Roman 'Die Verzauberung' auf gültigere Weise gelungen.

ANMERKUNGEN

1 Karl Kraus: 'Die Fackel', Nr. 845-846, S. 30, und Nr. 890-905, S. 153.

2 Vgl. die Beiträge über diese Autoren in dem Sammelband 'Die deutsche Exilliteratur 1933-1945', hg. von Manfred Durzak, Stuttgart 1975. Vgl. ferner Egon Schwarz und Matthias Wegner (Hrsg.): 'Verbannung. Aufzeichnungen deutscher Schriftsteller im Exil', Hamburg 1964.

3 Vgl. Ulrich Weisstein: 'Heinrich Mann. Eine historisch-kritische Einführung in sein dichterisches Werk', Tübingen 1962, S. 161 f.

4 Heinrich Mann: 'Ein Zeitalter wird besichtigt', Berlin 1949, S. 490.

5 Elke Nyssen: 'Geschichtsbewußtsein und Emigration', München 1974, S. 178.

6 Georg Lukács: 'Probleme des Realismus III', Berlin 1955, S. 415.

7 Vgl. zu diesem Thema auch Hans-Albert Walter: "Das Bild Deutschlands im Exilroman". In: 'Neue Rundschau 77' (1966), S. 437-458.

8 Auf diese Tatsache hat Gisela Berglund mehrfach hingewiesen in ihrer Studie: 'Deutsche Opposition gegen Hitler in Presse und Roman des Exils. Eine Darstellung und ein Vergleich mit der historischen Wirklichkeit', Stockholm 1972.

9 Vgl. dazu meinen folgenden Aufsatz.

10 H. Broch: 'Die Unbekannte Größe und frühe Schriften. Mit den Briefen an Willa Muir', Zürich 1961, S. 281, 289-290.

11 Hermann Broch: 'Die Verzauberung', Kommentierte Werkausgabe (KW) Bd. 3, hg. von P.M. Lützeler, Frankfurt am Main 1976. Zitiert wird in der Folge nach der Ausgabe: Hermann Broch, 'Bergroman. Erste Fassung', hg. von F. Kress und H.A. Maier, Frankfurt am Main 1969.

12 Vgl. Reinhard Kühnl: 'Formen bürgerlicher Herrschaft. Liberalismus - Faschismus', Reinbek bei Hamburg 1971, besonders das Kapitel "Ideologie: a) Gemeinschaft", S. 85 f.

13 Dieser Slogan war schon Bestandteil der frühesten Parteiprogramme der NSDAP. Vgl. Walther Hofer (Hrsg.): 'Der Nationalsozialismus. Dokumente 1933-1945', Frankfurt am Main 1957, S. 31.

14 Ebenda.

15 Vgl. Joachim C. Fest: 'Hitler. Eine Biographie', Berlin 1973,

besonders das Kapitel "Zwischenbetrachtung: Die große Angst", S. 129-151; ferner: Henry Ashby Turner jr.: "Faschismus und Antimodernismus", in: H.A.T. (Hrsg.), 'Faschismus und Kapitalismus in Deutschland. Studien zum Verhältnis zwischen Nationalsozialismus und Wirtschaft', aus dem Amerikanischen von Gabriele Neitzer, Göttingen 1972. Auch Turner spricht von Hitlers Reagrarisierungszielen als einer reaktionären Utopie. Nur ungewollt habe Hitlers Politik gewisse modernisierende Rückwirkungen auf die deutsche Gesellschaft gehabt.

[16] In der zweiten Fassung wird dieser anti-christliche Aspekt noch verstärkt, wenn Ratti die Religion als "Volksverdummung" abqualifiziert. Vgl. Hermann Broch: 'Bergroman. Zweite Fassung', a.a.O., S. 100.

[17] Adolf Hitler: 'Mein Kampf', München 1935, S. 507.

[18] Vgl. Walther Hofer: 'Der Nationalsozialismus', a.a.O., S. 121; ferner: Georg Lukács, 'Von Nietzsche zu Hitler oder der Irrationalismus und die deutsche Politik', Frankfurt am Main 1966, S. 243 f. und 253; Erhard Klöss: "Einleitung" in: E.K. (Hrsg.), 'Reden des Führers', München 1967, S. 8 f.

[19] So sieht es auch Karl Ernst Seitz in seiner Dissertation 'Das Phänomen der Angst im Werk Hermann Brochs', The George Washington University 1972. In der zweiten Fassung werden die Aspekte des Hasses und der Angst noch stärker herausgearbeitet. Die Kapitel sechs und sieben heißen dort bezeichnenderweise "Die Angst" und "Der Haß". Vgl. zu diesem Problemkomplex auch Ernst Nolte: 'Der Faschismus in seiner Epoche', München 1963, S. 486.

[20] Vgl. H.C.F. Mansilla: 'Faschismus und eindimensionale Gesellschaft', Neuwied und Berlin 1971, S. 108-109.

[21] Hermann Rauschning: 'The Voice of Destruction', New York 1940, S. 281.

[22] Karl Dietrich Bracher: 'Die deutsche Diktatur. Entstehung, Struktur, Folgen des Nationalsozialismus', besonders das Kapitel "Agitation und Organisation", S. 105 ff.

[23] Vgl. dazu besonders Hermann Rauschning: 'Gespräche mit Hitler', New York 1940.

[24] Adolf Hitler: 'Mein Kampf', München 1934, Bd. II, S. 531 f.

[25] Vgl. E. Klöss: 'Reden des Führers', a.a.O., S. 21 ff.

[26] Ebenda, S. 15 f.; ferner: 'Es spricht der Führer. Sieben exemplarische Hitler-Reden', hg. von H.v. Kotze und H. Krausnick, Gütersloh 1966, S. 32.

[27] Hermann Rauschning: 'Gespräche mit Hitler', a.a.O., S. 83.

[28]Adolf Hitler: 'Mein Kampf', zitiert nach Walther Hofer, 'Der Nationalsozialismus', a.a.O., S. 20.

[29]Goebbels-Figuren tauchen mit Boucher und Knops auch in den Exil-Romanen von Heinrich Mann ('Henri Quatre') und Lion Feuchtwangers ('Der falsche Nero') auf.

[30]Vgl. Viktor Reimann: 'Dr. Joseph Goebbels', Wien 1971.

[31]Das Zerwürfnis zwischen Ratti und Wenzel sollte nach Brochs Romanexpoŝe von 1936 in der zweiten Fassung des Romans noch krasser dargestellt werden. Ratti selbst sollte den Tod Wenzels verschulden. Vgl. Brochs Kommentar "Demeter oder die Verzauberung (Inhalt)", in: Hermann Broch, 'Die Verzauberung', a.a.O.

[32]Vgl. Alexander und Margarete Mitscherlich: 'Die Unfähigkeit zu trauern. Grundlagen kollektiven Verhaltens', München 1967, S. 33 f.

[33]Vgl. Ernst Loewy: 'Literatur unterm Hakenkreuz. Das Dritte Reich und seine Dichtung. Eine Dokumentation', Frankfurt am Main 1969, S. 253.

[34]Hermann Rauschning: 'Gespräche mit Hitler', a.a.O., S. 121, 252.

[35]Vgl. Joachim C. Fest: 'Hitler', a.a.O., S. 700 f.

[36]Vgl. Karl Dietrich Bracher: 'Die deutsche Diktatur', a.a.O., besonders das Kapitel "Die neue Erziehung und Wissenschaft", S. 284-298.

[37]Vgl. Ernst Nolte: 'Die faschistischen Bewegungen', München 1973, S. 64 f.

[38]Vgl. zu diesem Themenkreis die Edition von Henry Ashby Turner, jr.: 'Faschismus und Kapitalismus', a.a.O.

[39]Broch an Stefan Zweig, Brief vom 26.2.1936, KW 13/I, S. 391.

[40]Broch an Alice Schmutzer, Brief vom 19.4.1936, KW 13/I, S. 403.

[41]Hermann Broch: 'Völkerbund-Resolution', hg. und eingel. von Paul Michael Lützeler, Salzburg 1975. (Jetzt KW 11, S. 195-231).

[42]H. Broch: 'Völkerbund-Resolution', a.a.O., S. 11.

[43]H. Agar et al.: 'The City of Man. A Declaration of World Democracy', New York 1941.

[44]KW 12.

[45]Broch an Kurt Wolff, 12. Okt. 1947, in: Kurt Wolff, 'Briefwechsel eines Verlegers', hg. von B. Zeller und E. Otten, Frankfurt am Main 1966, S. 450.

[46]Broch an Joseph H. Bunzel, 30.Dez. 1942, KW 13/II, S. 299.

[47]Vgl. H. Broch, 'Politische Schriften', KW 11, S. 243 ff.
[48]Uv. YUL.
[49]H. Broch: 'Die Schuldlosen', KW 5, S. 238/239.
[50]A. Mitscherlich: 'Die Unfähigkeit zu trauern. Grundlagen kollektiven Verhaltens', München 1967.
[51]H. Broch, 'Die Schuldlosen', a.a.O., S. 239.
[52]Ebenda, S. 238.
[53]Hannah Arendt: 'The Origins of Totalitarianism', New York 1951.
[54]Carl J. Friedrich und Zbigniew K. Brzezinski: 'Totalitarian Dictatorship and Autocracy', Cambridge Mass., 1956.
[55]Carl Popper, 'The Open Society and its Enemies', London 1945.
[56]Ernst Nolte: 'Die faschistischen Bewegungen. Die Krise des liberalen Systems und die Entwicklung der Faschismen', München 1966.
[57]Wolfgang Abendroth et al., 'Faschismus und Kapitalismus', Frankfurt am Main 1967.
[58]Reinhard Kühnl: 'Formen bürgerlicher Herrschaft. Liberalismus. Faschismus', Hamburg 1971.

Nachbemerkung: Bei dieser Studie handelt es sich um die Zusammenfassung von zwei gekürzten Aufsätzen, die unter folgenden Titeln erschienen: "Hitler als Metapher. Die Faschismuskritik im Exilroman (1933-1945)", in: 'Akten des V. Internationalen Germanisten-Kongresses Cambridge 1975' (Bern: Lang, 1976), S. 251-257; "Hermann Brochs 'Die Verzauberung' als politischer Roman", in: 'Neophilologus' 1 (1977), S. 111-126.

FAUSTISCHE NACHKRIEGSHELDEN: ZUR ERBE-REZEPTION IN ROMANEN AUS DER DDR

I

In beiden deutschen Staaten war von "deutscher Einheit" vornehmlich während der ersten zwanzig Jahre der beiden 1949 gegründeten Republiken viel die Rede, wobei bekanntlich die wenigen praktisch-politischen Schritte zu diesem Ziel in einem auffallenden Mißverhältnis zu dem rhetorisch-propagandistischen Aufwand standen. Unverrückbarer Hemmschuh am Rad der deutschen Einheitsbestrebungen war diesseits wie jenseits der Elbe der jeweilige Alleinvertretungsanspruch. Seinetwegen waren alle deutsch-deutschen Gesamtkonzeptionen von vornherein zum Scheitern verurteilt. Schaut man sich eine Reihe von Argumenten an, mit denen Bundesrepublik und DDR den Alleinvertretungsanspruch zu motivieren trachteten, so fällt ein Paradoxon auf. Während die nach offizieller Lesart christlich-idealistisch orientierte Partei Adenauers mit höchst materialistischen und handfesten Argumenten wie Industriepotential, Landesgröße und Bevölkerungszahl aufwartete und von hier aus gefahrlos gesamtdeutsche Wahlen als probates Allheilmittel gegen die nationale Schizophrenie anpreisen konnte, fallen im Arsenal politischer Einheits-Slogans der marxistisch-materialistisch fundierten Partei Ulbrichts erstaunlich idealistische Stereotypen auf: Ihr Alleinvertretungsanspruch drapierte sich gern im literaturgeschichtlichen Gewande, und zwar nicht in proletarisch-revolutionärer Kluft mit Drillichanzug und Ballonmütze, sondern in deutsch-klassischer Toga von Goethe-Schillerschem Zuschnitt. Als Trumpf im rhetorischen Kampf um die deutsche Einheit wurde von der DDR besonders gern Goethes 'Faust' ausgespielt. Walter Ulbricht persönlich sicherte sich dieses "Faust"-Pfand gegen die Ansprüche Bonns in einem 1962 vor dem Nationalrat der DDR gehaltenen politischen Grundsatzreferat.[1] Ulbricht erklärte hier Goethes 'Faust' zu einer Art "Volksbuch" in dem Sinne, daß im zweiten Teil des Dramas die Situation der DDR als eines "freien Volks" auf "freiem Grund" visionär vorweggenommen worden sei. "Goethe", so interpretiert Walter Ulbricht, "ließ den alten Faust erkennen, daß allein die schöpferische, gemeinschaftliche Arbeit des befreiten Volkes höchstes Glück bringt." Ulbrichts exegetisches Bemühen geht aber noch weiter.

Im 'Faust II' habe Goethe nicht nur die zukünftige Rolle der DDR prophetisch verklärt, sondern auch die der Bundesrepublik voll Abscheu und Schrecken geschaut. Die Zeilen[2] aus 'Faust II':

> Ein Sumpf zieht am Gebirge hin,
> Verpestet alles schon Errungene;
> Den faulen Pfuhl auch abzuziehn,
> Das Letzte wär' das Höchsterrungene.

macht Ulbricht fruchtbar für seine militanten Abgrenzungsthesen:

> Die antinationalen und reaktionären Kräfte in der westdeutschen Bundesrepublik und in Westberlin haben aus dem von ihnen beherrschten Teil Deutschlands einen Sumpf kapitalistischer Ausbeutung, einen Herd der Kriegs- und Revanchepolitik gemacht. Dieser Sumpf, der an die Grenzen unseres sozialistischen Deutschland heranreicht, die Sicherung des Friedens hindert und die Atmosphäre verpestet, muß trockengelegt werden.

Nach dieser politischen Rollenverteilung ist für Ulbricht auch das Problem der Erbfolge geregelt, denn es leuchtet ein, daß nicht der bundesrepublikanische "Sumpf", sondern nur der deutsch-demokratische "freie Grund" als Verkörperung oder Fortsetzung dessen angesehen werden kann, was Goethe als positive Utopie vor Augen geschwebt habe. Ulbricht macht diesen Erbanspruch noch besonders deutlich dadurch, daß er sich und seine Mitbürger in der DDR als lauter Faust-Nachkommen bezeichnet, die durch ihre Arbeit gleichsam in einer Art permanentem Fortsetzungsdrama den dritten Teil des Goetheschen Werks realisieren. "Eigentlich fehlt ein dritter Teil des 'Faust'", so räsoniert Ulbricht. "Erst weit über hundert Jahre, nachdem Goethe die Feder für immer aus der Hand legen mußte", heißt es weiter, "haben die Arbeiter und Bauern der Deutschen Demokratischen Republik begonnen, diesen dritten Teil des 'Faust' mit ihrer Arbeit, mit ihrem Kampf für Frieden und Sozialismus zu schreiben." Geschmückt mit dem literarisch-politischen Topos vom Alleinvertretungsanspruch läuft Ulbrichts Rede hinaus auf die Beschwörungsformel vom "vereinten Deutschland":

> Der Sieg des Sozialismus in der Deutschen Demokratischen

> Republik und die Vereinung des ganzen deutschen Volkes in einem einheitlichen, friedliebenden, demokratischen und sozialistischen Staat wird diesen dritten Teil des 'Faust' abschließen. Und dieses Schlußkapitel [...] werden die Bürger der Deutschen Demokratischen Republik und die Bürger der westdeutschen Bundesrepublik - brüderlich vereint - gemeinsam gestalten.

In dieser Rede Ulbrichts vor dem Nationalrat finden sich indirekt oder direkt die wichtigsten Argumente der Klassik-Rezeption im allgemeinen und der 'Faust'-Interpretation im besonderen, wie sie hundertfach von DDR-Kulturfunktionären und Literaturwissenschaftlern vorweggenommen, wiederholt und variiert worden sind: Die Hochschätzung des "klassischen Erbes", die Einstufung Fausts als "positiven Helden"[3] mit Vorbildcharakter für die DDR-Bürger und die DDR als Realisierung der Goetheschen Utopie vom "freien Volk".

In Ulbrichts Ministerrunde wurden vor und nach seiner Rede 'Faust'-Zitate mit dem Gewicht von Kabinettsbeschlüssen beschwert. Johannes R. Becher hatte schon Anfang der fünfziger Jahre für sein Kulturprogramm die Parole "Vorwärts zu Goethe"[4] verkündet, und für Alexander Abusch waren 'Faust'-Aufführungen im Ost-Berliner "Deutschen Theater" Anlaß genug, Grundsatzerklärungen vor dem Staatsrat zu Goethes 'Faust' und dem klassischen Erbe abzugeben. An besagter Aufführung rügte Abusch im Herbst 1968, daß mit ihr keine "neuartige 'Faust'-Interpretation im Geiste des humanistischen Kampfes und der kühnen Prognose unserer sozialistischen Gesellschaft zustande" gebracht worden sei. Statt 'Faust' als "'optimistische Tragödie' mit der großartigen Vision des freien Volkes auf freiem Grund" darzustellen, sei das Stück leider nur als "allgemeines Drama der Menschengattung"[5] präsentiert worden. Neben den Politikern stimmten auch DDR-Wirtschaftsführer ins vaterländische 'Faust'-Lob ein. K.H. Klein zum Beispiel, Chemiedirektor der Leunawerke, stützte Ulbrichts These vom sozialistisch-faustischen Menschen, wenn er in einem Interview äußerte: "Unser Neuland ist das Wunderland der Chemie, und der Doktor Faustus ist heute nicht mehr in einem verträumten Gelehrtenstübchen anzutreffen, sondern im Messestand einer Pilotanlage."[6] Von Faust als einem "positiven Helden", einem "tätigen Patrioten" und einer zur "sozialen Gemeinschaft" entschlossenen "demokratischen Führerpersönlichkeit" ist in der Goethe-Sekundärliteratur der DDR dann allenthalben die Rede.[7] Vor allem der FDJ wurde nachdrücklich empfohlen, als sozialistischen Besitz zu erwerben, was ihnen die klassischen Väter vererbt hatten. So ist es nicht verwunderlich, daß sich in einem der offiziellen FDJ-Organe, dem 'Forum', Anfang der sechziger Jahre eine Serie von "Faust-Gesprächen" von FDJlern mit dem DDR-Germanisten Gerhard Scholz finden, und daß die FDJ Ende 1965 für Hunderte von Jugendlichen in Leipzig eine Podiumsdiskussion[8] über Goethes 'Faust' ansetzte, an der leitende Literaturwissenschaftler aus der DDR teilnahmen. Das Redaktionskollegium des 'Neuen Deutschland'[9] hatte schon 1953 die Identität von Goethes "freiem Volk" und der DDR unterstrichen. "Das höchste Glück", liest man da, habe für Goethe bestanden "in der schöpferischen Tat für das 'Kollektiv', für das 'Volk', für das 'freie' Volk auf 'freiem' Grund." Dem literarisch argumentierenden politischen Alleinvertretungsanspruch Ulbrichts korrespondiert also in der DDR-Kulturpolitik ein politisch argumentierender literarischer Alleinvertretungsanspruch. "Was in Weimar noch mehr oder weniger elitäre Idee gewesen ist", so stellt Hinderer richtig fest, wird "als Wirklichkeit reklamiert, woraus folgt, daß nur eine solche Gesellschaft Anrecht auf dieses Erbe hat."[10] Beide Ansprüche bedingen einander und werden in der Sekundärliteratur auch nicht als zu trennende behandelt. Stellen wie die folgende bei Diersen begegnen einem ständig beim Durchforsten der ostdeutschen 'Faust'-Kritik: "Da das Proletariat Träger des Menschheitsfortschritts in unserer Epoche ist, ist es auch der legitime Erbe Faustens, der sein höchstes Streben verwirklicht und zugleich weiterführt."[11] So sicher wie Diersen ist sich auch Höpcke über seine Faust-Verwandtschaft: "Hier ist Faust zu Hause. Hier bei uns, auf unserer heimatlichen Erde, die zu jenem von Faust in seinem höchsten Augenblick vorausgeahnten freien Grund wurde, auf dem ein freies Volk steht."[12] In den "Faust-Gesprächen" der FDJ ist man sich einig darüber, daß Faust "viele Züge der freien schöpferischen Persönlichkeit vorweg[nahm], wie sie massenhaft erst aus dem langen Prozeß der sozialistischen Umwälzung hervorgehen kann."[13] Auch Inge von Wangenheim meint: "Entweder gelingt es uns allen gemeinsam, eine Republik zu schaffen, in der die Schöpferkraft dieses [faustischen] Menschentyps in Ganzheit freigesetzt ist, oder aber wir werden keinen richtigen Sozialismus haben."[14]

Die Aufwertung der Goetheschen Faustfigur zum Idol des DDR-Bürgers ist wichtiger Bestandteil der forcierten Aneignung des klassischen Erbes. Bereits im Frühjahr 1951 formulierte das Zentralkomitee der SED die Aufnahme, Pflege und Fortführung des "klassischen Erbes" als Ziel seiner Kulturpolitik. In der damals gefaßten Entschließung "Über den Kampf gegen den Formalismus in Kunst und Literatur, für eine fortschrittliche deutsche Kultur" liest man:[15]

> Es ist [...] eine der wichtigsten Aufgaben des deutschen Volkes, sein nationales Kulturerbe zu wahren. Vor unseren deutschen Künstlern und Schriftstellern entsteht die Aufgabe, anknüpfend an dem kulturellen Erbe eine neue deutsche demokratische Kultur zu entwickeln.

Was hier noch als zukünftiges Ziel anvisiert wurde, wird im Januar 1963, wenige Monate nach Ulbrichts erwähnter Rede, bereits als erreicht auf der Aktivseite der DDR-Kulturbilanz verbucht. Im Programm der SED des sechsten Parteitages wird man belehrt, daß die DDR "mit der Herausbildung der sozialistischen Nationalkultur" die "bisher höchste Stufe ihrer kulturellen Entwicklung"[16] erreiche. "Sie verwirklicht die kühnsten Erziehungs- und Kulturideale humanistischer Denker aller Zeiten", so lautet dort das Fazit eines Jahrzehnts freiwillig übernommener klassisch-erblicher Belastung. Erberezeption und 'Faust'-Verehrung sind nun keineswegs Neuigkeiten in der sozialistischen Bewegung. Sie lassen sich zum Teil durch Äußerungen der Klassiker des Marxismus absichern. Als in den Tagen zwischen dem 16. und 18. Juni 1953 die sozialistische Arbeitsdisziplin ins Wanken geriet, mahnte das 'Neue Deutschland' in der Ausgabe vom 17. Juni 1953 in einem Artikel über die Rezeption von Goethes 'Faust' in der Sowjetunion, daß Faust "die wahre Volksverbundenheit" gefunden habe, und daß "die ersehnte Form dieser Verbundenheit" nur in der "kollektiven Arbeit an der gemeinsamen, jedem gleichermaßen am Herzen liegende Sache"[17] bestehen könne. Um dem Faust-Image vom volksverbundenen Kollektivisten eine höhere Glaubwürdigkeit zu verleihen, wird im gleichen Artikel darauf verwiesen, daß auf Goethes 'Faust' als dem "uns nächstem Werk" die "größten Revolutionäre unserer Zeit, Lenin und Stalin, auch Thälmann und Dimitroff, immer wieder zurückgegriffen" hätten. Ob es dem dergestalt zum vornehmsten Heiligen im literarischen Kalender der SED kanonisierten Faust gelang, erfolgreich seinen Einsatz als streikbrechender Nothelfer auszuführen, sei dahingestellt. Dahingestellt sei auch, ob Thälmann und Stalin sich als Faust-Adepten verstanden. Richtig ist sicher, daß Lenin eine gewisse Verehrung für Goethes Drama empfand.[18] Aber mehr als die in der Sekundärliteratur ständig kolportierte Geschichte, daß unter den wenigen Büchern, die er mit in die sibirische Verbannung nahm, sich Goethes 'Faust' befunden habe und die Tatsache, daß Lenin seine Reden gern mit 'Faust'-Zitaten zierte, ist uns darüber nicht bekannt. Schröder legt die 'Faust'-Verehrung Lenins dahingehend aus, daß er - wie bereits Herzen und Tschernischewski - die "über das bürgerliche Zeitalter hinausweisenden Züge von Goethes 'Faust' " als "einen Bestandteil seines eigenen revolutionären Denkens und Strebens" betrachtet habe.[19] Der Meinung war offenbar auch Gorki, denn in seinem 'Samgin'-Roman zeigt er, "wie die progressiven Bestrebungen von Goethes 'Faust', die utopische Vision seines 'höchsten Augenblicks', von der sozialistischen Arbeiterbewegung verwirklicht werden" und charakterisiert dabei Lenin als "die höchste und vollendetste Verkörperung dieses neuen Menschen."[20] Auch bei Marx zeigt sich die Vorliebe für den 'Faust' mehr indirekt als direkt. Er schmückte seine Schriften, besonders das 'Kapital', zwar gern mit Zitaten aus seinem - nach Abusch zu urteilen - "deutschen Lieblingsgedicht",[21] hat sich aber nie direkt mit dem 'Faust' auseinandergesetzt. Es ist wohl Friedrich Engels, der grünes Licht für eine ungehemmte sozialistische Aneignung des klassischen Erbes und besonders des 'Faust' signalisierte. Engels bezeichnete Goethe als den "Propheten der 'Religion der Zukunft'" und den "Kultus" dieser "Religion" als "die Arbeit".[22] Goethes 'Faust'-Dichtung galt ihm als "unerschöpflich", so daß "jede Zeit [...] sie sich aneignen" könne, "ohne sie in ihrem Wesen umzumodeln."[23]

II

Diese Aneignung ist in der DDR dann beherzt unternommen worden, nicht zuletzt in zahlreichen ihrer Erzählwerke, in denen Faust als vorbildlich positiver Held in die Diskussion gebracht wird. Geerdts macht in seiner DDR-Literaturgeschichte die zutreffende Feststellung, daß "das Bekenntnis der Schriftsteller zu den großen humanistischen Überlieferungen der National- und Weltliteratur keineswegs nur verbale Konfession" ist,[24] und Röhner erwähnt in seiner Analyse der ostdeutschen Arbeiterliteratur mit Recht, daß "Schriftsteller, die Arbeitergestalten als Schöpfer der sozialistischen Gesellschaft darstellen, auch die Traditionen aufgreifen, die die fortschrittliche bürgerliche Literatur entwickelt" habe, ja daß "im Schöpfer der sozialistischen Gesellschaft" auch "die Faust-Gestalt lebendig"[25] werde. Die künstlerische Einarbeitung der Faust-Gestalt (oder von Motiven aus der Tragödie) geschieht auf höchst unterschiedliche Weise. Sie reicht von planen Vergleichen der sozialistischen Romanprotagonisten mit Faust über die 'Faust'-Lektüre als initialem Bildungserlebnis bis zu Dialogen über oder Anspielungen auf Gestalten des Dramas. Regine Hastedt vergleicht in ihrem Betriebsroman 'Die Tage mit Sepp Zach' den Aktivisten Adolf Hennecke, der in den frühen fünfziger Jahren als Prototyp des sozialistischen "Helden der Arbeit" galt, mit Faust. Der Ich-Erzählerin des Romans berichtet Hennecke seine Biographie, deren Stationen sie an Fausts denkerische Fortschritte bei den Reflexionen über die Entstehung der Welt erinnern. Um die Verwandtschaft zwischen Faust und Hennecke zu unterstreichen, parallelisiert sie 'Faust'-Reminiszenzen mit Henneckes Lebenslauf:[26]

> Die Halde wurde zur Bühne, ich sah Faust in seinem vollgestopften Studierzimmer, eingekerkert in die Beengtheit seiner Zeit, über das Evangelium des Johannes gebeugt, philosophierend: Im Anfang war das Wort. Hennecke, ahnungslos ob meiner Gesichte, erzählt: '1946 ging ich in die Partei, wurde Schulungsreferent und sprach so gut ich es vermochte. Ich wollte die Menschen durch Worte aus ihrer Lethargie reißen.' Der Faust auf meiner imaginären Bühne philosophiert weiter: Im Anfang war der Sinn. Hennecke neben mir: 'Ich begann die Werke von Marx, Engels und Lenin zu studieren ...' Faust: Im Anfang war die Kraft! Hennecke: 'Ich arbeitete im Schacht wie nie zuvor." Und während der Faust in meiner Fantasie getrost niederschreibt: Im Anfang war die Tat!, sagte Hennecke: 'Ich war nur Werkzeug für die Sache der Ausgebeuteten. Genosse Wellershaus hatte Lenins 'Die große Initiative' gelesen. Nun brauchte er einen Mann, der bei uns den Durchbruch schaffen sollte. Er kam zu mir.

Literarisch subtiler verarbeitet findet man den ganz ähnlichen Vergleich zwischen Faust und einem Romanprotagonisten in Strittmatters 'Ole Bienkopp'. Während dem Gegenspieler Oles, Julian Ramsch, in seiner Westberliner Villa nur ein "Goethe aus Gips" als rein äußerlich-bildungsbürgerliches Dekorationsstück zugestanden wird, eignet sich Ole Goethes Erbe in einem sehr konkreten Sinne an. Kurz vor seinem entscheidenden heroischen Arbeitseinsatz, der Freilegung des Mergels, fährt er nach Weimar. "Hier haben nun", so sinniert er dort, "Faust und sein Gretchen geliebstert? Die alten Brunnen, die Erker, die Gäßchen! Wo hat denn der alte Goethe gewohnt?"[27] Er entschließt sich, zuerst Goethes Gartenhaus und danach das Haus am Frauenplan aufzusuchen. Dort entdeckt er "eine zweite Welt. Er liest alle Schilder, studiert sich durchs Altdeutsch gilbender Dokumente" und kennt "keine Langeweile mehr". Ole ist von der Vielfalt der Goetheschen Interessen und Aktivitäten begeistert: "Dieser Mann [...] hat ja nicht nur gedichtet!" so überlegt er, "Er hat Farben erforscht und Hölzer gesammelt. [...] Was hat der Goethe denn nicht betrieben?" Angeregt durch diesen Goetheschen Aktivismus und derart faustisch eingestimmt, begibt er sich nach seiner Heimkehr sogleich an sein großes Projekt, die Freilegung des Mergels. Da er keinen Bagger für die notwendigen Erdarbeiten zugeteilt erhält, entschließt er sich: "Er muß selber Bagger sein." Während er nach dem Mergel gräbt, vergleicht Strittmatter ihn mit dem "Erdgeist" aus Goethes 'Faust': "Er schaufelt und scharrt wie ein Erdgeist, ist voller Zorn; doch geduckt und bedrückt ist er nicht."[28] Der Vergleich mit dem Erdgeist bedeutet eine noch größere Erhöhung und Heroisierung des Romanhelden als die bloße Parallele zu Faust in anderen Erzählwerken. Der Erdgeist als "Welt- und Tatengenius" wird in der Goethe-Forschung der DDR als "jene Erdgottheit" verstanden, "die Geschichte und Natur als der wirkliche und echte Herr des Lebens und der Materie regierend in der Hand hat."[29] Goethes Faust ist nach Gerhard Scholz "das erste Drama in der Weltliteratur", das "buchstäblich neben den himmlischen Gott die Erdgottheit Spinozas" setzte; ja, auch der "Herr" stünde letzterdings "im Dienste des Erdgeistes."[30] Parallelisiert werden von Strittmatter auch die Szenen kurz vor dem Tod Oles bzw. Fausts, in denen Faust erblindet und Ole in einen Fiebertraum verfällt. Beiden schwebt die Vision ihres gelungenen Werkes vor Augen. Fausts Wunschgedanken über die vollzogene Landgewinnung:

> Vom Lager auf, ihr Knechte! Mann für Mann!
> Laßt glücklich schauen, was ich kühn ersann.
> Ergreift das Werkzeug. Schaufel rührt und Spaten!
> Das Abgesteckte muß sogleich geraten.

entsprechen[31] den seinen Fiebertraum durchziehenden Gedankenfetzen Oles, die beginnende Mergel-Ausbeute betreffend:

> Was laufen die Menschen zur Mergelwiese?
> Kipplohren fahren. Fuhrwerke werden beladen.
> Musik und Bravogeschrei. Bienkopp will hin.
> Sein Sieg wird gefeiert, aber er kann nicht vom Fleck.

Wie im 'Faust' ist auch in 'Ole Bienkopp' die ganz persönliche Arbeit eines einzelnen der Motor des Fortschritts, und in beiden Fällen resultiert aus der Ungenügsamkeit am Gegebenen und der Ungeduld mit dem gegenwärtigen Sosein die Tragik. Diese besteht darin, daß die Protagonisten jeweils die Voraussetzungen des Fortschritts schaffen, beim Reiben an den Hemmnissen des Fortschritts ihre Kräfte verzehren und ihnen schließlich das erreichte Ziel nur als Vision vor Augen schwebt.

Die Imitatio Fausti spielt auch eine nicht zu unterschätzende Rolle in Brezans LPG-Roman 'Mannesjahre'. Als Felix Hanusch, der Protagonist des Romans, eine Volkshochschule für die Dörfler eröffnen will, muß er sich von Rumbo, dem pragmatischen Bürgermeister und Gegenspieler Hanuschs, belehren lassen, daß das "Gequatsche [...] schlauer Intelligenzler", die die "jungen Leute von der Arbeit abhalten, um ihnen irgend so einen Goethe vorzubeten",[32] höchst unerwünscht sei. Gegen Ende des Romans drohen nach Hanuschs fehlgeschlagenen pädagogischen und literarischen Versuchen auch seine Bemühungen um die Kollektivierung der Bauernhöfe im Dorf zu scheitern. Sein "westlerisch" orientierter Bekannter mit dem bezeichnenden Namen Winfried von Grauheim legt ihm daraufhin den Selbstmord nahe mit den Worten: "Der olle Faust holte in deiner Lage den Giftbecher aus dem Regal." Damit ist Hanusch aber nur das entscheidende Stichwort geliefert, und statt zu resignieren, schöpft er aus dem 'Faust' die nötige Durchhaltekraft: "Felix Hanusch lachte [...] laut und fröhlich. Faust trank aber nicht, sondern wurde Faust."[33] Er nimmt "den Goethe wieder aus dem Regal" und sucht "die 'richtige' Stelle" für sich am Schluß des 'Faust II', wo bedeutet wird, daß der erlöst werde, der immer strebend sich bemühe. Hanusch überdenkt den Schluß der Goetheschen Tragödie:

> Das Werk vollendet sich, der Kreis rundet sich, [...] der Kreis aus Erkenntnis, Irrtum, Tat. Die Menschheit und der Mensch. Wo du auch ansetzst, eines mündet in das andere. Zerreißt

das eine, zerreißt das andere. Das 'ist' der Weisheit letzter Schluß!

Hanusch fühlt sich durch die 'Faust'-Lektüre bestätigt und zu weiteren Aktionen ermuntert. Er steht weiterhin zu der von ihm angestrebten "Heroisierung des Menschlichen",[34] zu der er sich bereits in einer früheren Diskussion über das erwähnte 'Faust'-Zitat bekannte. Aus einer existentiellen Krisensituation hilft die Beschäftigung mit Goethes 'Faust' auch dem Kriegsgefangenen Fahrenburg in Hasso Magers Roman 'Goethe in Gefangenschaft'. Indem er einer Theateraufführung des 'Faust I' durch Kriegsgefangene beiwohnt, findet er zu "neuem Lebenssinn" zurück.[35]

Zwar weniger dramatisch, aber doch ähnlich nachhaltend wirksam wird die 'Faust'-Rezeption des Ich-Erzählers in Kants 'Aula' geschildert: Als junger Elektriker fällt Robert Iswall bei der Arbeit in der Wohnung eines bildungsbürgerlichen Buchhalters 'Faust I' in die Hände. "Von der Leiter aus", so beschreibt der Ich-Erzähler des Romans seine Begegnung mit Goethe, "sah ich auf einem Schrank den von Staub gerundeten Umriß eines Bücherstapels. Ich habe einen Band von Spinnweben befreit, und am Abend hatte ich den Faust, den ersten Teil gelesen. [...] Der Buchhalter hat am Abend mit mir über den Faust diskutiert, genauer gesagt, er hat sich redlich mit meinen naiven Fragen geplagt, denn mich interessierte zunächst, wie sie es denn im Theater mit dem Himmel machen oder mit dem Faß in Auerbachs Keller, aber", so unterstreicht Iswall die Bedeutung dieses initialen Bildungserlebnisses, "das Lesen und das Gespräch haben genügt, um mich neugierig auf eine Welt zu nachen, von der ich bis dahin kaum gewußt hatte, daß es sie gab."[36] Als Iswall dann später unter anderem "zur Entgegennahme von Kulturerbe" an der ABF studiert, wird ihm die Pflichtlektüre von "Goethe, Goethe, Goethe" dann doch etwas viel.[37] Als Anreiz zur Weiterbildung und zur sozialistischen Qualifikation hat aber auch in diesem Roman Goethes **Faust** sein klassisches Vererbungssoll erfüllt.

Mit der Parteinahme für oder gegen Faust unterscheiden sich in Christa Wolfs 'Geteiltem Himmel' die aktiven Sozialisten von den resignierenden Westlern. In einem Gespräch mit Manfred Herrfurth bewundert Wendland Faust als einen der "größten Vorgänger in der Humanität" und fühlt sich dem "faustischen Zorn" verpflichtet, der alle "Resignation und Melancholie" hinwegfege.[38] Manfred dagegen lehnt mit dem Hinweis auf die zwischen ihm und Goethe liegenden Jahrhunderte einen Vergleich seiner Arbeit mit dem Streben Fausts ab. Sein Versagen im Sozialismus und seine Flucht in den Westen wird von einem DDR-Germanisten in kausalem Zusammenhang mit seiner "Absage an die humanistische Faust-Idee" gesehen.[39] Max Walter Schulz attackiert in einer Rezension des 'Geteilten Himmels' vor allem die Arbeitskollegen Manfreds als bürgerliche "Scheuklappen-Mephistos in Frack und Pantoffeln", die "mit dem Himmel nicht mehr um Faust wetten," weil sie "Himmel und Faust schon bis ans Kudamm-Trottoir 'zurückgenommen' haben."[40] In ihrem zweiten Roman, 'Nachdenken über Christa T.' tauchen Anspielungen auf den 'Faust' bezeichnenderweise nicht mehr auf. Statt mit dem stürmisch-drängerischen Faust vergleicht sich Christa T. mit dem empfindsamen Fräulein von Sternheim aus Sophie von LaRoches Roman. Als "unschönes Bild der Resignation" um einen anderen Romantitel der LaRoche abzuwandeln - hat Wolfs Buch dann auch bei den Kulturpolitikern der SED keinen Beifall finden können. Wie hier, schlug auch in Plenzdorfs 'Neuen Leiden des jungen W.' die literarische Erberezeption eine nichtoffizielle Richtung ein. Keinen aktivistischen Faust-Apologeten lernt man hier kennen, sondern einen "ausgeflippten" Gammler, der sich zeitweise mit resignierenden Sentenzen aus Goethes 'Werther' vom hohen Lied der Arbeit und Qualitfikation distanziert.

III

Daß sie gewillt waren, eine solche Fehlentwicklung mit allen Mitteln aufzuhalten, hatten die Hüter des klassischen Erbes bereits im Frühjahr 1953 bewiesen. Damals wurde die Faustfigur gleich zweimal als "negativer Held" präsentiert, zum einen in dem Ende 1952 erschienenen Operntext 'Johann Faustus' von Hanns Eisler und zum anderen in der unter Brechts Ägide und in der Inszenierung von Egon Monk entstandenen Aufführung des 'Urfaust' durch das Studio des Berliner Ensembles in Potsdam und in Berlin. Beide, Brecht und Eisler, wurden im Mai 1953 vom 'Neuen Deutschland' unmißverständlich vor derartigen Abweichungen gewarnt. In der Ausgabe des 'ND' vom 27. Mai liest man:[41]

Bertolt Brecht und Hanns Eisler, die sich zur Zeit mit dem

> "Faust"-Problem befassen, sollten sich vergegenwärtigen, in welcher Situation das deutsche Volk sich befindet, welche Aufgaben vor ihm stehen. "Faust" ist ein Spiegelbild des Besten im deutschen Volk. Die Verteidigung dieser großen Schöpfung unserer Nationalkultur, der Kampf gegen die Verfälschung des Klassischen sollte jedem humanistischen Schriftsteller unserer Zeit Bedürfnis sein. Patriotismus und Verteidigung unserer Nationalkultur sind [...] ein untrennbarer Bestandteil des Kampfes für eine höhere gesellschaftliche Ordnung in Deutschland.

Brechts Notiz "Ist die Aufführung des Fragments gerechtfertigt?"[42] war im Programmheft zu der Aufführung des 'Urfaust' erschienen, und was den besonderen Zorn des 'ND' hervorgerufen hatte, war die Zeile: "Es ist dem Theater beim 'Urfaust' leichter gemacht als beim fertigen Werk, der Einschüchterung durch die Klassizität sich zu erwehren." Brecht wurde belehrt:[43]

> Sich der 'Einschüchterung durch die Klassizität erwehren' statt an die klassischen Traditionen anzuknüpfen, bedeutet [...] sich auf die Position des Kosmopolitismus zu begeben und den Auflösungstendenzen des Formalismus Vorschub zu leisten.

Letzteres aber war nach den seit 1951 geltenden Entschließungen des ZK der SED gleichzusetzen mit kulturpolitischer Häresie. Ähnlich anstößig war, die Negativität des Helden Faust hervorzukehren. Da im Mittelpunkt des 'Urfaust' die "Gretchen"-Tragödie steht, war eine Darstellung Fausts als positiven Helden schwerlich möglich. Brecht selbst rekapitulierte:[44]

> Im [...] 'Urfaust' [...] 'zwingt' Faust den Mephisto, ihm sein Gretchen zu liefern, durch Geschenke und durch Kuppelei, reicht ihr den Schlaftrunk, der die Mutter umbringt, und entfernt sich zur Zeit, wo sie ins Unglück gerät, alle Schuld nachher auf den Teufel werfend, den er doch selbst rief.

An anderer Stelle beschreibt Brecht diese "Liebesgeschichte" mit ihrer "'rein sinnlichen' Sphäre" als eine Entwicklungsphase, in der Faust eine "parasitäre Haltung" zeige.[45] Die Brecht-Monksche Aufführung des 'Urfaust' wurde vom 'ND' als "fatalistisch-pessimistische Zustandsschilderung", bei der "es nur einen negativen 'Helden'" gäbe, abqualifiziert. In dieser Kritik wird gar der unrühmliche Vorwurfs-Topos von der Verführung der Jugend variiert, wenn es weiter heißt:[46]

> Wir glauben sagen zu müssen, daß die jungen Mitarbeiter des Berliner Ensembles [...] durch methodische Prinzipien in eine falsche Richtung geführt werden, die Bertolt Brecht als künstlerischer Leiter des Berliner Ensembles bei der Bearbeitung von Klassikern anwendet. [...] Bertolt Brecht würde die großen künstlerischen Potenzen und die Ziele seines eigenen Lebenswerkes zerstören, wenn er den Weg der Negierung des nationalen kulturellen Erbes weiter beschritte.

Brecht, weit davon entfernt, zum sozialistischen Schierlingsbecher zu greifen, reagierte gelassen. In seinem kurzen Essay "Einschüchterung durch die Klassizität" wies er den Vorwurf des "Formalismus" zurück - ihn gab er an das bürgerliche Theater weiter -, und in einer anderen Stellungnahme versprach er bezüglich der weiteren Aufführungen des 'Urfaust', "der Goetheschen Faustfigur gerecht zu werden und ihr das Positive zu verleihen, die Humanität, Radikalität in Denken und Fühlen, die innere Weite, durch die sie tief in das Bewußtsein der Deutschen eingedrungen" sei. Statt wie intendiert, "die Einschüchterung durch die Klassizität" auf dem Theater abzubauen, war Brecht selbst durch das Klassikverständnis des ZK eingeschüchtert worden. Zu dem von Brecht beabsichtigten "Jungbrunnen für das deutsche Theater" war seine 'Urfaust'-Aufführung somit keineswegs geworden.[47]

Weniger einsichtig und konziliant zeigte sich Brecht, als zur gleichen Zeit sein Freund und Mitarbeiter Hanns Eisler wegen eines ganz ähnlichen Falles der Schädigung von literarischem Erbgut geziehen wurde. Ein Sturm der Entrüstung durchwehte den sozialistischen Blätterwald, als Eisler seinen Operntext 'Johann Faustus' Ende 1952 publizierte, und dieser Wind fegte den Text auch bald von der literarischen Szene der DDR. Friedrich Engels hatte sich, was die 'Faust'-Bearbeitungen nach Goethe anbetrifft, sehr liberal geäußert als er notierte: "Wenn auch die Bearbeitungen der Faustsage nach Goethe zu den Iliaden post Homerum gehören mögen, so decken sie uns doch immer neue Seiten daran auf."[48] Auf diesen liberalen Standpunkt mochten sich die SED-Bewahrer des literarischen Erbes bei

Ihren Verrissen von Eislers Textbuch nicht besinnen.[49] In Eislers Werk ist Faust alles andere als ein positiver Held. Er ist als Bauernsohn, der sich zum intellektuellen Humanisten entwickelt und dann die Sache seiner Klasse, die Befreiung der aufständischen Bauern, verrät, ein Renegat. Alexander Abusch sah nach Lektüre des Textes die Grundfesten sozialistischer Erberezeption und der "echten patriotischen Traditionen überhaupt" erschüttert und artikulierte seinen Protest in Beschwörungsformeln wie diesen:[50]

> Es hieße eine wunderbare Gestalt des deutschen literarischen und geistigen Erbes, die dem Genius unseres Volkes Ruhm bei allen Völkern eingebracht hat, entseelen, verfälschen, vernichten, wollte man Faust 'in eine Zentralgestalt der deutschen Misere' umwandeln.

Statt dessen will er "Faust als die geistige Heldenfigur des leidenschaftlichen Kampfes gegen die deutsche Misere" gestaltet wissen. Eislers Faustfigur dagegen sei als "Volksverräter" und "negativer Held" mit dem "großen positiven Helden des klassischen deutschen Nationaldramas" unvereinbar. Während Goethes Drama "zu dem Erbe" gehöre, "das die deutsche Nation voll Stolz als unveräußerlich betrachte", sei Eislers "Werk als Ganzes thematisch verfehlt", bedeute eine "'Zurücknahme' von Goethes Faust" und partizipiere damit an der "amerikanisch kosmopolitischen Zerstörung" des deutschen kulturellen Erbes. Abuschs bündiges Resümee lautet:[51]

> Die Größe von Goethes Dichtung und ihr unverrückbarer Platz in der Literatur unserer Nation machen, ohne daß man von Goethes 'Faust' ausgeht, das Schaffen einer deutschen Nationaloper mit dem Titel 'Johann Faustus' unmöglich.

Außer von einigen Germanisten erhielt Abusch bei seiner Eisler-Attacke höchst offizielle Schützenhilfe vom Redaktionskollegium des 'ND'. Wie bei Abusch wird hier Eislers Operntext als "ein Angriff auf den moralischen Bestand der deutschen Nation", als "pessimistisch, volksfremd, ausweglos, antinational" und als "dem sozialistischen Realismus diametral zuwiderlaufend" abgelehnt.[52] Schließlich bemühte das 'ND' auch des Volkes Stimme, und in den abgedruckten Leserstimmen wimmelt es dann von negativen Prädikaten wie "frivole Verhöhnung des vielleicht genialsten und dem deutschen Volke teuer gewordenen Meisterwerkes", wogegen "schärfster Protest erhoben" werden müsse. Oder es ist die Rede von einem "Schlag ins Gesicht der deutschen Jugend", wo doch in dieser Jugend "der Tatendrang Fausts" sich verwirkliche, der die DDR "voranbringt, insbesondere jetzt, da wir [...] den Sozialismus aufbauen."[53]

So wenig man sich bei der Kritik an der Eislerschen Faustbearbeitung auf Engels besann, so wenig erinnerte man sich an Gorki, ansonsten ein beliebter Kronzeuge, wenn es um den "sozialistischen Realismus" geht. Gorki hatte schon 1936 mit der Titelfigur seines Romans 'Das Leben des Klim Samgin' einen Fausttypus als "Renegaten" geschaffen.[54] Während Eislers kulturpolitisch tabuiertem Text jede Wirkung für mehr als zwanzig Jahre versagt blieb, kann Ralf Schröder feststellen, daß "von Gorkis Verarbeitung des Fausterbes eine neue Tradition der sozialistischen Romanentwicklung der Sowjetliteratur ausgeht."[55] Eine solche neue Tradition sah Ernst Fischer auch durch Eislers Faustversion für die sozialistische Literatur und Oper eröffnet. Fischer lobt die strikte Historisierung des Dramas, die Verlagerung der Handlung in die Zeit der Bauernkriege. Seiner Meinung nach hätte Eislers Text den Namen "Doktor Faustus und der deutsche Bauernkrieg" tragen können. Treffend, so Fischer, werde im Eislerschen 'Faustus' der "deutsche Humanist, der vor der Revolution zurückschaudert" charakterisiert. "Der deutsche Humanist als Renegat" werde als das porträtiert, was er gewesen sei, nämlich eine "Zentralgestalt der deutschen Misere". Eislers 'Faustus' sei "eine echte Tragödie" in dem Sinne, als in ihr "die Tragödie eines Volkes", nämlich "die Flucht vor geschichtlicher Verantwortung" seitens der Intellektuellen gestaltet werde. Indirekt sei das Werk also "ein eindrucksvolles Bekenntnis zu jenem Humanismus, den das Bürgertum verraten hat und den die Arbeiterklasse unbeirrbar dem weltgeschichtlichen Sieg entgegenträgt." Von hier aus gesehen, so meint Fischer, sei Eislers "Faust-Dichtung" eine "großartige und volkstümliche Weiterbildung der alten Faust-Sage".[56] Diese Auslegung lehnten Abusch und seine Gesinnungs-Genossen vehement als "revisionistisch" ab. In diese Diskussionen und Konfrontationen griff Brecht mit seinem Beitrag "Thesen zur Faustus-Diskussion" ein. Gegen Abusch und das 'ND' gewandt hält er fest, daß Eislers Werk "weder asozial noch antinational genannt werden" könne.[57] Brecht klärt die entscheidenden Fragen: "Hat Eisler versucht, unser klassisches Faustbild völlig zu zerstören (ND)? Entseelt, verfälscht, vernichtet er eine wunderbare Gestalt des deutschen Erbes (Abusch)? Nimmt er den Faust zurück (Abusch)?" Und er gibt eine entschiedene Antwort: "Eisler liest das alte Volksbuch wieder und findet in ihm eine andere Geschichte als Goethe. Es sollte nicht abgelehnt werden, daß eine große Figur der Literatur neu und in einem anderen Geist behandelt wird." Gleichzeitig distanziert sich Brecht von Fischers Interpretation, "den deutschen Humanisten als Renegaten" für "die Grundidee der Eislerschen Schöpfung" auszugeben. Denn in "Eislers Werk" sei "die Beurteilung der Humanisten keineswegs negativ", und Faustus sei "nicht 'nur ein Renegat', so wenig wie Ödipus 'nur ein Vatermörder und Mutterschänder' ist oder Othello 'nur Gattenmörder'". "In Faustus lebt", so faßt Brecht diesen Gedankengang zusammen, "die Wahrheit, gewonnen in der Bauernrevolution, weiter bis zu seinem Ende, untilgbar von ihm selber, ihn zur Strecke bringend am Ende. Seine Selbstverwerfung macht ihn natürlich nicht zum Vorbild - der Teufel soll ihn holen! -, aber sie lohnt die Darstellung." Den besonderen Wert des Eislertextes sieht Brecht in seiner zwar indirekten, aber nichtsdestoweniger höchst aktuellen Zeitkritik. "In einem geschichtlichen Augenblick", schreibt er, "wo die deutsche Bourgeoisie wieder einmal die Intelligenz zum Verrat am Volk auffordert, hält Eisler ihr einen Spiegel vor: möge sich jeder in ihm erkennen oder nicht erkennen!" Und nochmals gegen Abusch gewandt stellt er fest: "Solch ein Stück zu schreiben, ist das Gegenteil von unpatriotisch." Aber wie schon bei der Auseinandersetzung über den 'Urfaust' zeigt Brecht auch in dieser Debatte sein Gespür für die Grenzen des kulturpolitisch Möglichen und kommt Abusch insofern entgegen, als er betont: "Mit den Kritikern Eislers stimme ich darin überein, daß die deutsche Geschichte nicht als Negativum dargestellt werden darf, sowie darin, daß die deutsche Dichtung, zu deren schönsten Werken Goethes Faust gehört, nicht preisgegeben werden darf." Brecht versucht, sowohl Eisler als auch dessen Angreifern Recht zu geben, indem er auf die gemeinsame sozialistische Kampfrichtung verweist und die Gegnerschaft als scheinbar verwirft: "Nicht überein stimme ich mit den Kritikern Eislers darin", so heißt es, "daß Eisler mit seinen Kritikern nicht übereinstimmt. Er hat nach meiner Meinung für die hellen Kräfte, die in Deutschland mit den dunklen rangen und ringen, Partei ergriffen, und er hat einen positiven Beitrag zum großen Faust-Problem geliefert, dessen sich die deutsche Literatur nicht zu schämen braucht."[58]

Trotz des Brechtschen Vetos bzw. Vermittlungsvorschlags hat es nach 1953 keine breitere öffentliche Rezeption des Eisler-Textes gegeben. Eine Art neues Faust-Volksbuch als Vorlage für eine neue Volksoper - wie es von Eisler und Brecht verstanden wurde - konnte das Werk aufgrund der Konzeption seiner Faust-Figur als eines "negativen Helden" nicht werden.

Daß auch zwanzig Jahre nach dem Erscheinen von Eislers Operntext ein Autor nicht ungestraft einen Negativabzug vom Bild des positiven Helden Faust vorzeigt, beweist die jüngst erfolgte reserviert-ablehnende Kritik an Rainer Kirschs Komödie 'Heinrich Schlaghands Höllenfahrt'.[59] Schlaghand, eine Mischung aus Faust und Don Juan, ist angelegt als Parodie auf den "neuen Menschen" und "positiven Helden". Ob es überhaupt möglich ist, ein "sozialistisches" bzw. "SED"-Faust-Drama zu schreiben, haben sich DDR-Literaturwissenschaftler schon des öfteren gefragt. "Kann es einen 'sozialistischen' Faust geben?", so überlegt zum Beispiel Gerhard Schulz, und seine Antwort ist: "Meiner Ansicht nach nicht."[60] Die Begründung lautet: "Der wesentliche Faktor in der Faustsage ist der Teufelspakt. In einer Gesellschaft, die keine antagonistischen Klassen mehr kennt, würde es auch keinen Teufelspakt geben." Aus dem gleichen Grunde kommt Inge Diersen zu dem Schluß: "Das Proletariat braucht, um seine historische Mission zu erfüllen, um Faustens Streben zu vollenden, nicht die Hilfe des Teufels. Deshalb ist der Fortschritt unserer Epoche nicht im Rahmen des Faust-Stoffes darzustellen, obwohl das Proletariat der Erbe Faustens ist."[61] Schulz räumt einem sozialistischen Faustdrama immerhin noch eine Chance in der Übergangssituation zum Sozialismus ein. "Inwieweit allerdings", so meint er vorsichtig, "der Kampf der alten und der neuen Gesellschaftsordnung die Szene für ein Faustdrama böte, wäre gesondert zu untersuchen."[62] Ähnlich äußert sich auch der wohl kompetenteste 'Faust'-Forscher der DDR, Hans Henning: "Wir dürfen [...] die Hoffnung aussprechen, daß es den im Übergang von einer alten zur neuen Gesellschaftsordnung stehenden Dichtern gelingen wird, Faust in diese - unsere - Zeit zu transponieren und ihn als Symbol einer zukünftigen Menschheitsepoche zu gestalten." Ob allerdings in der vollendet-sozialistischen "klassenlosen Gesellschaft Faust tragisch enden kann", bleibt für Henning "offen".[63] Tatsächlich ist der, wenn auch nicht sehr erfolgreiche, Versuch der Gestaltung eines sozialistischen Faust bereits unternommen worden. Volker Brauns Drama 'Hans Faust' wurde 1968 am Nationaltheater in Weimar uraufgeführt; am Erfolg und der Verehrung seines Weimarer Vorbildes hat aber auch diese Faust-Variante nicht partizipieren können. Rainer Kerndl beschrieb die Intention des Stücks mit den Worten: "Die um seinen Hans Faust gezeigten Vorgänge sollen wesentliche Problematiken und Erscheinungsformen einer beliebigen sozialistischen Gesellschaft, sollen das Wesen und das Wesentliche schöpferischer menschlicher Haltungen zum sozialistischen Staat schlechthin darstellen."[64] Hans Faust ist Arbeiter und qualifiziert sich - nach vielen Zwischenstationen - zum Wissenschaftler. Kunze, die Mephistofigur des Dramas, entwickelt sich politisch vom antifaschistischen Widerstandskämpfer und KZ-Häftling zum Agitator in der SED. Kunze vertritt das politisch-pragmatische Prinzip, während Hans Faust schöpferisch-sehnsüchtig seinem menschlichen Erfüllungsideal zustrebt. Den Pragmatismus Kunzes kritisierte das 'ND' als "kurzsichtig", und Fausts Sehnsüchte wurden als "mißverstehend und mißverstanden" abgelehnt. Ein populäres modernes DDR-Volksdrama mit einem Faust-Helden steht somit nach wie vor aus.

Thomas Mann, dem bürgerlichen Zeitgenossen des Sozialisten Eisler, blieb der Erfolg seiner Faust-Version mit dem keineswegs "positiven Helden" Leverkühn nicht versagt. Das liegt wohl zum einen daran, daß Manns Werk, obwohl bereits zur Zeit des sich etablierenden Sozialismus entstanden, noch unter die Amnestie-Klauseln der kulturpolitischen Erbgesetze für bürgerliche Literatur fällt, zum anderen ist der Grund darin zu sehen, daß gerade in Thomas Manns 'Doktor Faustus' die "Zurücknahme" des kulturellen Erbes verurteilt wird. Becher, Abusch und das 'ND' heben diese Verurteilung als besonders positiv hervor. Becher bezeichnet sie als "geniale Entdeckung" und "großartiges Symbol". Er versteht "die Bemühungen Leverkühns, die 'Neunte' zurückzunehmen", als "charakteristisch für die Bourgeoisie ihrem eigenen revolutionären Erbe gegenüber."[65] Ähnlich steht es während der Eisler-Debatte auch im 'ND'. Es heißt dort: "Thomas Mann hat in einer tiefkritischen Weise in seinem 'Faustus'-Roman bereits ausgesagt, daß der Versuch einer 'Zurücknahme' des klassischen Erbes nur als Akt der Barbarei gewertet werden kann."[66] Abusch sieht die "menschenfeindliche Bestialität" gespiegelt in Leverkühns Entschluß, "den Weg zur Barberei durch die Zurücknahme der einstigen großen Postulate des jungen Bürgertums" freizumachen.[67] Die hier offiziell konturierten Wege der Rezeption von Thomas Manns 'Doktor Faustus' wurden in der germanistischen Kritik kräftig ausgeschritten. Die in dem Roman zum Ausdruck kommende Kritik am Bürgertum, seinem Imperialismus und dem Faschismus, sind die häufig wiederholten Gründe für seine Hochschätzung. Inge Diersen sieht in dem Werk "exakt die Situation der imperialistischen Bourgeoisie in der ersten Phase der Periode der allgemeinen Krise des Kapitalismus widergespiegelt."[68] Auch Hans Henning meint, daß Leverkühn mit der Zurücknahme der "Neunten" die "Lebensfeindlichkeit der absterbenden bürgerlichen Gesellschaftsordnung"[69] bestätige, eine Meinung, die Ralf Schröder und Hans Richter ganz ähnlich vortragen.[70] Gerhard Schulz hört aus Manns Werk den "Schwanengesang des bürgerlichen Intellektuellen" bzw. den "Abgesang des deutschen Bürgertums überhaupt" heraus.[71] Die Faschismuskritik im 'Doktor Faustus' analysiert vor allem Inge Diersen. "Den Faschisierungsprozeß der bourgeoisen Ideologie" schildere Thomas Mann "in den Diskussionen des Kridweiß-Kreises", und es gelinge ihm, "die faschistische Endkatastrophe" in "Leverkühns letztem Werk, der Kantate 'Dr. Fausti Weheklag'" mitzugestalten. Diersen deckt allerdings auch die ideologischen Schwächen von Manns Roman auf. Die lägen vor allem in der "idealistisch-psychologisierenden Geschichtsauffassung" des Autors, sowie in dessen "einseitiger Orientierung" an den "negativen Kräften und Tendenzen der nationalen Entwicklung". Trotz dieser Einschränkung sieht sie als "das objektive Fazit des Faustus-Romans" doch "ein Verdammungsurteil über die bourgeoise Klasse und die ihren Interessen dienende Kunst" an. Auf einem interpretatorischen "Umweg" kommt auch sie zu dem Schluß, daß die "Positivität" der Faust-Tradition durch Manns Werk nicht gefährdet sei, wenn sie überlegt:[72]

> Der imperialistische Faust als 'Verräter' an dem echten progressiven Faust - hier liegt eine wichtige Beziehung von Thomas Manns Roman zur Faust-Tradition. Gleichsam auf dem Umweg über die Negation gelingt es Thomas Mann, seinen Roman nicht zu einer Absage an Goethes Faust werden zu lassen, sondern zu einer Rechtfertigung. [...] Der imperialistische Faust geht zugrunde, für ihn gibt es keine Rettung, weil er sich gegen den progressiven Faust gestellt hat.

War diese "Rettung" des negativen Helden eines bürgerlichen Schriftstellers für die positive Faust-Tradition den DDR-Kulturpolitikern recht, so hätte sie bei dem sozialistischen Autor Eisler billig sein müssen. Brechts Versuch, Eislers Text als "positiven Beitrag zum großen Faust-Problem" zu deklarieren,[73] blieb jedoch ein Einzelunternehmen ohne Folgen.

IV

Die DDR-Literaturwissenschaft ignoriert Eislers Werk und erwähnt es lediglich in literar- und stoffgeschichtlichen Überblicken. Dem Denkmal des "helleren Bruders" aber, wie Brecht Goethes 'Faust' von dem "dunkleren Zwilling" Eislers absetzte,[74] wird die DDR-Germanistik nicht müde, alle verfügbaren Pflegemittel aus dem Fundus sozialistischer Kulturpolitik angedeihen zu lassen. Die drei großen Themenkreise, die die germanistische Einzelforschung der DDR zu Goethes 'Faust' beherrschen, sind das Thema 'Faust' als Utopie, der Komplex der Feudalismus- und Kapitalismuskritik und die Gattungsfrage, ob 'Faust' als Tragödie gewertet werden könne. Auffallend häufig werden auch die "Tat"-Philosophie[75] und das Erdgeist-Motiv aus 'Faust I', sowie Philemon und Baucis und die Lemuren aus 'Faust II' in die Diskussion gebracht.[76] Obgleich auf diese letzteren Aspekte hier nicht im Detail eingegangen werden kann, sei doch ernsthaft die Frage gestellt, ob nicht Gerhard Scholz mit seiner "marxistischen" Interpretation zu weit geht, wenn er die Lemuren zu Erben "von Generationen bislang vergeblich kämpfender Proletariate" erklärt und sie identifiziert mit "den Wuppertaler Webern zwischen 1828 und 1830".[77]

So unbefangen wie bei Walter Ulbricht wird freilich in der Goethe-Forschung Fausts Vision vom "freien Volk" auf "freiem Grund" höchst selten mit der Gesellschaft der DDR gleichgesetzt. Bloch spricht ganz allgemein vom "Faustplan" als einem "Grundmodell des dialektisch-utopischen Systems materieller Wahrheit."[78] Auch Chawtassi begnügt sich mit der Kennzeichnung der Utopie in Goethes Drama als dem "Ideal der zukünftigen befreiten Menschheit" und kennzeichnet Faust als "Träumer" mit "einer realistischen Weltauffassung".[79] Ganz ähnlich sieht Walter Dietze Faust "im Bündnis mit den fortschrittlichen Kräften der Epoche", eine "Umgestaltung der Welt im humanistischen Sinne"[80] anstreben. Edith Braemer wird bereits wieder konkreter und glaubt zu erkennen, daß durch Fausts Landgewinnung das Drama "über die Grenze der kapitalistischen Entwicklung utopisch hinausreicht".[81] Noch direkter wird Schröder, wenn er Faust als "sich dem utopischen Sozialismus nähernd" versteht, mit dem Goethe dem "ganzen folgenden bürgerlichen Zeitalter die zu erstrebende Perspektive" vermittelt habe.[82] Mit dieser Auslegung der Faustschen Schlußvision als quasi Vorwegnahme des Sozialismus hängt auch die Feudalismus- und Kapitalismuskritik zusammen, die die DDR-Germanisten in der Tragödie erkennen. Wird die Kapitalismuskritik in erster Linie Faust zugesprochen, der sich vom kapitalistischen Unternehmer zum sozialistischen Träumer entwickele, so sieht man dagegen in Mephisto die Negation des Feudalismus verkörpert. Als ständig wiederholtes Beispiel für Mephistos Opposition gegenüber dem Feudalsystem wird das von ihm in Auerbachs Keller vorgetragene "Flohlied" angeführt. Während Mephisto mit seiner Feudalismus-Negation nur im ständigen Kampf mit dem Vergangenen liege, überwinde der zukunftsorientierte Faust auch den Kapitalismus und nehme, wenn auch nur utopisch, den Sozialismus vorweg. Von diesem positiv-utopischen Ende ausgehend, wird nun häufig das Gattungsproblem diskutiert. Einerseits wird das Drama von hier aus als Tragödie in Frage gestellt, andererseits aber als solche bestimmt. Zum einen ist man sich mit Lukács und Brecht darin einig, daß Goethes 'Faust' zwar verschiedene Einzeltragödien enthalte, etwa die "Gretchen-Tragödie". Aber für "den Entwicklungsweg der Gattung" sei "jede von ihnen nur ein Durchgangsstadium,[83] ein "bloßes Moment der dialektischen Entwicklung",[84] das derart von dieser Entwicklung des Dramas "aufgehoben" werde, daß man von ihm als ganzem nicht von einer Tragödie sprechen könne. Zum anderen jedoch wird von der "sozialen Utopie des 2. Teils" her der von Goethe ja bewußt als Untertitel des Dramas eingesetzte Gattungsbegriff "Tragödie" bestätigt. Denn, so folgert zum Beispiel Diersen, gerade weil "das kapitalistische System" zur Zeit Goethes noch nicht "die Möglichkeit" zur "Verwirklichung" der "sozialen Utopie" geboten habe, sei "Goethes Faust-Dichtung eine echte Tragödie". Dabei stehe freilich, wie Diersen sich beeilt festzustellen, "das Tragische nicht im Widerspruch mit dem welthistorischen Optimismus."[85] Das beiden Auslegungen Gemeinsame besteht darin, daß, in bezug auf die Person Faust gesehen, das Drama letztlich nicht als Tragödie gewertet wird. Nach Ansicht der erstgenannten Interpreten wird Fausts persönliche Tragödie durch seine Entwicklung überwunden, im letzteren Falle wird die Tragik nicht aus Fausts Biographie, sondern aus der allgemeinen gesellschaftlichen Situation abgeleitet. Hier scheint die Wiederholung eines Rezeptionsprozesses vorzuliegen, wie er sich - freilich unter ganz anderen Vorzeichen - bereits in der Ära des Wilhelminismus in Deutschland schon einmal abgespielt hat. Denn auch damals, so stellt Schwerte richtig fest, konnte man "die Enttragisierung der Tragödie Goethes" beobachten, womit "das Löschen der Schuld Fausts, das Umdeuten seiner Schuld und seines wiederholten 'Irrtums' geradezu in ein humanes, in ein prometheisches Verdienst" verbunden war.[86] In Verbindung damit feiert auch der wilhelminisch-"faustische" Mensch als nationaler Heldentypus seine Auferstehung in der DDR. Dazu konnte man im 'ND' lesen:[87]

> Typisch [...] war für Goethe das 'Faustische', das rastlos nach Erkenntnis und Fortschritt Drängende, das schöpferisch Tätige, das Aktive, [...] - philosophisch gesprochen: die materialistischen und dialektischen Tendenzen in der deutschen Geschichte. [...] Goethes Faust ist ein durch und durch nationaler Typ.

Hier wird an dem weitergesponnen, was Schwerte die "faustische Ideologie" nennt, und von der er zu Recht feststellt, daß sie "Goethes Dichtung gegenüber eine Vergewaltigung" sei.[88]

Die Diagnose der Fortwirkung "faustischer Ideologie" in der DDR lenkt wieder zurück auf den Ausgangspunkt des Essays, nämlich auf die Beschreibung des Stellenwerts von Goethes 'Faust' innerhalb der politischen Diskussion um das geteilte Deutschland. Auf Ulbrichts Deklarierung der DDR zum quasi dritten Teil des 'Faust' ist eine - allerdings indirekte - Reaktion Adenauers aufgezeichnet. Nur kurze Zeit nach Ulbrichts Rede äußerte der damalige Bundeskanzler seinem Biographen Strobel gegenüber, daß er Goethes 'Faust' "als Nummer eins auf den Index setzen würde."[89] Die "Grenzenlosigkeit des Begehrens" und die "seelischen Abgründe" des "faustischen Menschen" seien Adenauer, so weiß Strobel zu berichten, "unheimlich" gewesen. Trotz der so unterschiedlichen Bewertungen von Goethes Drama reden beide, Ulbricht und Adenauer, nicht vom Text der Tragödie, sondern denken in den Kategorien eines seit dem Wilhelminismus schon immer politisch bestimmten Faust-Mythos, der von den Nationalsozialisten ohne große Schwierigkeiten in ihre Ideologie übernommen wurde. Während Ulbricht diesen nationalen Mythos mit neuen, proletarisch-sozialistischen Akzenten versieht, schreckt der biedermeierliche Restaurateur Adenauer vor nationalistischem Mythos-Erbe zurück. Die Tradierung des ins Sozialistisch-Positive umfunktionierten bzw. ins Negative gewendeten Faust-Mythos beeinflußte in beiden Teilen Deutschlands auch einen großen Teil der literaturwissenschaftlichen und aufführungsmäßigen Rezeption des Dramas. Während in der DDR Germanisten wie Scholz und Braemer den positiven Helden Faust entdeckten, warnten in der Bundesrepublik Philologen wie von Wiese vor den "lauernden Gefahren", die den "irrenden" Faust umgäben und heben hervor, daß es "kaum etwas Schaudervolleres als den alten, von Dämonen umstrickten Faust" gäbe.[90] Und Adenauer gleichsam ergänzend, wertet Melchinger Faust als Apologeten des "diktatorischen" Prinzips und gar als "Marxisten",[91] wobei er von der Faschismus und Kommunismus gleichsetzenden Totalitarismustheorie der fünfziger Jahre ausgeht. Was die Theaterpraxis anbelangt, so führte die Fortentwicklung der Negativfassung des Faust-Mythos in der Bundesrepublik dazu, daß man die Faustfigur zugunsten anderer Rollen, etwa die Mephistos, vernachlässigte. Man denke an die 'Faust'-Inszenierung durch Gründgens. Die gegenteilige Tendenz, nämlich die Stilisierung Fausts zu einem positiven Helden bei Unterschlagung seines verbrecherischen Tuns, wurde spürbar in der Leipziger Aufführung durch Kayser und der Weimarer Inszenierung von Bennewitz'.[92]

Nichts also war weniger dazu angetan, die Einheit Deutschlands zu fördern, als die Belebung des von Ulbricht erneut beschworenen Faust-Mythos. Denn gerade in der je verschiedenen Fortwirkung dieses Mythos manifestierte sich mit beispielhafter Deutlichkeit die Spaltung des Landes. Eine andere Frage jedoch ist, ob nicht im Wege gemeinsamer Diskussionen über den 'Text' von Goethes 'Faust'-Tragödie (und über die deutsche Literatur im allgemeinen) wenn schon sicherlich nicht die Einheit Deutschlands, so doch eine Besserung des gegenseitigen Verständnisses als Voraussetzung für eine solche Einheit zu erreichen ist. Brecht war es, der auf dem vorläufig letzten gesamtdeutschen Kulturkongreß 1951 in Leipzig am Beispiel der gegenteiligen 'Faust'-Deutungen auf den deutschen Bühnen die Auseinanderentwicklung des deutschen Theaters vorausgesehen hatte. Er appellierte damals an die Teilnehmer aus der Bundesrepublik und der DDR, gemeinsam große Anstrengungen auf dem Gebiet des Theaters zu unternehmen und erinnerte daran, daß "die Losung der Klassik" noch immer gelte: "Wir werden ein nationales Theater haben oder keines."[93] Brechts Appell ist offenbar nicht ganz vergeblich geblieben. Denn am Ende der Adenauer-Ära (noch vor Beginn der neuen bundesrepublikanischen Ostpolitik) kam es bereits zu deutsch-deutschen Gesprächen über Goethes 'Faust'; zuerst in der Ost-Berliner Staatsbibliothek, dann im Hirschgrabenhaus in Frankfurt am Main. Diskussionsgegenstand war die 1964 erschienene Goethe-Studie Richard Friedenthals. Während des 'Faust'-Symposions der FDJ in Leipzig 1966 mit den DDR-Germanisten Braemer, Dietze und Scholz wurde der Wunsch geäußert, daß sich durch "diese Debatte des 'Faust' in Ost und West unseres Vaterlandes" zugleich "die Diskussion der Zukunft Deutschlands erneuert."[94] Hier kann das Schlußwort von Gerhard Scholz auf jener 'Faust'-Tagung von westlicher Seite nur wiederholt werden: "Mit der Hoffnung [...], daß so etwas geschehe, wollen wir schließen."

ANMERKUNGEN

1 Walter Ulbricht, An alle Bürger der DDR! an die ganze deutsche Nation. In: 'Neues Deutschland' (28. 3. 1962), S. 3-5. - Vgl. zum folgenden auch die Studie von Jost Hermand, The 'Good New' and the 'Bad New': Metamorphoses of the Modernism Debate in the GDR since 1956. In: 'New German Critique 3' (1974), S. 73-92.

2 'Faust II', Zeilen 11559-11562.

3 Zum Thema "positiver Held" vergleiche folgende Essays aus der DDR: Gerhard Branstner, Der positive Held und seine Widersacher. Vom Wert einer richtigen Theorie. In: 'Neue deutsche Literatur 7' (1959), H. 9/10, S. 223-227; Michael O. Güsten, Prolegomena zu einer Metaphysik des positiven Helden. In: 'Neue deutsche Literatur 4' (1956), H. 5, S. 162-163; Edith Braemer, Problem 'positiver Held'. In: 'Neue deutsche Literatur 9' (1961), H. 6, S. 41-65; Walther Dreher, Der positive Held historisch betrachtet. In: 'Neue deutsche Literatur 10' (1962), H. 3, S. 82-91.

4 'Faust-Gespräche mit Prof. Dr. Gerhard Scholz' (Berlin, 1967), S. 6.

5 Alexander Abusch, Reifes 'Faust'-Publikum. In: 'Neues Deutschland' (20. Okt. 1968), S. 5; vgl. auch Alexander Abusch, 'Der Irrweg einer Nation' (Berlin, 1946), S. 141 und Alexander Abusch, Faust - Held oder Renegat in der deutschen Nationalliteratur? In: 'Sinn und Form 5' (1953), H. 3/4, S. 181.

6 'Neues Deutschland' (29. 4. 1964).

[7] Vgl. Hans Richter, Bemerkungen zu Hanns Eislers Textbuch 'Johann Faustus'. In: 'Neue deutsche Literatur 1' (1953), H. 4, S. 186; Rezension zu B. Heymans 'Goethes "Faust" im Lichte der historischen Wandlung'. In: 'Weimarer Beiträge' (1960), H. 1, S. 149. Chawtassi, Auseinandersetzung mit Benno v. Wieses 'Faust'-Interpretation. In: 'Weimarer Beiträge 12' (1966), H. 2, S. 344. Hermann Kirsch, Goethes Faust. Fusion christlich-germanischen 'Heldentums'? In: 'Sonntag' (14. 7. 1957).

[8] Vgl. Edith Braemer, Walter Dietze, Gerhard Scholz, Über die nationalliterarische und weltliterarische Bedeutung von Goethes 'Faust'. In: 'Weimarer Beiträge 12' (1966), H. 2, S. 237-260.

[9] Das 'Faust'-Problem und die deutsche Geschichte. Bemerkungen aus Anlaß des Erscheinens des Operntextes von 'Johann Faustus' von Hanns Eisler. In: 'Neues Deutschland' (14. 5. 1953), S. 4.

[10] Walter Hinderer, Die regressive Universalideologie. Zum Klassikbild der marxistischen Literaturkritik von Franz Mehring bis zu den 'Weimarer Beiträgen'. In: 'Die Klassik-Legende'. Hrsg. von Reinhold Grimm und Jost Hermand (Frankfurt am Main, 1971), S. 143.

[11] Inge Diersen, Thomas Manns Faust-Konzeption und ihr Verhältnis zur Faust-Tradition. In: 'Weimarer Beiträge' (1955), H. 3, S. 314.

[12] Klaus Höpcke, Faust in faustischer Landschaft. Zwischenbemerkungen zur Diskussion um die Inszenierung am Deutschen Theater. In: 'Neues Deutschland' (16. 10. 1968), S. 8.

[13] 'Faust-Gespräche', S. 6.

[14] Inge von Wangenheim, 'Die Geschichte und unsere Geschichten' (Halle, 1966), S. 77.

[15] Zit. nach "Faust-Problem", S. 4.

[16] Zit. nach Joachim H. Knoll/Horst Siebert, 'Erwachsenenbildung. Erwachsenenqualifizierung. Darstellung und Dokumente der Erwachsenenbildung in der DDR' (Heidelberg, 1968), S. 98 f.

[17] Maria Kurginjan, Das 'Faust'-Problem in der sowjetischen Literatur. In: 'Neues Deutschland' (17. 6. 1953), S. 4.

[18] Zu Lenins Beschäftigung mit 'Faust' vgl. vor allem den Artikel von B. Jakowlew, Lenin und Goethe. In: 'Kunst und Literatur 7' (1957), S. 704-715.

[19] Ralf Schröder, Die dialektische sozialgeschichtliche Auflösung der Faust-Problematik in Gorkis Roman-Epopöe 'Klim Samgin'. In: 'Weimarer Beiträge' (1965), H. 5, S. 665.

[20]Ebd., S. 676, 668.
[21]A. Abusch, Held oder Renegat, S. 191.
[22]Karl Marx, Friedrich Engels, 'Über Kunst und Literatur' (Berlin, 1968), I, S. 553.
[23]Zit. nach R. Schröder, Auflösung, S. 670.
[24]In Hans Jürgen Geerdts "Einleitung" zu 'Literatur der DDR in Einzeldarstellungen' (Stuttgart, 1972), S. XIII.
[25]Eberhard Röhner, 'Arbeiter in der Gegenwartsliteratur' (Berlin, 1967), S. 28.
[26]Regina Hastedt, 'Die Tage mit Sepp Zach' (Berlin, 1959), S. 130.
[27]Erwin Strittmatter, 'Ole Bienkopp' (Berlin, 1972), S. 391, 414.
[28]Ebd., S. 414, 415, 420.
[29]Braemer, Dietze, Scholz, Goethes 'Faust', S. 252, 242.
[30]Ebd., S. 242, 257.
[31]'Faust II', Zeilen 11503-11506; Strittmatter, 'Ole', S. 421.
[32]Jurij Brezan, 'Mannesjahre' (Berlin, 1964), S. 31.
[33]Ebd., S. 329.
[34]Ebd., S. 56.
[35]Hasso Mager, 'Goethe in Gefangenschaft' (Halle, 1962), S. 144.
[36]Hermann Kant, 'Die Aula' (Frankfurt am Main, 1968), S. 10 f.
[37]Ebd., S. 253, 269.
[38]Christa Wolf, 'Der geteilte Himmel' (Halle, 1964), S. 225.
[39]Klaus Hammer, Probleme der Klassik-Rezeption im sozialistischen Roman der DDR. In: 'Goethe-Almanach auf das Jahr 1970' (Berlin, 1969), S. 286.
[40]Zit. nach Hammer, S. 286.
[41]Johanna Rudolph, Weitere Bemerkungen zum 'Faust'-Problem. Zur Aufführung von Goethes 'Urfaust' durch das Berliner Ensemble. In: 'Neues Deutschland' (27. 5. 1953), S. 4.
[42]Vgl. 'Schriften zum Theater, 3' (Frankfurt am Main, 1967), S. 1280-1282.
[43]Rudolph, Weitere Bemerkungen, S. 4.
[44]'Schriften zum Theater, 3', S. 1282.
[45]'Schriften zum Theater, 2', S. 705.
[46]Rudolph, Weitere Bemerkungen, S. 4.
[47]'Schriften zum Theater, 3', S. 1276, 1282.
[48]Marx/Engels, 'Über Kunst, II', 405.
[49]Vgl. André Dabezies, 'Visages de Faust au XX siècle. Littérature, idéologie et mythes' (Paris, 1967), S. 435-466.

[50]Abusch, Held oder Renegat, S. 193.
[51]Ebd., S. 185-188, 191-193.
[52]Das 'Faust'-Problem, S. 4.
[53]Leser schreiben zur 'Faust'-Diskussion. In: 'Neues Deutschland' (2. 6. 1953), S. 4.
[54]Vgl. Schröder, Auflösung, S. 666.
[55]Ebd., S. 731.
[56]Ernst Fischer, Doktor Faustus und der deutsche Bauernkrieg. In: 'Sinn und Form 4' (1952), H. 4, S. 59, 60, 63.
[57]Brecht, Thesen zur Faustus-Diskussion. In: 'Sinn und Form 5' (1953), H. 3/4, S. 194.
[58]Ebd., S. 194, 196 f.
[59]Rainer Kirsch, 'Heinrich Schlaghands Höllenfahrt'. In: 'Theater der Zeit' (1973), H. 4, S. 46-64.
[60]Gerhard Schulz, Zur Diskussion über Hanns Eislers Faustoper. In: 'Neue deutsche Literatur 1' (Juni 1953), H. 6, S. 176.
[61]Inge Diersen, Thomas Manns Faust-Konzeption, S. 315.
[62]Schulz, Zur Diskussion, S. 176.
[63]Hans Henning, 'Faust in fünf Jahrhunderten' (Halle, 1963), S. 118.
[64]Rainer Kerndl, Die dritte Variante? 'Hans Faust' am Nationaltheater Weimar uraufgeführt. In: 'Neues Deutschland' (6. 9. 1968). S. 4.
[65]Zit. in 'Neue deutsche Literatur 8' (1960), H. 11, S. 60.
[66]Das 'Faust'-Problem, S. 4.
[67]Abusch, Held oder Renegat, S. 192.
[68]Diersen, Thomas Manns Faust-Konzeption, S. 319.
[69]Henning, 'Faust in fünf Jahrhunderten', S. 106.
[70]R. Schröder, Auflösung, S. 669 und H. Richter, Bemerkungen, S. 185.
[71]Gerhard Schulz, Zur Diskussion, S. 175.
[72]Diersen, Thomas Manns Faust-Konzeption, S. 318, 320, 326, 329.
[73]Brecht, Thesen, S. 197.
[74]Ebd.
[75]Vgl. 'Faust-Gespräche', S. 36, 61.
[76]Vgl. Braemer, Dietze, Scholz, S. 256-258, 241 f.
[77]'Faust-Gespräche', S. 213.
[78]Ernst Bloch, 'Das Prinzip Hoffnung' (Frankfurt am Main, 1959), II, S. 1200.
[79]Chawtassi, Auseinandersetzung, S. 347 f.
[80]Braemer, Dietze, Scholz, S. 254.

[81]Ebd., S. 244.
[82]Schröder, Auflösung, S. 694.
[83]Georg Lukács, 'Goethe und seine Zeit' (Bern, 1947), S. 146.
[84]Walter H. Sokel, "Brechts marxistischer Weg zur Klassik". In: 'Die Klassik-Legende', S. 197.
[85]Diersen, Thomas Manns Faust-Konzeption, S. 314.
[86]Hans Schwerte, 'Faust und das Faustische' (Stuttgart, 1962), S. 9.
[87]Das 'Faust'-Problem, S. 4.
[88]Schwerte, 'Faust', S. 11 f.
[89]Robert Strobel, 'Adenauer und der Weg Deutschlands' (Frankfurt am Main, 1965), S. 31.
[90]Benno von Wiese, 'Die deutsche Tragödie von Lessing bis Hebbel' (Hamburg, [3]1955), S. 170 f.
[91]Zit. in 'Faust-Gespräche', S. 130.
[92]Wird 'Faust' in der DDR einmal nicht als positiver Held dargestellt, meldet sich das 'Neue Deutschland' gleich mit scharfer Kritik. Zur Inszenierung des 'Faust' durch Adolf Dresen und Wolfgang Heinz vgl. die Kritiken des 'ND' von Günter Görlich und Elisabeth Haid "Wenn der Teufel kein Teufel ist. Zuschauer zur Inszenierung des 1. Teils im Deutschen Theater." In: 'ND' (14. 10. 1968), S. 3 und Elvira Mollenschott "Es geht um mehr als technische Unsauberkeiten. Kritik an der 'Faust'-Konzeption des Deutschen Theaters." In: 'ND' (29. 11. 1968), S. 4.
[93]Vgl. Brecht, Die Faust-Figur. In: 'Schriften zum Theater, 3', S. 1283 und 'Schriften zum Theater, 2', S. 723.
[94]Braemer, Dietze, Scholz, S. 260.

Nachbemerkung: Dieser Aufsatz erschien zuerst unter dem Titel "Goethes 'Faust' und der Sozialismus: Zur Rezeption des klassischen Erbes in der DDR" in: 'Basis. Jahrbuch für deutsche Gegenwartsliteratur V' (1975), S. 29-54.

VON DER INTELLIGENZ ZUR ARBEITERSCHAFT: ROMANE DER STUDENTENBEWEGUNG

I

Seit den frühen sechziger Jahren verbreitete sich für etwa ein Jahrzehnt die Revolte der studentischen Jugend wie ein Lauffeuer über alle Kontinente. Sie erfaßte Länder mit so verschiedenen sozialen und politischen Strukturen wie China und die USA und Staaten mit einer so unterschiedlich verlaufenen Geschichte wie Frankreich und Japan. Hätte die Protestbewegung nicht nur kulturelle Traditionen erschüttert und einzelne Regierungen ins Wanken gebracht, sondern auch Gesellschaftssysteme verändert, man wäre geneigt, mit Klaus Mehnert von einer "Welt-Revolution"[1] zu sprechen. Es handelte sich aber weniger um eine Revolution, als um eine Rebellion, die vorhandene Autoritäten zwar in Frage stellte, aber nicht abschaffte, die in Angriff und Kritik sicherer war als erfolgreich im Aufweis oder gar Durchsetzen von Alternativen. Auf vielfache Weise ist die Welt-Rebellion der Studenten gebunden an Geschehnisse und Resultate des letzten Welt-Krieges. Die Kriegsjahre bescherten den sogenannten Baby-Boom, der zwanzig Jahre später eine Überfüllung der Universitäten bewirkte. Die durch den Krieg beschleunigte technologische Revolution - erst Sputnik und Sputnikschock brachten sie ins Bewußtsein der Öffentlichkeit - führte zu einer weiteren Multiplizierung der Studentenzahlen.[2] So wandelten sich die exklusiven universitären Eliteanstalten der Vorkriegsjahre innerhalb von zwei Dekaden in Massen- und Volksbildungsstätten. Das Kriegsende brachte international tiefgreifend soziale Wandlungen mit sich: Die Amerikaner verdoppelten ihr Nationalvermögen, und an dem neuen Reichtum begannen auch die bisher unterprivilegierten Gesellschaftsschichten teilzuhaben; die westeuropäischen Staaten waren gezwungen, ihre Kolonialimperien zu liquidieren; die Deutschen bauten ihr verwüstetes, geteiltes, durch Flüchtlingsströme demographisch stark verändertes Land aus Hitlers Konkursmasse wieder auf; in Japan wurde erstmals eine soziopolitische Ordnung nach westlichem Vorbild eingeführt, und in China war eine Revolution im Gange, die eine Jahrtausende alte Staats- und Gesellschaftsordnung von Grund auf veränderte. Bedingt durch den Krieg setzte in der kleinsten sozialen Einheit, der Familie, ein Desintegrationsprozeß ein. Man denke an die Millionen von Kriegswaisen und an die in Folge des Krieges zerrütteten Ehen. Aufgewachsen in den Turbulenzen der Nachkriegsjahre, eingewöhnt in ein Klima rapider sozialer Mobilität, fanden die Anfang der sechziger Jahre erwachsen Werdenden gesellschaftliche Einrichtungen vor, die sich mittels einer Keine-Experimente-Ideologie hartnäckig gegen etwas zur Wehr setzten, was zur existentiellen Erfahrung der neuen Generation gehörte: Änderung, Umbau, Improvisieren, Neubeginn. Diese erstarrenden Institutionen waren im Erfahrungsbereich der Studenten zunächst die Universitäten, dann die lokalen und nationalen Regierungen, schließlich die Gesamtheit des politisch-ökonomischen Systems. Bei der Revolte handelte es sich nicht um den Aufstand materiell Ausgebeuteter oder Unterdrückter, nicht einmal um die Rebellion von Gesellschaftsschichten, die eine soziale Deklassierung zu befürchten hatten.[3] Das auffallende Kennzeichen der Industriestaaten war seit Mitte der fünfziger Jahre Wohlstand, zum Teil sogar Überfluß. Wie eine Reihe von Soziologen nachgewiesen haben, sind es gerade die Wohlstandsgesellschaften der Nachkriegszeit, die postmateriale, nachbürgerliche Werte erzeugen.[4] Statt um die Sicherung materieller Bedürfnisbefriedigung besorgt zu sein, hat der Jugendliche der Affluent Society den Kopf frei für individuelle Werte geistiger, moralischer, schöpferischer und kontemplativer Art und für soziale Belange wie Mitspracherecht, Meinungsfreiheit, Solidarität und Schutz der Natur vor industrieller Ausbeutung. In ihrer Wertorientierung unterscheidet sich die gegen Ende des Krieges geborene Generation stark von der ihrer Eltern. Deren Wertfixierung war eine vor allem materielle, richtete sich auf ökonomische Stabilität, Wirtschaftswachstum sowie Ruhe und Ordnung in Staat und Gesellschaft. Die Dialektik der Affluent Society blieb ihren Begründern weitgehend unverständlich.[5] Die Behauptung, daß auf dem Boden der Wohlstandsgesellschaft der potentiell revolutionäre Spaltpilz des postmaterialen Wertes keimen würde, mußte der Elterngeneration als absurd erscheinen. Was auf den ersten Blick wie die Wiederholung eines üblichen Generationenkonfliktes aussah, hatte hier aber seine soziologisch faßbaren Wurzeln: Es ging bei der Studentenrevolte auch und vor allem um das Durchsetzen postmaterialer Wertvorstellungen gegen die materialistische Ideologie einer Elterngeneration, die das in den ersten Nachkriegsjahren gesetzte Ziel materialer Bedürfnisbefriedigung als nicht transzendierbare Utopie auszugeben begann.

Mit dem Unverständnis fürs um sich greifende Konservieren, Rekonstruieren, Restaurieren und Renovieren gesellschaftlicher Institutionen ging ineins die Abneigung gegen eine Super-Industrialisierung mit ihrer Serialisierung und Perfektionierung. Jene Kombination von Überdruß am Bestehenden und Reformfreude[6] sollte das Ende des "Age of Consensus"[7] der Eisenhower-Ära bedeuten. Fur kurze Zeit noch fand die Jugend der westlichen Welt ein Projektionsideal ihrer auf Erneuerung gerichteten Erwartungen in Eisenhowers Nachfolger Kennedy, der versucht hatte, der Identitätskrise der Demokratien zu steuern. Kennedys Ermordung kam einem abrupten Entzug von Hoffnungen gleich, und die politisch bewußte Jugend fand sich so perspektivelos wie deprimiert alleingelassen. Damit war die Zeit der amerikanischen "silent generation"[8] bzw. der europäischen "skeptischen Generation"[9] vorbei. Systemkritische, auf die "Große Verweigerung" abzielende Analysen wie solche von Charles Wright Mills[10] oder Herbert Marcuse in Amerika, wie Sartres neuere sozialistische Schriften in Frankreich und wie das Werk der Frankfurter Schule in der Bundesrepublik lieferten das Vokabular zum neu einsetzenden Dissens in der nun als technokratisch-bürokratisch und total verwaltet durchschauten Gesellschaft.[11] Und nicht mehr in Hemingway oder Camus fand die studentische Jugend ihre Fragen und ihren Zorn artikuliert, sondern in Allen Ginsbergs 'Howl' und Jack Kerouacs 'On the Road'. Zu wahren Propheten der ganzen - nicht nur der akademischen - Jugend entwickelten sich die international akklamierten Popsänger wie Bob Dylan, Joan Baez, Janis Joplin und Rockgruppen wie The Beatles oder The Rolling Stones. Die relativ diffuse Protestbewegung fand spätestens im Sommer 1967 im Vietnamkrieg der USA ihr Hauptangriffsziel, als der amerikanische Kongreß die Befreiung der Studierenden vom Wehrdienst aufhob. Ende April 1968 wurde in zahlreichen Staaten ein Welttag gegen den Vietnamkrieg begangen, an dem sich von New York bis Tokio und von Rom bis Kopenhagen hunderttausende von Studenten demonstrierend und protestierend beteiligten. Einen Monat später kam es in Paris zur Mai-Revolte, die in ihrer Kombination von studentischen Utopie- bzw. Phantasie-Parolen und gewerkschaftlicher Kräftedemonstration dem Gaullismus einen Schock versetzte, von dem er sich bis heute nicht erholt hat.

II

Die Entwicklung der Studentenbewegung in der Bundesrepublik gilt es auf dem Hintergrund des weltweiten Jugendprotests der sechziger Jahre zu sehen; denn weder ihre Ursachen noch ihre Mittel und Ziele waren singuläre Phänomene. Die Forderungen nach Universitäts- und Gesellschaftsreform im demokratischen Sinne, die Bewußtmachung der Probleme der sogenannten Dritten Welt, die Kampagnen gegen den Vietnamkrieg, die Bildung von Initiativen gegen atomare Bewaffnung sowie die Radikalisierung vereinzelter Gruppen hin zum Terrorismus waren kennzeichnend für die Protestbewegung in zahlreichen Ländern, besonders in den westlichen bzw. westlich orientierten Industriestaaten. Graduell wichen Anlässe und Objekte des Protestes zwar in fast jedem Land voneinander ab; doch läßt sich als gemeinsamer Nenner der Aufstand gegen Autoritäten ausmachen. Die Entstabilisierung der Wohlstandsgesellschaft, welche durch die Studentenbewegung verursacht wurde, setzte in der Bundesrepublik so rapide und massiv ein wie anderswo. Relativ frühe Symptome der beginnenden Anomie waren die beträchtliche Quote derjenigen, die ihr Studium abbrachen, das Phänomen der drop outs, die hohe Selbstmordrate, Alkoholismus und Drogenmißbrauch.[12] Das Anomiepotential aktivierte sich zunehmend seit Mitte der sechziger Jahre in einer diffusen antiinstitutionellen und antitechnischen Revolte, die nicht durch politische Organisationen - dem SDS gehörten 1967 nicht einmal dreitausend Studenten an -, sondern durch bestimmte gesellschaftliche Ereignisse zusammengehalten wurde. Was die Bürgerrechtsbewegung, die Beseitigung der Freistellung von der Wehrpflicht und die Erschießung der Studenten an der Kent State University für die USA, was die polizeistaatlichen Maßnahmen gegen die Streiks während des Pariser Mai für Frankreich, das waren Große Koalition, Notstandsgesetze und vor allem der 2. Juni 1967 für die Bundesrepublik Deutschland: Geschehnisse, in denen nach Meinung der Studenten das ganze Syndrom soziopolitischer Inhumanität zu Tage trat. Wortführer dieses moralischen und literarischen Protests waren auch in Westdeutschland nicht Politiker, sondern Journalisten, Philosophen, Schriftsteller und vor allem Studenten. Will man sich über Entwicklung, Selbstverständnis und Ziel der Jugendrevolte klar werden, gilt es zunächst, die zahlreichen literarischen und biographischen Berichte der Beteiligten zu studieren. In diesen individuellen Lebensgeschichten, die den

Nachlaß jener Generation ausmachen, wird ein Kapitel Sozialhistorie des Jahrzehnts zwischen 1965 und 1975 reflektiert. Die Autoritäten des sogenannten Establishments, denen in der Bundesrepublik der Kampf angesagt wurde, waren zuallererst die Professoren als Repräsentanten einer geradezu absolutistischen Universitätsstruktur, dann die ganze Vätergeneration, die als Handlanger, Mitläufer oder Dulder des Hitlerismus angeklagt wurde, schließlich - bei zunehmendem Einfluß marxistischer Studentengruppen - das kapitalistische System schlechthin. Universität, Familie und Gesellschaft machte man haftbar für ein Problem, das die akademische Jugend geradezu als lebensbedrohend empfand: das der Einsamkeit, des Alleingelassenseins. Die Familie hatte sich als unfähig erwiesen, eine Stabilität menschlicher Bindungen zu gewährleisten, und die Universität verschreckte durch ihre Kälte, Anonymität und die Weltfremdheit eines Großteils ihrer Hochschullehrer. Jugendliche Grundbedürfnisse wie Gemeinschaft, Erlebnis und Gewißheit[13] waren weder in der Familie noch an der Universität befriedigt worden.

In fast allen Büchern zur Studentenbewegung kommt man auf die individualpsychologischen Ursachen der Revolte zu sprechen. Für Jaeggi ist es keine Frage, daß der Protest in erster Linie zu erklären sei aus der Sehnsucht nach Intimität, Überschaubarkeit, Solidarität und genossenschaftlicher Hilfe.[14] Von Depressionen, Arbeitsstörungen und Kontaktschwierigkeiten der Studenten, die "einfach aufhören wollen, allein zu sein",[15] ist bei Peter Schneider die Rede, Teach ins, Sit ins, Demonstrationen und Flugblattaktivitäten lieferten nach Lang die ersehnte "kollektiv zusammengetragene Nestwärme".[16] "Und dann plötzlich die Osterdemonstration", schwärmt ein Student in Jaeggis 'Brandeis', "die ganze Aktivität: es war eine Befreiung".[17] Die "allgemeine Aufbruchsstimmung" vermittelte, so erinnert sich Henisch, das Gefühl eines "qualitativen Sprungs", auch wenn man "nicht genau wußte, wer oder was da springen sollte und vor allem, wohin".[18] Die neuen politischen Organisationen warben Schimmang zufolge mit Sprüchen wie "Wenn du zu uns kommst, bist du nicht allein; du sollst die Wärme finden, die du brauchst".[19] In Professorensatiren machte sich Ärger und Enttäuschung über die akademischen Lehrer Luft. "Diese Flachbrüstigen, Rachsüchtigen", schimpfte Jaeggi, denen "im Studium und während der Assistentenzeit das Rückgrat gebrochen worden ist. Krick! krack! [...] Diese Kaputtgemachten, die nach Jahren der Unterwerfung aufrücken, in das Gewand des Unterdrückers schlüpfen und jetzt endlich dazu kommen ihre Wut auszulassen."[20] Doutiné karikiert den "Captain Professor und seine Crew":

> Kennzeichen, zwei junge adrettgebürstete Herren, zwei Schritte hinter Hochwürden. Bücher schleppen, Aktentasche tragen, Tür aufreißen, Fenster schließen. Zwei Assistententwens. [...] Man findet sie in den wissenschaftlichen Büchern ihrer Chefs, in Kapitel verbunden, wieder. Auf allen vieren durch die Hörsäle. Und immer hinterher und nie vorweg. Stichworte zuflüstern. Souffleure der Alma Mater. Abwarten. Pöstchen anheizen. Und mittags Intrigenschappi für alle.[21]

Die Angriffe richten sich ganz allgemein gegen Autoritäten und Vaterfiguren. Vesper analysiert seine vergebliche Suche nach "einer andren Welt jenseits von Angst, Kälte, Befehl und Gehorsam".[22] Alle Lebensbereiche der Bundesrepublik erscheinen ihm noch durchtränkt vom Nationalsozialismus. Nirgendwo äußert sich die Rebellion gegen die Väter so aggressiv und - zum Teil jedenfalls - ungerecht, wie in Vespers Romanessay 'Die Reise'. Den eigenen Vater sieht er als "Gefangenen in dem Gestänge seiner Illusionen", die ihn verbinden mit "Adolf Hitler, seinem Führer". (205) Durch die Generation der Eltern werde, so Vesper, der Hitlerismus weiter in die Gegenwart tradiert. Der national-sozialistischen Erziehung habe die Jugend nicht entgehen können. "Wir sind Hitler", schreibt Vesper und fährt fort: "Ja, ich wußte genau, daß ich Hitler war, bis zum Gürtel, daß ich da nicht herauskommen würde, daß es ein Kampf auf Leben und Tod ist, der mein Leben verseucht, seine gottverdammte Existenz hat sich an meine geklebt wie Napalm." (94) Vesper findet keinen Weg heraus aus einem Alltag, den er als faschistisch verseucht empfindet und flieht deshalb in die Traumwelten seiner Rauschgifttrips. Freilich verfolgt ihn auch dorthin die überlebensgroße paternalistische Trinität von Will Vesper, Hitler und Jesus. Einmal sieht er seinen Vater durch "einen weißen Lichtstrahl" mit der "Gestalt Adolf Hitlers" (205) verbunden; ein andermal begegnet ihm Hitler in Gesellschaft mit "einigen von Vaterlandsliebe trunkenen Damen und Herrn der höheren bayrischen Gesellschaft" (66), und schließlich erscheint er sich selbst als Jesus, der seinem Vatergott ein verzweifeltes "Warum hast Du mich verlassen" (204) zuruft. Vesper zufolge konnte gar nicht ausbleiben, was Habermas bereits 1967 als "linken

Faschismus"[23] angeprangert hatte, nämlich die Tendenz der Jugend zur Fixierung auf neue politische Autoritäten, zur Indoktrinierung und zur Gewalt. Allerdings überzeugen Stimmen wie die von Vesper nicht, die den Terrorismus in der Bundesrepublik als notwendige Folge des Hitlerismus erklären. Linker Terrorismus wurde ja nicht nur von Hitler's, sondern auch von Roosevelt's Children praktiziert, war also keineswegs auf Deutschland beschränkt und ist wohl eher aus der Eigengesetzlichkeit radikaler Gruppen zu verstehen als aus der Erziehung der Nachkriegsgeneration.[24] Immerhin wird durch Vespers 'Reise' deutlich, wie tief die "Große Verweigerung" wurzelte in den sehr persönlichen Konflikten der Studenten mit ihren Eltern. Vesper bekennt:

> Der Aufstand geschieht gegen diejenigen, die mich zur Sau gemacht haben, es ist kein blinder Haß, kein Drang, zurück ins Nirwana, vor die Geburt. Aber die Rebellion gegen die zwanzig Jahre im Elternhaus, gegen den Vater, die Manipulation, die Verführung, die Vergeudung der Jugend, der Begeisterung, des Elans, der Hoffnung - da ich begriffen habe, daß es einmalig, nicht wiederholbar ist. Ich weiß nicht, wann es dämmerte, aber ich weiß, daß es jetzt Tag ist und die Zeit der Klarstellung. Denn wie ich sind wir alle betrogen worden, um unsere Träume, um Liebe, Geist, Heiterkeit, ums Ficken, um Hasch und Trip. (44)

Die besondere psychische Disposition der Studenten, d. h. ihr Gefühl, von der Elterngeneration betrogen und im Stich gelassen worden zu sein, muß man im Auge behalten, will man jene Eruption verstehen, die sich mit und nach dem 2. Juni 1967 ereignete. Handelte es sich bei der Großen Koalition nicht um einen weiteren Versuch, die verhärteten Strukturen des CDU-Staates gegen die auf Veränderung bedachten Kräfte der Jugend abzuschirmen? Waren die Notstandsgesetze nicht dazu angetan, der traditionsschwachen Demokratie in Krisenzeiten den Garaus zu machen? Und war es nicht verdächtig, wenn eine die Menschenrechte propagierende Demokratie ausländischen Despoten hofierte? Diese Fragen wurden von der Jugend mit aller Leidenschaft gestellt, von Studenten, die nach Mosler durchweg liberal gesonnen waren.[25]

Am 2. Juni 1967 wurde in Berlin während einer Demonstration

gegen den persischen Schah der Germanistik-Student Benno Ohnesorg von einem Polizisten erschossen. Danach ergriff die Studentenschaft eine unvorhersehbare Solidarisierungs- und Politisierungswelle. Ohnesorg wurde zu einem Identifikations- und Märtyrersymbol der Protestbewegung. Über hunderttausend Studenten demonstrierten in der ersten Juniwoche in der Bundesrepublik.[26] Das Datum des 2. Juni wurde zu einem historischen Schnittpunkt; denn nun setzte nach der anti-autoritären die militante Phase der studentischen Unruhe ein. Das gesamte politische Spektrum der Rebellion hatte sich ruckartig um ein Stück nach Links verschoben. Aus Gleichgültigen wurden im wahren Wortsinne über Nacht politisch Interessierte, aus Liberalen Radikaldemokraten, aus Existentialisten Anhänger der Frankfurter Schule, aus kritischen Köpfen Sozialisten, aus Bohemiens Kommunarden, aus SPD-Wählern Marxisten und aus einem kleinen Teil der alten Apo-Garde, allen voran Ulrike Meinhof, amoklaufende Revolutionäre bzw. Terroristen. Überall legte man eine fieberhafte Aktivität an den Tag; die Sitzungen in Vollversammlungen und Ausschüssen, das Produzieren von Wandzeitungen und Flugblättern nahm kein Ende. In den Romanen der Studentenbewegung sind die Vorgänge während der Demonstration gegen den Schah von Persien bzw. die Reaktionen auf den Tod Benno Ohnesorgs detailliert beschrieben worden. Vesper berichtet:

> Der Schah war im Rathaus. Die Sprechchöre waren so laut, daß man drinnen sein eigenes Wort nicht verstand. Und dann ging's los: Die schahtreuen Perser tauchten hinter der Absperrung auf und fingen an zu pöbeln. Sie schrien sich heiß, dann ließen sie durch einen kräftigen Schlenker ihres rechten Arms den Totschläger aus den Ärmeln schnellen, mit einer stählernen Kugel am Ende. [...] Sie drehten die Plakate um, die sie den vorn Stehenden entrissen und droschen damit auf die Köpfe ein. Irgendwann, eine halbe Stunde später, tat die Polizei ein bißchen was dagegen. Der Schah trug sich ins Goldne Buch der Stadt ein. (164)

Um zu unterstreichen, daß der 2. Juni "entscheidende Bewußtseinsprozesse"[27] auslöste, läßt Viebahn den Erzähler seines Buchs den Roman 'Das Haus Che' als Reaktion auf die Nachricht vom Tode Benno Ohnesorgs schreiben. Mit der politischen Einstellung radikalisierte sich auch die Sprache der Studenten. Viebahn kommentiert die Vorgänge in Berlin so: "Ein Bullenschwein hat bei Demonstrationen gegen den persischen Après-ski-Diktator einen Studenten umgelegt. Es fängt an. Auch hier wird jetzt eine Sprache geschossen, die alle verstehn." (10) In ähnlichem Duktus berichtet Geissler: "Im Laufe des Tages zogen sie viertausend Mann Polizei in der Stadt zusammen für diesen Oberbeumel aus Persien und seine Schnalle aus Neue Revue."[28] Alle Berichte belegen, daß es nach dem 2. Juni bei den Studenten - um es mit Baumann im Jargon jener Jahre auszudrücken - "echt einen irrsinnigen Flash" gegeben hat, daß in ihnen "fürchterlich was abgefahren" ist.[29] Abrupt herausgerissen aus wein- und liebesseligen Idyllen werden die Studenten in den Romanen von Lang und Timm. "Während sie hier leere Weinpullen ins Wasser werfen", liest man bei Lang, "wird in West-Berlin einer erschossen: [...] Er hatte gegen den persischen Großmogul geschrien, der politische Gegner dutzendweise an Pfähle binden und erschießen läßt. [...] Was haben wir gemacht? Kaffeekränzchen veranstaltet! Man muß theoretisch arbeiten und Aktionen machen." (40) Ähnlich vollzieht sich die plötzliche Politisierung des Studenten Ullrich bei Timm:

> Jetzt lagen sie nackt auf dem Bett nebeneinander und hörten Musik. Tanzt du gern, fragte sie. Kommt darauf an, was. Walzer finde ich schlimm. Den mochte ich schon in der Tanzstunde nicht. Aber Beat. Plötzlich kam das Zeitzeichen. Der Bayrische Rundfunk bringt Nachrichten. Berlin: Anläßlich des Schah-Besuchs kam es vor der Berliner Oper zu schweren Zusammenstößen zwischen Demonstranten und Polizei. Dabei wurde ein Student getötet. [...] Schrecklich, sagte Gaby. Gibts da keine Musik. Ullrich sprang aus dem Bett und stellte das Radio ab. Er ging zum offenen Fenster. Diese Schweine, dachte er, und dann wütend: Sind wir hier in Persien.[30]

Eine "ziellose Unruhe" erfaßt Ullrich "seit jener Nacht, als er von dem Tod Benno Ohnesorgs gehört hatte". (56) Das Referat über Hölderlin, das er als Student der Germanistik abliefern soll, kommt ihm jetzt "läppisch und unwichtig vor". (57) Mosler beschreibt das Damaskus-Erlebnis eines Studenten der Orientalistik, der durch die Radionachricht über Ohnesorgs Tod eine "rasende persönliche Revolte" erlebt, und der im Laufe weniger Monate merkt, "wie wenig er sich gleich blieb". (41) Buselmeier erzählt von der Fortwirkung seiner Empörung über die Erschießung des Studenten:

> Das Ende der pessimistischen Ästhetenzirkel. Die Isolation schien durchbrochen. [...] Ich hörte Rudi Dutschke sprechen über die Notwendigkeit einer gesellschaftlichen Umwälzung. [...] Ich interessierte mich für eine andere Gesellschaft vor allem, um meiner Vereinzelung zu entkommen, um selbst frei von Autorität zu leben. Alle Erfahrungen waren plötzlich politisch. [...] Wir würgten nichts mehr herunter.[31]

Nicht anders heißt es bei Inga Buhmann:

> Entscheidend war für mich wie für viele andere der 2. Juni. Bislang hatte ich noch immer gezögert, ob ich mich wirklich engagieren sollte. Mit einem Schlag war es klar und unwiderruflich – es war wirklich wie ein Schlag, wohl für die meisten von uns.[32]

Die moralische Beurteilung des Todes von Benno Ohnesorg spielt auch eine Rolle in Elisabeth Plessens 'Mitteilung an den Adel'. Der Vater wertet dort – im Gegensatz zur Tochter – den Tod Ohnesorgs als "Zufall", tut ihn ab als "Pech", das der "arme Kerl" gehabt habe.[33] In seinem Schlüsselroman 'Die Genossin' deutet Röhl an, daß durch die Erschießung Ohnesorgs "alles weitere ausgelöst"[34] worden sei, nämlich die Radikalisierung Ulrike Meinhofs zur Terroristin. Sie hatte in der 'Konkret'-Nummer vom 28.05.1967 den "Offenen Brief an Farah Diba" veröffentlicht. Röhl vermutet vielleicht nicht zu Unrecht, daß Ohnesorg – wie tausende anderer Studenten – diesen Artikel gelesen habe.[35] Ein einprägsames Bild der studentischen Ängste und Unsicherheiten, die sich unter der Fassade von Aggressivität und Selbstsicherheit verbargen, hat Vesper gezeichnet. Das Erlebnis der Demonstration vom 2. Juni gleicht bei ihm einem Alptraum:

> Ich fiel, mit vielen unsichtbaren Personen in eine Kugel eingeschlossen. Beim Aufprall zersplitterte sie, ein gezähntes Loch zeigte sich, geformt wie die sich schließende Schaufel eines Baggers, Blut floß und Felix [Vespers Sohn], so schien mir, war verletzt. Zugleich wurde ganz deutlich, daß ich der gefährlichen Fahrt noch kurz vor dem Start entronnen und die schwarze, rasende Kapsel bereits am Ziel empfing. Ich war dem Ereignis so nahe gekommen, daß ich meinte,

selbst eingeschlossen zu sein, das Fallen zu spüren. (54)

III

Während der turbulenten Wochen nach dem 2. Juni 1967 brodelte alles durcheinander in den Universitäten, den demonstrationsstrotzenden Zentren der Großstädte, den neu gegründeten Republikanischen Clubs und den Redaktionsstuben der Medien:

> Seminar und Karneval, Politik und Feuilleton, Wahrheitsfanatismus und Demagogie, Pathos und Parodie, Sensibilität und Aggressivität, angefeuert von der chiliastischen Erwartung, ein neuer Abschnitt der Menschheitsgeschichte stehe unmittelbar bevor, ein mystischer Befreiungsakt, 'Revolution' genannt.[36]

Modische Begleiterscheinungen der Revolte bleiben nicht aus. Die Studenten bereichern ihr Vokabular um viele "Scheiße" oder "Verdammtnochmal" und führen Adjektive wie "verinnerlicht", "verunsichert", "verdinglicht", "unheimlich", "repressiv" in ihre Sätze ein. Während die Empörung immer mehr zunimmt, weiß Röhl zu berichten, schlugen auch die Parties in den Großstädten höhere Wellen:[37]

> Inge Feltrinelli und Gabriele Henkel wetteifern darum, wer auf der Frankfurter Buchmesse am häufigsten mit Cohn-Bendit gesehen worden ist. [...] Die Namen schwanken an der Literaturbörse wie Kurse von Eisen- und Stahlwerken: Dutschke drei Punkte gefallen, Cohn-Bendit Kursaufschwung, Teufel-Langhans-Tendenz weiterhin steigend, Lefèvre und Oskar Negt nicht gefragt.[38]

Neu ist ein allgemeiner Trend hin zur Kommune, für den die Argumente der Studentin Rita in Langs Roman charakteristisch sind:

> Raus aus der Verlogenheit der Zweierbeziehung. Veränderung des Individuums. Die Gemeinschaft erleben. Geld sparen. Sich dem Konsumterror verweigern. Kollektiv leben, lernen, arbeiten, die Fesseln der Repression sprengen. Bewußtseinserweiterung. Emanzipation. Selbstverwirklichung. Ich finde

das unheimlich gut. (54)

Über die Ausnutzung modischer Tendenzen in Röhls 'Konkret', dem damals populärsten Magazin der Studenten, heißt es bei Doutiné:

> Seine Zeitschrift hängt jetzt an allen Kiosken. Direkt neben dem PLAYBOY. [...] Mit nackten Busen, mit Stripprotokollen und viel Sozialismus. [...] Er hat politisches Falschgeld gedruckt, und keiner hat es gemerkt. Seine Währung läuft. Die schlendernden Republikaner in Jeans und Bonniesocken schlucken die Zeitschrift wie Drugs. [...] Orgasmus und Repression. Studentenunruhe und Geschlechtsverkehr. [...] Das verkauft sich gut. Die Revolution im Bett. Eine verschlafene Revolution. (38-39, 62)

Was Enzensberger gleich nach dem 2. Juni über die Protestbewegung sagte, traf den Nagel auf den Kopf: "Ihre Strategie ist unsicher. Ihr Programm ist vage. Ihre zahlenmäßige Stärke ist gering. Ihre Zukunftschancen sind unbestimmt."[39] Die studentische Kulturrevolution fraß weniger ihre eigenen Kinder als ihre Eltern. Schon bald entlud sich der Haß der Jugend auf jenes Medium, dem sie vor allem ihre Denk- und Aktionsanstöße verdankte, auf die Literatur. Man dachte, die kulturrevolutionäre Phase der Bewegung hinter sich lassen zu können, um den wirklichen, den großen gesamtgesellschaftlichen, den politisch-ökonomischen Umbruch herbeizuführen. Den Germanistik-Studenten Lothar G. in Moslers Reportage überkommt eine "grenzenlose Verzweiflung an der Universität. Die Metaphern von Trakl, Kafkas Parabeln, das Gedicht bei Goethe - alles erschien ihm wie eine Welt gespenstischer, traumhafter Fiktionen." (144) Timms Ullrich "kotzt das an", dieses "Professorengequatsche über Hölderlin". (11) Man suchte sich der Praxis zu nähern und begnügte sich nicht mehr damit, statt Luther Müntzer, statt Lessing die Jakobiner, statt Goethe Büchner, statt Schlegel Heine oder statt Thomas Mann Brecht zu lesen. Es ging auch nicht mehr darum - wie noch bei den surrealistischen Großvätern - die Kunst in Lebenspraxis zu überführen.[40] Der Verachtung der revoltierenden Studenten gegenüber Kunst bzw. Dichtung, Kritik und Literaturwissenschaft gab Enzensberger Ausdruck in seinem Essay "Gemeinplätze, die Neueste Literatur betreffend":

Eine revolutionäre Literatur existiert nicht, es wäre denn in einem völlig phrasenhaften Sinn des Wortes. Das hat objektive Gründe, die aus der Welt zu schaffen nicht in der Macht von Schriftstellern liegt. Für literarische Kunstwerke läßt sich eine wesentliche gesellschaftliche Funktion in unserer Lage nicht angeben. Daraus folgt, daß sich auch keine brauchbaren Kriterien zu ihrer Beurteilung finden lassen. Mithin ist eine Literaturkritik, die mehr als Geschmacksurteile ausstoßen und den Markt regulieren könnte, nicht möglich. [...] Heute liegt die politische Harmlosigkeit aller literarischen, ja aller künstlerischen Erzeugnisse überhaupt offen zutage: Schon der Umstand, daß sie sich als solche definieren lassen, neutralisiert sie. Ihr aufklärerischer Anspruch, ihr utopischer Überschuß, ihr kritisches Potential ist zum bloßen Schein verkümmert.[41]

Enzensberger verkündete nicht den sogenannten "Tod der Literatur", sondern sprach lediglich von ihrer gesellschaftspolitischen Wirkungslosigkeit. Sein 'Kursbuch'-Artikel bedeutete weniger die Bankrotterklärung der Literatur als der Ästhetik; denn bisher galt es von Platon und Aristoteles bis Schiller und Lukács als ausgemacht, daß Kunst im Dienst gesellschaftlicher bzw. moralischer Zwecke stehe, oder aber daß sie - wie etwa bei Kant und Schelling - im Sinne von Autonomie ein Zweck in sich selbst sei. Erstere Funktion wird von Enzensberger geleugnet, die zweite gerät nicht in seinen Blickwinkel. Für die revolutionswillige studentische Jugend, die der kurzatmigen Logik einer Studie vertraute, die nichts mehr zu sagen wußte von den komplizierten wie komplexen Vermittlungsmechanismen literarischer Wirkungen, mußte die Konsequenz in der Abwendung von Kunst und Literatur überhaupt bestehen. Hier wurde deutlich, daß sich die Studentenrevolte über sich selbst nicht im klaren war. Sie wollte nicht mehr sehen, daß sie eine literarisch-kulturrevolutionäre Bewegung sui generis war, daß sie als solche nicht nur Gehör, sondern auch Sympathie und Unterstützung gewonnen hatte. Sobald sie ihre literarisch-publizistischen Mittel zu verachten begann, um in Verkennung ihrer Möglichkeiten Revolutionsmodelle der sogenannten Dritten Welt aufzugreifen bzw. Anweisungen zum Aufruhr aus dem 19. Jahrhundert zu befolgen, mußte dies der Anfang ihres Endes bedeuten.

Nachdem die Literatur als untauglich für den Dienst an der gesellschaftlichen Umwälzung befunden worden war, galt jeder, der sich noch mit der Beschreibung der Gesellschaft statt mir ihrer unmittelbaren Änderung befaßte, als Reaktionär. Universitäre Literaturinstitute wurden zu flugblattproduzierenden Revolutionszentren "umfunktioniert". Den einprägsamsten Situationsbericht liefert Jaeggi in 'Brandeis':

> Jetzt, 1968, war das Geschriebene, war Literatur plötzlich das Überflüssige, das Gefährliche, das Narkotikum, welches politisches Handeln verhindert. Es wurde abgeschworen. In entsetzlich wichtigtuerischen Formulierungen versicherten alle einander gegenseitig, wie [...] der bisherige Produzent von Worten [...] künftig nur noch Mithelfer sein dürfe, Anlerner und Anreger. [...] Schriftsteller, die nicht mehr schreiben; Denker, die nicht mehr denken. Dozenten, die nicht mehr dozieren. Studenten, die nicht mehr studieren. Wir schrieben Flugblätter. Wir formulierten Resolutionen. (107)

Einen solchen Akt literarischer Selbstzerfleischung führt Vesper vor:

> Schattenkämpfe der Literatur. [...] Anscheinend über den Klassen schwebend, dreht sich der bürgerliche Moloch im eigenen Saft, feiern die Rezensenten, klatschen die Auditorien, sinnieren die Preisrichter, feilen die Lektoren, schwatzen die Literaturkühe, bosseln die Übersetzer, sezieren die Germanisten, rotiert die Gebetsmühle der Schnellpressen. (471)

Die Zeichen in den Literaturseminaren standen auf Sturm, und vorläufig wiesen sie nicht in neue ästhetische Richtungen, sondern ins Gebiet der Arbeitswelt - dorthin, wo man das Proletariat, den "eigentlichen" Träger der kommenden Revolution vermutete. Daß man anfing, sich von den Thesen der frühen Propheten der Studentenbewegung, von Marcuse und den Vertretern der Frankfurter Schule, von Adorno, Horkheimer und Habermas zu lösen, lag in der Natur der Sache; denn diese waren ja vor allem Kulturkritiker gewesen, hatten die Arbeiterklasse als revolutionäres Subjekt aus den Augen verloren. Schimmang läßt seinen studentischen Romanhelden Murnau beim Aufnahmegespräch in eine K-Gruppe "mit der notwendigen Ironie" (149) über seine verdrängte Adorno-Phase berichten. Kluge skizziert eine Situation streikender Studenten, während der sie "insbesondere den anwesenden Habermas unter Beschuß nehmen, ihn als 'Beispiel' für ein nicht-revolutionswilliges, widersprüchliches Verhalten hinstellen".[42] Auch Inga Buhmanns Bericht ist repräsentativ:

> Von der Frankfurter Schule und dem dazugehörigen Milieu war ich schnell enttäuscht. Die Seminare, die ich besuchte, glichen eher Ritualen, als daß wirkliche Auseinandersetzungen stattfanden; bei Adorno herrschte im Oberseminar dezente Stille, fast weihevoll, bei Habermas traf sich die soziologische Elite, gegen die nichts zu sagen wäre, wenn sie nicht ihren frisch erlernten Jargon bei jeder passenden und unpassenden Gelegenheit mit sich herumgetragen hätte, bei Festen, in Kneipen, beim Vögeln, im SDS, und ihn nicht vorwiegend dazu verwandt hätte, andere einzuschüchtern. Daß sie also diese Erkenntnisse als arrogantes Machtmittel vor allem gegen Frauen benutzten, das ist mein Hauptvorwurf. (162)

Ferner wird die Diskussion um die Marcusesche Klassenanalyse in den Büchern zur Studentenbewegung in Erinnerung gebracht. Marcuse hatte im 'Eindimensionalen Menschen' den in die Konsumgesellschaft integrierten Arbeitern ein manipuliertes Bewußtsein attestiert, schrieb sie als gesellschaftsverändernde Kraft ab und betrachtete als potentiell revolutionär lediglich Randgruppen, zu denen die Studenten selbst auch gehören sollten. Beringer, Protagonist des Romans von Gerd Fuchs,[43] fühlt sich wie viele seiner Generation aufgerufen, die von den Arbeitern verlassene Fahne aufzunehmen und in den Kampf zu tragen:

> Beringer hatte das behalten, diesen Augenblick, als Katz ihnen zwischen zwei Runden Bier eröffnet hatte (es lief gerade eine Elvis-Platte in der Box), daß sie die eigentlichen Träger der Revolution seien: Ruth und Beringer, der Maler Müller-Neukomm und seine Frau, Fuffi, die beiden Studenten, die drei Rocker am Rotamint (die vor allem) - die neue Klasse. Nicht die doch wohl endgültig korrumpierten europäischen Arbeiter, sondern sie seien die Erniedrigten und Beleidigten, die wirklichen Revolutionäre. Worauf sie sich dann doch einmal gegenseitig angesehen hatten. (97)

Der Student Petersen in Timms 'Heißem Sommer' hat ebenfalls

gelernt, daß "die Zweckrationalität der Systeme" nur "durch Gruppen gesprengt werden" könne, die "noch nicht angepaßt" und "der jeweiligen Herrschaftslogik unterworfen" seien (160). Dagegen argumentiert Langs Romanheld Ronge: "Nicht die Studenten können diesen Kampf anführen, sondern die Arbeiter. [...] Die ganze Randgruppentheorie ist doch einfach Kacke." (186) Solche Stimmen behielten damals die Oberhand. Man wollte direkt und unvermittelt den Kontakt zum Proletariat herstellen. Die Selbsteinschätzung der sich in Arbeiter verwandelnden Studenten beschreibt Lang: "Thilo und Hansen haben die Konsequenzen gezogen. Sie haben ihr Studium unterbrochen [...] und sind jetzt im Betrieb [...] Fische im Wasser des Proletariats - Schrittmacher ihrer Theorie." (189) Die Metamorphose vom Studenten zum Arbeiter vollzieht sich freilich nicht immer komplikationslos; oft bleibt es lediglich bei Mutationsvorsätzen. So klagt sich der Kommunarde Jan in Fuchs' 'Beringer' zwar unerbittlich, ja geradezu masochistisch an als eine "kleinbürgerliche Laus im Pelz der Arbeiterklasse, ein Nichts, ein Zeck", flüstert sich selbst den Entschluß vor: "Ich ... muß ... mich ... proletarisieren", sieht "sich schon auf seiner Drehbank sitzen in einem 'blauen Anton' " und den Kollegen Mut machen: "Ich werde euch herausreißen aus euren Plüschgarnituren, ich werde euch herunterholen von der Wand den röhrenden Hirsch, ihr sollt euch einrichten zumindest in Teak" (126-127); doch dies bleiben vorübergehende Anwandlungen ohne praktische Folgen. Wie steinig der eingeschlagene Weg zu den Arbeitern war, wird deutlich in Moslers Dokumentation. Ein Student, der nach dem 2. Juni Flugblätter in Hausbriefkästen von Arbeiterwohnungen steckte, berichtet dort, daß er das Gefühl hatte, sich in Feindesland zu bewegen. (19) Reaktionen der Arbeiter auf studentische Bemühungen wie jene, die Henisch widergibt, waren typisch:

> Sie [die Studenten] waren vor Fabrikstoren gestanden und hatten Flugblätter verteilt, aber die Gesichter der Arbeiter waren verschlossen geblieben, morgens wie abends, und wenn man sie überhaupt beachtet hatte, dann hatte man sie aufgefordert, erstens zu verschwinden, zweitens zum Friseur zu gehen und drittens einmal richtig zu arbeiten. (201)

Das Scheitern der akademischen Expeditionen in die Arbeitswelt hatte viele Gründe. Zum einen mußten die Studenten einsehen lernen, daß - wie Schimmang es ausdrückt - "die jungen Arbeiter durchaus nicht unmittelbar den proletarischen Romanen der zwanziger Jahre entsprungen waren, die damals von der revolutionären Intelligenz neu entdeckt wurden", daß sie keineswegs "den geheimen marxistisch-leninistischen Leitbildern des Ernstes, der Strenge, der ununterbrochen verantwortungsbewußten Haltung" entsprachen und Jimi Hendrix' Songs den Brecht-Liedern vorzogen. (134) Zudem gaben die Studenten die anti-autoritäre Position, die sie in der frühen Phase der Revolte eingenommen hatten, wieder auf, taten sie als "kleinbürgerlich" ab. Die neue belehrend-autoritäre Haltung war es vor allem, die ihnen den Zugang zu den Arbeitern versperrte. Michael Baumann erinnert sich an Arbeiterreaktionen auf studentische Indoktrinationsversuche wie diesen: "Instinktiv, siehst du immer, das ist ja eigentlich der Typ von oben, mit dem du immer den Trouble hast." (35) Es ist eine Einstellung, die auch der Arbeiter Reinhold in Geisslers 'Brot mit der Feile' teilt, wenn er einem jungen Akademiker entgegenhält: "Ihr seid arrogant wie zu Hause bei euch die Alten, alles Geld und modern und mal so und mal so. [...] Die Arbeiter sind ja auch alles wohl meistens Blöde für euch." (385) Die Lernprozesse der missionierenden Studenten haben essayistisch bzw. erzählerisch am genauesten und plastischsten Michael Schneider und Peter Schneider aufgezeichnet. Der ehemalige Philologie- und Soziologiestudent Michael Schneider war zu Siemens gegangen, um "Arbeiter-Avantgarde-Gruppen heranzuzüchten" und "eine 'in der Basis verankerte' kommunistische Partei-Organisation aufzubauen".[44] Auch er macht die Erfahrung, daß sich die Arbeiter nicht gerne belehren lassen von einem Studenten und Sonntagsarbeiter, der als Sachwalter des "richtigen politischen Bewußtseins" und der "reinen Lehre" des Leninismus auftritt, daß sie sich über seine ständige Besserwisserei ganz einfach ärgern. Im selbstkritischen Rückblick wird Michael Schneider klar, was den Schulungsopfern zugemutet wurde: Die Arbeiter, welche in der Fabrik täglich acht Stunden lang "diszipliniert und 'organisiert' wurden, um nach Feierabend von den linken Intellektuellen diszipliniert und organisiert zu werden, mußten das Gefühl haben, vom Regen in die Traufe zu kommen". (60) Weder hier noch dort hätten sie Erfolgserlebnisse gehabt; denn während im Betrieb die Meister und Ingenieure die Unterwerfung heischenden Autoritäten waren, wurden sie in der Freizeit gezwungen, sich an die "Denk- und Grübelzwänge der linken Intelligenz" anzupassen. (61) Was den Arbeitern an den studentischen

Agitatoren nicht behagte, waren die ständigen "Zerschlag-Parolen", ferner der "sektiererische Kampf gegen Neben-Neben-Widersprüche der eigenen Genossen", welche mit einer Verbissenheit ausgetragen wurden, als "ginge es um Leben und Tod von Millionen", und schließlich die als schauspielerisch empfundene "Leidensmiene" der Studenten, die glauben machen wollte, daß "sie das Kreuz für die ganze Arbeiterklasse auf dem Buckel" trügen. (57/58) Auch dem Arbeiter Wolfgang in Peter Schneiders 'Lenz' erscheinen die Studenten als "unglaubwürdig": "Sie konnten gut reden", meint er, "auf alles wußten sie eine Antwort, aber was machten sie schon? Sie hatten kein Verhältnis zur Arbeit." (36) Um ein Theorie und Praxis in Einklang bringendes Verhältnis zur Lohnarbeit zu finden, macht der Student Lenz sich auf den Bildungsweg nach Italien. Dort lernt er nicht nur die Wichtigkeit der "Kämpfe, die er auf dem Schauplatz seiner Seele austrug" (81) zu relativieren; er distanziert sich auch von jener intellektuellen Marx-Schickeria, die verkörpert wird durch Figuren wie den "blassen jungen Mann", der eine "Doktorarbeit über die Frühschriften von Marx" schreibt und im Nebenberuf Millionär ist (67) oder durch den "Filmschauspieler, dessen Latzhosen das genaue Abbild der Arbeitskleidung eines Tankwarts" sind, und der erzählt, "daß er sich gerade auf die Hauptrolle in einem Film über Che Guevara vorbereitet". (69) Diesen Mode-, Seminar-, Salon- und Party-Marxisten hält Lenz entgegen: "Ihr wißt nicht, im Namen von was ihr kämpft, oder ihr wißt es, aber ihr habt es nicht drin. Weil ihr nicht für euer eignes Glück kämpft, verteidigt ihr auch nicht das Glück anderer Leute." (50) Lenz lernt im italienischen Trento die Identität von Begriff und Handeln an dem sozialistischen Arbeiter Roberto schätzen, der für ihn zum Vorbild wird. Trento ist für Lenz "gleichsam der Erfüllungsort, wo sich der Gedanke zur Wirklichkeit und die Wirklichkeit zum Gedanken drängt".[45] Damit hat Schneiders Held im Rahmen der Fiktion ein Problem geklärt, das in der Realität der Studentenbewegung kaum gelöst worden ist. Für die meisten Rebellen waren die Demonstrations- und Agitationsjahre eine Durchgangsphase, nach der sich - wenn auch nicht reibungslos - ihre Eingliederung ins Bürgertum schon aufgrund des akademischen Berufes vollzog, den sie nach dem Studium ergriffen. Daneben hat sich, wie Mosler festhält, eine Minderheit gebildet, "die umhervagierend im Zwischenraum zwischen den Klassen lebt. Den Ort ihrer sozialen Herkunft haben sie verlassen, aber in der 'revolutionären Klasse', der Klasse des Proletariats, sind sie nicht angelangt". (9) Repräsentativer für die Protestbewegung als der sozialistische Ankunftsheld Lenz ist die Ich-Erzählerin in Karin Strucks autobiographisch gefärbtem Tagebuch-Roman 'Klassenliebe'.[46] Sie beschreibt die psychischen Folgen vom Leben "zwischen zwei Klassen" (86):

> Ich merke, die ganze Misere, diese ganze große Trauer kommt daher, daß H. und ich abgeschnitten sind: abgeschnitten von der Arbeiterklasse. Geschnitten von beiden Seiten. Kaum bin ich eine 'Intellektuelle', stoßen mich die Arbeiter weg, intellektuellenfeindlich aus Angst und Minderwertigkeitsgefühl, stoßen mich die anderen weg, weil ich gar keine 'richtige' Intellektuelle bin. (49)

Der soziale Konflikt reicht bis in die Traumsphäre der Protagonistin, die notiert: "Ich werde im Alptraum zur Marionette, die unaufhörlich und monoton schreit: 'Ich bin ein Arbeiterkind, ich bin ein Arbeiterkind ...', und eine Menge von Studenten, Rektoren, Professoren, Lehrern, Schriftstellern ... kugelt sich vor Lachen. [...] Sie sind ganz blau vor Lachen und hauen mich zuletzt kurz und klein." (157-158) Die Erzählerin befürchtet: "Der Hauptgrund für einen Selbstmord wäre wohl, daß ich mit meiner Lage zwischen den Klassen nicht fertig werde." (51) Bei ihrer Suche nach einer neuen sozialen Heimat emanzipiert sich die Heldin des Struckschen Romans jedoch von den in ihrer Psyche miteinander im Streit liegenden Über-Ichs der Arbeiterklasse und der Intellektuellenkaste. Sie entgeht dem bedrohlichen Konflikt dadurch, daß sie als Mutter eine neue Identität findet. Freilich unterliegt sie mit ihrer klassentranszendierenden Mutter-Mythisierung einer von ihr nicht durchschauten Täuschung; denn auch als Mutter wird sie kaum umhin können, ihren Ort zwischen oder in den Klassen zu bestimmen bzw. zu finden. Was Karin Strucks Tagebuch erneut deutlich macht, ist die Tatsache, daß die Arbeiterschaft ihre reservierte Haltung gegenüber der Intelligenz nicht aufgibt. Zu Anfang der siebziger Jahre zogen sich die Studenten nach ihren erfolglosen Missionierungsversuchen auf den Fabrikgeländen zurück in universitäre Zirkel. Da die Lohnabhängigen sich nicht nach dem Muster der klassischen und marxistischen Theorie als Träger der Revolution politisieren wollten, griff man auf das leninistische Modell der Kadergruppe zurück. In diesen Kadergruppen paarte sich scholastisches Stubengelehrtendasein mit dem furor teutonicus, und man erschlug in endlosen Diskussionen mit sozialistischen Klassikerzitaten die jeweils andere "abweichlerische" Position. Jaeggis Brandeis hat in einer Momentaufnahme solche Sitzungen festgehalten: "Verbissen sitzen sie herum; sie insistieren, lassen kein Gegenargument durchgehen, Humor schon gar nicht. [...] Alle Anzeichen deuten auf Vernichtung. Demütigung im Namen der Wahrheit." (45-46) So folgte auf die antiautoritäre Phase der Studentenbewegung die autoritär-dogmatische. An die Stelle der ehemaligen Bürokratiefeindlichkeit trat ein neuer Organisationsfetischismus, und die ehemals freiwillige und spontane Aktivität wurde verdrängt durch den Aufruf zu revolutionärer Disziplin. Damit war die Entmischung der Massenbewegung vom Juni 1967 in sich gegenseitig befehdende Fraktionen, Parteien, Grüppchen und Sekten an ihr Ende gelangt.

Die dogmatisch-autoritäre Endphase trat freilich ebenfalls bald in ihr Verfallsstadium ein. Die Desillusionierung ließ nicht lange auf sich warten. In einer Dokumentation gibt ein ehemaliges KSV-Mitglied zu Protokoll: "Ich habe in den letzten Jahren gesehen, wie viele Leute zerbrochen sind, zu intellektuellen Kümmerlingen wurden." Die "routinierte Bewältigung der politischen Arbeit", heißt es weiter, "schafft eine spezifische Form der Wahrnehmung, die der Beamtenmentalität sehr ähnlich ist".[47] Ein anderes K-Gruppenmitglied berichtet: "Die hatten auch nie ein menschliches Interesse an mir gehabt. [...] Das hat mich immer sehr frustriert. [...] In bezug auf private Beziehungen wird man da voll sitzengelassen."[48] Schimmangs Murnau zieht einen Schlußstrich unter seinen entsagungsreichen und lustarmen Frondienst am leninistischen Dogmatismus: "Lauter Opium, nicht fürs Volk, sondern für Intellektuelle. Ich wollte damit nichts mehr zu schaffen haben. Ich wollte mich ankuscheln. Ich wollte vögeln." (211) Der charakteristische Individualismus der Studentenbewegung wurde in der orthodox marxistisch-leninistischen Phase also nur zeitweilig durch Kollektivismus verdrängt. Unter der Bezeichnung "Neue Subjektivität" setzte sich der Individualismus bald wieder durch. Den "großen Sieg seiner Subjektivität" hat Kinder im Bild eines handfesten Abschiednehmens von marxistischer Lektüre überliefert:

> Ich stand auf und trat an das Bücherregal, zog den Marx heraus [...], das 'Argument' und was sonst noch da stand [...] und schleppte den Kram in den Keller, stopfte den roten

> Berg zwischen die fauligen Kartoffeln und die abgefahrenen Autoreifen. Das tat gut.[49]

Eine andere, wenngleich kleinere Gruppe von Studenten versuchte den Weg des Dogmatismus, der Gewalt, der Revolution zu Ende zu gehen. Man schloß sich einer "Rote Armee Fraktion" genannten terroristischen Vereinigung an oder arbeitete ihr in die Hand. Außer Andreas Baader, der nie eine geregelte Ausbildung erhalten hatte, entstammten fast alle Mitglieder der RAF dem studentischen und intellektuellen Milieu - etwa Ulrike Meinhof, Gudrun Ensslin und Jan Raspe. Die Terror-Szene war kein spezifisch bundesrepublikanisches Phänomen. Horst Mahler hatte den Namen RAF gewählt nach dem von ihm verehrten Vorbild der japanischen "Rengo Sekigun".[50] In den USA gab es vergleichbare Gruppen wie die "Weathermen" oder die "Symbionese Liberation Army". Versuche, den Terrorismus zu verstehen bzw. zu erklären, gibt es in der Literatur der Studentenbewegung nicht viele; es überwiegen individualpsychologische Begründungen. Michael Baumann, der selbst der Terror-Szene angehörte, schreibt über die psychische Verfassung, welche die Bedingung seiner Affinität zu terroristischen Gruppen gewesen sei: "Daß du dich für den Terrorismus entscheidest, ist schon psychisch vorprogrammiert. [...] Das ist einfach Furcht vor der Liebe [...], aus der du flüchtest in eine absolute Gewalt." (130) Wie immer man den Stellenwert dieser etwas dürftigen Begründung veranschlagen mag, sicherlich hatte der Terrorismus auch zu tun mit dem Gefühl des Alleingelassenseins, der Vereinsammung seiner Aktivisten bzw. Sympathisanten. Vesper sieht einen radikalen Zerstörungs- und Selbstzerstörungstrieb am Werk. "Die Zeit wird kommen", so notiert er, "wo man uns fragen wird: Wo warst Du, Adam? Und das beste, was wir dann sagen können, ist, wir haben gegen uns gekämpft, um das reißende Tier, das wir von Geburt an sind, zu fesseln und von der Macht fernzuhalten, alles zu zerstören." (60) Mehnert nimmt eine Verführung der Jugend zum Terror u. a. durch die Medien an. Man war seiner Meinung nach "nun kein Niemand mehr für die draußen, [...] und man sah dies ständig bestätigt - am Morgen in der Zeitung, am Abend auf dem Fernsehschirm". (139) Wo es um Politik und Verbrechen geht, dürfen Verschwörungstheorien nicht fehlen: Röhl vermutet in seinem Schlüsselroman 'Die Genossin' - ein Buch über Ulrike Meinhof und die RAF - eine internationale, rechtsradikale Gang am Werke, die vom Schulungszentrum Zypern aus ihren faschistischen

Nachwuchs - etwa Andreas Baader - zwecks Unterwanderung und Diskreditierung linker Gruppen in die Welt entsende. (295)

IV

Die Studentenbewegung hat weder die Ziele ihrer anti-autoritären noch die ihrer marxistisch-dogmatischen Phase erreicht. Die Autoritäten in Staat und Gesellschaft sind kaum verändert worden; ja nicht einmal an den Universitäten haben sich auf Dauer jene Reformen durchsetzen können, die in den späten sechziger Jahren eingeleitet worden waren. Und die Gesellschaftsstrukturen, die Eigentumsverhältnisse und Regierungsformen haben die leisen Erschütterungen der aufgeregten Jahre wandlungslos überstanden. Die Gründe für die offenbaren Mißerfolge sind in der Natur der Studentenbewegung selbst zu suchen. In ihrer anti-autoritären Phase hatte die Rebellion eher den Charakter einer existentialistischen Revolte im Sinne Sartres oder Camus als den einer Revolution im politischen Sinne. Marcuse, auf dessen Verweigerungs-Postulate man sich berief, vertrat selbst eine stark existentialistisch geprägte Position.[51] Der globale Aufstand gegen die als sinnlos und absurd erlebten Institutionen gleicht auf den ersten Blick dem Sartreschen Aufbegehren gegen den Alpdruck des Ansichseins. Auf existentialistische Weise wurde Politik auf Haltung, auf eine bestimmte kritische, moralisch-rigorose Einstellung reduziert.[52] Der Student von 1967 als Camusscher "Mensch in der Revolte", als Verfechter des Sartreschen Grundsatzes "Ich rebelliere, also bin ich"? Die Protestbewegung als Versuch, den Existentialismus der fünfziger Jahre in politische Aktion zu übersetzen?[53] Liest man Tagebucheintragungen wie jene in Inga Buhmanns Erlebnisbericht, ist man geneigt, dieser These zuzustimmen: "Es ist an der Zeit, daß du den Existentialismus zum ersten Mal gründlich studierst, ohne an der Oberfläche zu schwimmen. Erst dann wirst du innerlich für den Marxismus offen sein." (126) Aber es geht nicht an, die Studentenbewegung nur als spätgezündeten Existentialismus zu periodisieren. Was hier nachwirkte, war neben der allgemeinen Tradition studentischer Revoltebewegungen nicht zuletzt die stark idealistisch geprägte Revolution des Expressionsimus nach dem Ersten Weltkrieg.[54] Man darf nicht vergessen, daß gerade die Kunst des Expressionismus in den Jahren vor der Studentenbewegung sich einer erstaunlichen Popularität erfreute.

Mit seiner demokratisch-sozialistischen Orientierung, der anarchistischen Einfärbung, dem Hoffnungspathos, aber auch mit seiner Vagheit, d. h. mit der eher literarisch-moralischen als praktisch-politischen Ausrichtung hatte der Expressionismus der Revolutionszeit große Ähnlichkeit mit der anti-autoritären Phase der Studentenbewegung. Ernst Bloch, der bedeutendste philosophische Kopf der expressionistischen Generation, war bezeichnenderweise ein Kronzeuge des studentischen Aufstands. 'Das Prinzip Hoffnung' - Fortsetzung des expressionistischen 'Geist der Utopie' von 1918 - wurde zu einem der meistgelesenen philosophischen Traktate zur Zeit der Protestbewegung. Was die expressionistische mit der studentischen Generation gemein hat, ist auch die Gleichsetzung der Wandlung des Individuums mit Gesellschaftsveränderung. Dieser Subjektivismus der individuellen Praxis wird deutlich sowohl in den Wandlungsdramen von Expressionisten wie Toller, Kaiser oder Barlach als auch in den Romanen der Studentenbewegung von Timm, Lang oder Struck. Die Suche nach Sinn, das Leiden an den Widerständen, der wie immer geartete "neue Mensch", all dies sind zentrale Motive in den expressionistischen wie studentischen literarischen Äußerungen. Dort, wo die expressionistische oder die studentische Bewegung im größeren Maßstab Politik betreiben wollte, folgte wegen ihrer literarischen und individualistischen Grundkonzeption der Mißerfolg auf dem Fuße. Beide verstanden von politischer Organisation, von Strategie und Taktik, von Verwaltung und Diplomatie, also vom politischen Alltag kaum etwas. Nicht Berufspolitiker, sondern moralische Einzelkämpfer (siehe Toller, siehe Wallraff) wurden zu typischen Figuren dieser Revolten.

Da es sich bei der Studentenbewegung in erster Linie um ein literarisch-kulturrevolutionäres Phänomen handelte, signalisierte ihre Literatur die jeweiligen Entwicklungsperioden und Krisenstadien. Die anti-autoritäre Phase kann man die journalistische nennen. Vor allem die neuen linken Zeitschriften wie 'Konkret', 'alternative' und 'Argument' fungierten als Sprachrohr und Bewegungszentrum. Für die zweite, die orthodox-marxistische Phase wurden kennzeichnend die Neuauflagen bzw. Raubdrucke der Klassiker des Sozialismus samt Kommentaren, und die dritte Phase ist die des Romans, der Dokumentation und des autobiographischen Erinnerungsbuchs. Zu Beginn dieser letzten Phase erschienen die Wandlungsbücher von Timm, Fuchs, Lang, Schneider, Viebahn, Struck und Stefan,[55] sämtlich noch getragen vom

Glauben an die Identität von persönlicher und gesellschaftlicher Veränderung. Werke wie die von Vesper, Henisch, Kinder, Buhmann, Jaeggi, Röhl oder Schimmang führen bereits auf sich selbst zurückgeworfene Romanhelden vor. Die Literatur in den ersten beiden Phasen der Studentenbewegung war durchtränkt von Kritik und Utopie, in den Werken der letzten Jahre herrscht dagegen die Sprache des Leidens vor. Durchgehalten hat sich in allen literarischen Äußerungen der Revolte der Gestus der Opposition, des Sich-nicht-Integrierenlassens, der Wille zur Nicht-Identität mit dem Bestehenden. In der Entwicklungskurve von den Agitations-, Identifikations- und Wandlungstexten zu den Erinnerungsromanen spiegeln sich die Phasen der Revolte wider. Ihr Ende und Zerfall ist festgehalten in jener literarischen Gattung, die nach Georg Lukács[56] per definitionem das Medium der Erinnerung ist, im Roman.

Am Schluß dieses Überblicks seien zwei kritische Fragen gestellt, welche sich auf die politischen Nachwirkungen der Studentenbewegung und auf den ästhetischen Wert der durch sie hervorgebrachten Literatur beziehen. Es ist die These vertreten worden, daß die "radikale Politisierung der Literatur" in den sechziger und siebziger Jahren "nicht die Politik verändert, sondern die deutsche Literatur ruiniert"[57] habe. Diese Katastrophenmeldung ist sicherlich übertrieben; aber richtig ist doch, daß in den Romanen der Studentenbewegung künstlerisch keine neuen Wege beschritten wurden. Man imitiert die alten Muster des Entwicklungsromans, der Bekenntnisschrift, des Tagebuchs und der Autobiographie. Sprachlich und gestalterisch sind die meisten Bücher von einer Anspruchslosigkeit, die nicht ahnen läßt, daß ihre Verfasser durchweg Literaturstudenten waren. Hermann Kinders Kenntnisse auf dem Gebiet der Ästhetik[58] merkt man z.B. seinem 'Schleiftrog' nicht an. Er hält ausdrücklich fest, daß er mit seinem Buch keine künstlerischen Ambitionen verfolgt. "Seit Jahren", schreibt er, "verfolge ich die Theorie des modernen Erzählens, und da setze ich mich einfach hin und erinnere mich." (15) Die bewußte Kunstlosigkeit seines Romanversuchs streicht auch Vesper heraus, wenn er betont: "Diese Aufzeichnungen haben nichts mit Kunst oder Literatur zu tun." (26) Der anti-autoritäre Gestus hält sich also auch dort durch, wo es um die Form der literarischen Äußerung geht. Man ist nicht gewillt, den Ansprüchen einer Ästhetik zu genügen, welche das Bemühen um neue Ausdrucksformen als selbstverständlich erachtet. Der Preis, den die Autoren der Studentenbewegung für diese Enthaltsamkeit in Sachen ästhetischer Neuerung zahlen, ist der einer auffallenden Unoriginalität. Dem revolutionär-gesellschaftskritischen Pathos entspricht - anders als im Expressionismus - keine revolutionäre Kunsttheorie und -praxis. Auf dem Gebiet der Literatur dürfte die Protestbewegung in der Bundesrepublik keine tiefen Spuren hinterlassen. Aber ansonsten gibt es, was den Aufstand der Studenten betrifft, genug, was der Erinnerung, des Aufgreifens und Fortführens wert ist. Das Drängen auf Demokratisierung und Mitbestimmung, das Engagement für politisch Verfolgte, für unterdrückte Völker, das Einüben in Solitarität, die moralische Sensibilität überhaupt, der Anti-Bürokratismus, all dies sollten unverzichtbare Bestandteile zukünftiger Politik werden. Neuere soziologische Untersuchungen legen dar, daß die Studentenbewegung einen in den westlichen Staaten begonnenen Prozeß der Ablösung der sogenannten "alten" durch die "neue" Politik befördert habe.[59] Das egozentrische, aggressive, auf Wettbewerb begründete Arbeitsethos der "alten" Politik wird nach jenen Prognosen abgelöst werden durch solidarische Verhaltensweisen in einer Gesellschaft, deren Mitglieder die Fähigkeit zur Zusammenarbeit und Lernfähigkeit entwickeln. Das Aufbegehren der Studenten gegen die Zwänge der Leistungsgesellschaft sei keineswegs als weltfremd oder reaktionär einzustufen. In wenigen Jahrzehnten werde die neue technologische Revolution uns aller Voraussicht nach die Dreißig- oder gar Zwanzigstundenwoche bescheren, und die Kultivierung kreativer Fähigkeiten bzw. des Spieltriebs, wie sie uns Bertaux[60] empfiehlt, dürfte dann realitätsgerechter sein als der anhaltende Kräfteverschleiß einer der protestantisch-kapitalistischen Arbeitsmoral des 19. Jahrhunderts verhafteten Effizienzideologie. Der Pazifismus der Studenten schließlich wird zum Credo der Politiker werden müssen, will die Menschheit nicht das Risiko einer globalen Nuklearkatastrophe eingehen. Allerdings gilt es auch, aus den Fehlern der Protestbewegung zu lernen. Es wäre ungerecht, Hermann Kinders selbstkritisch-provokatorische Frage im 'Schleiftrog', ob denn die Studentenbewegung mehr als ein "pubertärer Rülpser" (166) gewesen sei, zu bejahen. Aber an Unüberlegtem, Widersprüchlichem, ja sogar Läppischem war die Rebellion nicht gerade arm. Kaum hatte man den ersten Versuch einer Emanzipation von Hochschullehrern, Meisterdenkern, Kulturgurus aller Art und politischen Vaterfiguren unternommen, wurde schon mit festem Schritt in die

Kasernen des Dogmatismus marschiert, unterwarf man sich in beängstigend eiserner Disziplin bis zur Hörigkeit den Geboten neuer politischer Propheten, deren Porträts man Ikonen gleich bei den Demonstrationen vor sich her trug. So ist ein Demokratieverständnis, welches sich auf Toleranz statt Fanatismus, auf Kompromißbereitschaft statt Lupenreinheit im Theoretischen, auf geduldige Reform statt überfliegenden Utopismus gründet, durch den Verlauf der Studentenbewegung eher gefährdet als entwickelt worden. In Erinnerung sollte daher vor allem die frühe, die anti-autoritäre Phase der Protestbewegung bleiben; denn in ihr ging es um die Verteidigung und den Ausbau demokratischer Rechte, in ihr wurde deutlich sowohl die Distanzierung von Tendenzen hin zur formierten Gesellschaft wie zum Staatstotalitarismus.

ANMERKUNGEN

[1] Klaus Mehnert, 'Jugend im Zeitbruch' (Reinbek: Rowohlt, 1978), S. 11. Zur Situation der Studentenbewegung in Amerika vgl. Henry H.H. Remak, "The Socialization of the Student Movement in the United States: The late 1960s and Early 1970s Revisited", in: 'Frankfurter Historische Abhandlungen', Bd. 17: 'Rußland, Deutschland, Amerika. Festschrift für Fritz T. Epstein zum 80. Geburtstag', hrsg. v. Alexander Fischer, Günter Moltmann und Klaus Schwabe (Wiesbaden: Steiner, 1978), S. 369-382 (mit umfangreicher Bibliographie). Zum Selbstverständnis der Studentenbewegung in der Bundesrepublik vgl. Bergmann, Dutschke, Lefèvre, Rabehl, 'Die Rebellion der Studenten oder die neue Opposition' (Reinbek: Rowohlt, 1968); Kai Hermann, 'Die Revolte der Studenten' (Hamburg: Wegner, 1967); Daniel Cohn-Bendit, 'Le grand bazar' (Paris: Belfond, 1975); Friedrich Mager, Ulrich Spinnarke, 'Was wollen die Studenten?' (Frankfurt a.M.: Fischer, 1967); Wolfgang Preuß, Uta Nitsch, Claus Offe, Ulrich K. Preuß, 'Hochschule in der Demokratie' (Neuwied und Berlin: Luchterhand, 1965); Ulrich K. Preuß, 'Das politische Mandat der Studentenschaft' (Frankfurt a.M.: Suhrkamp, 1969); Wolfgang Schwerbrock, 'Proteste der Jugend' (Wien, Düsseldorf: Econ, 1968); Frank

Wolf, E. Windaus (Hrsg.), Studentenbewegung 1967-69. 'Protokolle und Materialien' (Basel, Frankfurt a.M.: Stroemfeld/Roter Stern, 1979). Uta Stolle, "Die Ursachen der Studentenbewegung im Urteil bürgerlicher Öffentlichkeit", in: 'Das Argument' 58 (August 1970), S. 375-394. Zur Kritik an der Studentenbewegung vgl. Erwin K. Scheuch (Hrsg.), 'Die Wiedertäufer der Wohlstandsgesellschaft' (Köln: Markus Verlag, 1968).

[2] Vgl. die statistischen Angaben bei K. Mehnert, 'Jugend', a.a.O., S. 159, S. 403.

[3] Das nimmt Bauß an. Vgl. Gerhard Bauß, 'Die Studentenbewegung der sechziger Jahre in der Bundesrepublik und Westberlin' (Köln: Pahl-Rugenstein, 1977).

[4] Ronald Inglehart, 'The Silent Revolution. Changing Values and Political Styles among Western Publics' (Princeton: Princeton University Press, 1977); Kenneth Keniston, "Neue empirische Forschungen zu den Studentenrevolten: Die amerikanische Studentenbewegung", in K.R. Allerbeck, L. Rosenmayr (Hrsg.), 'Aufstand der Jugend? Neue Aspekte der Jugendsoziologie' (München: Juventa, 1971), S. 83-107. Martin und Sylvia Greiffenhagen, 'Ein schwieriges Vaterland. Zur Politischen Kultur Deutschlands' (München: List, 1979), S. 237 ff.; Gerd Langguth, 'Die Protestbewegung in der Bundesrepublik Deutschland 1968-1976' (Köln: Verlag Wissenschaft und Politik, 1976), S. 29.

[5] Vgl. dazu Helmut Klages, 'Die unruhige Gesellschaft. Untersuchungen über Grenzen und Probleme sozialer Stabilität' (München: Beck, 1975).

[6] Von Charles A. Reich "Consciousness III" genannt. Vgl. Charles A. Reich, 'The Greening of America' (New York: Random House, 1970), S. 217 ff.

[7] Vgl. Paul S. Holbo, Robert W. Sellen (Hrsg.), 'The Eisenhower Era. The Age of Consensus' (Hindsdale/Illinois: Dryden Press, 1974).

[8] K. Mehnert, 'Jugend', a.a.O., S. 28.

[9] Vgl. Helmut Schelsky, 'Die skeptische Generation. Eine Soziologie der deutschen Jugend' (Düsseldorf, Köln: Diederichs, 1963).

[10] Charles Wright Mills, 'The Causes of World War Three' (New York: Ballantine, 1963).

[11] Herbert Marcuse, 'One Dimensional Man' (Boston: Beacon Press, 1964); Jean-Paul Sartre, 'Mai '68 und die Folgen. Reden, Interviews, Aufsätze' (2 Bände) (Reinbek: Rowohlt, 1974, 1975); Theodor W. Adorno, 'Negative Dialektik' (Frankfurt

a.M.: Suhrkamp, 1966); Jürgen Habermas, 'Theorie und Praxis' (Neuwied und Berlin: Luchterhand, 1963).

[12]Vgl. H. Klages, 'Die unruhige Gesellschaft', a.a.O., S. 25 ff.

[13]Vgl. K. Mehnert, 'Jugend', a.a.O., S. 92.

[14]Vgl. Urs Jaeggi, "Drinnen und draußen", in: Jürgen Habermas (Hrsg.), 'Stichworte zur Geistigen Situation der Zeit', Bd. 2 (Frankfurt a.M.: Suhrkamp, 1979), S. 465.

[15]Peter Schneider, 'Lenz. Eine Erzählung' (Berlin: Rotbuch, 1973), S. 28.

[16]Roland Lang, 'Ein Hai in der Suppe oder das Glück des Philipp Ronge. Roman' (München, Gütersloh, Wien: Bertelsmann Autoren Edition, 1975), S. 27.

[17]Urs Jaeggi, 'Brandeis. Roman' (Neuweid und Berlin: Luchterhand, 1978), S. 44.

[18]Peter Henisch, 'Der Mai ist vorbei. Roman' (Frankfurt a.M.: 1978, S. 84.

[19]Jochen Schimmang, 'Der schöne Vogel Phönix. Erinnerungen eines Dreißigjährigen' (Frankfurt a.M.: Suhrkamp, 1979). Vgl. dazu auch G. Langguth, 'Protestbewegung', a.a.O., S. 34 f.

[20]U. Jaeggi, 'Brandeis', a.a.O., S. 91.

[21]Heike Doutiné, 'Wanke nicht, mein Vaterland. Roman' (Hamburg, Düsseldorf: Classen, 1970), S. 259.

[22]Bernward Vesper, 'Die Reise. Romanessay' (Frankfurt a.M.: März bei Zweitausendeins, 1977), S. 509. Vgl. dazu Christian Schulz-Gerstein, "Die Zerstörung einer Legende. Über den Nachlaß Bernward Vespers", in: 'Der Spiegel', Nr. 52 (1979), S. 146-150.

[23]Jürgen Habermas, 'Protestbewegung und Hochschulreform' (Frankfurt a.M.: Suhrkamp, 1969), S. 137 f. Vgl. dazu auch: Kurt Sontheimer/Jürgen Habermas, "Linke, Terroristen, Sympathisanten. Ein Briefwechsel", in: Hermann Glaser (Hrsg.), 'Bundesrepublikanisches Lesebuch. Drei Jahrzehnte geistiger Auseinandersetzung' (München: Hanser, 1978), S. 699-713.

[24]Vgl. Jillian Becker, 'Hitler's Children. The Story of the Baader-Meinhof Terrorist Gang' (Philadelphia, New York: Lippincott, 1977).

[25]Peter Mosler, 'Was wir wollten, was wir wurden. Studentenrevolte - zehn Jahre danach' (Reinbek: Rowohlt, 1977), S. 224. Ähnlich auch Peter Rühmkorf, 'Die Jahre die ihr kennt. Anfälle und Erinnerungen' (Reinbek: Rowohlt, 1972), S. 216. Vgl. ferner 'Kursbuch' 48 (Juni 1977) "Zehn Jahre danach".

[26]Vgl. G. Bauß, 'Studentenbewegung', a.a.O., S. 55.

[27]Fred Viebahn, 'Das Haus Che oder Jahre des Aufruhrs. Ein historisches Provisorium' (Hamburg: Merlin, 1973), S. 19.
[28]Christian Geissler, 'Das Brot mit der Feile. Roman' (München, Gütersloh, Wien: Bertelsmann, 1973), S. 346.
[29]Michael ("Bommi") Baumann, 'Wie alles anfing' (Frankfurt a.M.: Sozialistische Verlagsauslieferung, 1976), S. 37. Vgl. ferner: Ulla Hahn, 'Literatur in der Aktion. Zur Entwicklung operativer Literaturformen in der Bundesrepublik' (Wiesbaden: Athenaion, 1968), Kapitel 3: "Literarischer Aktionismus unter dem Einfluß der Studentenbewegung", S. 56-86.
[30]Uwe Timm, 'Heißer Sommer. Roman' (München, Gütersloh: Bertelsmann AutorenEdition, 1974), S. 52.
[31]Michael Buselmeier, "Leben in Heidelberg", in: Martin W. Lüdke (Hrsg.), 'Nach dem Protest. Literatur im Umbruch' (Frankfurt a.M.: Suhrkamp, 1979), S. 76.
[32]Inga Buhmann, 'Ich habe mir eine Geschichte geschrieben' (München: Trikont, 1978), S. 183-184.
[33]Elisabeth Plessen, 'Mitteilung an den Adel. Roman' (Zürich, Köln: Benziger, 1976), S. 136.
[34]Klaus Rainer Röhl, 'Die Genossin. Roman' (Wien, München, Zürich: Molden, 1975), S. 203. Vgl. dazu auch P. Rühmkorf, 'Die Jahre', a.a.O., S. 223 f.
[35]Klaus Rainer Röhl, 'Fünf Finger sind keine Faust' (Köln: Kiepenheuer & Witsch, 1974), S. 260.
[36]Dieter E. Zimmer, "Sie protestierten nur zwei Sommer lang. 2. Juni 1967: die Geburtsstunde der Apo und der Studentenbewegung (I)", in: 'Die Zeit', Nr. 24 (3.6.1977), S. 3.
[37]K.R. Röhl, 'Die Genossin', a.a.O., S. 208.
[38]K.R. Röhl, 'Fünf Finger', a.a.O., S. 343.
[39]Hans Magnus Enzensberger, "Berliner Gemeinplätze", in: 'Palaver. Politische Überlegungen (1967-1973)' (Frankfurt a.M.: Suhrkamp, 1974), S. 14. Erstmals in: 'Kursbuch' 11 (Jan. 1968), S. 151-169.
[40]Vgl. Peter Bürger, 'Theorie der Avantgarde' (Frankfurt a.M.: Suhrkamp, 1974).
[41]Hans Magnus Enzensberger, "Gemeinplätze, die Neueste Literatur betreffend", in: 'Palaver', a.a.O., S. 49-51. Erstmals in: 'Kursbuch' 15 (Nov. 1968), S. 187-197.
[42]Alexander Kluge, 'Neue Geschichten. Hefte 1-18'. 'Unheimlichkeit der Zeit', Heft 8 (Frankfurt a.M.: Suhrkamp, 1977), S. 298.
[43]Gerd Fuchs, 'Beringer und die lange Wut. Roman' (München,

Gütersloh, Wien: Bertelsmann, 1973).

[44]Michael Schneider, 'Die lange Wut zum langen Marsch. Aufsätze zur sozialistischen Politik und Literatur' (Reinbek: Rowohlt, 1975), S. 51.

[45]Ibid., S. 321.

[46]Karin Struck, 'Klassenliebe. Roman' (Frankfurt a.M.: Suhrkamp, 1973). Vgl. dazu auch: Horst Denkler, "Langer Marsch und kurzer Prozeß. Oppositionelle Studentenbewegung und streitbarer Staat im westdeutschen Roman der siebziger Jahre", in: Wolfgang Paulsen (Hrsg.), 'Der deutsche Roman und seine historischen und politischen Bedingungen' (Bern, München: Francke, 1977), S. 139 f.

[47]'Wir warn die stärkste der Partein ... Erfahrungsberichte aus der Welt der K-Gruppen' (Berlin: Rotbuch, 1977), S. 80, S. 82.

[48]Zitiert nach K. Mehnert, 'Jugend', a.a.O., S. 132.

[49]Hermann Kinder, 'Der Schleiftrog. Roman' (Zürich: Diogenes, 1977), S. 206.

[50]J. Becker, 'Hitler's Children', a.a.O., S. 14.

[51]Vgl. Hans Heinz Holz, 'Die abenteuerliche Rebellion' (Darmstadt und Neuwied: Luchterhand, 1976), S. 201.

[52]Rolf Hosfeld, Helmut Peitsch, " 'Weil uns diese Aktionen innerlich verändern, sind sie politisch'. Bemerkungen zu vier Romanen über die Studentenbewegung", in: 'Basis' 8 (1978), S. 92 f.

[53]Bernd Neumann, "Die Wiedergeburt des Erzählens aus dem Geist der Autobiographie? Einige Anmerkungen zum neuen autobiographischen Roman am Beispiel von Hermann Kinders 'Der Schleiftrog' und Bernward Vespers 'Die Reise' ", in: 'Basis' 9 (1979), S. 91-121.

[54]Vgl. meinen Aufsatz über Oskar Maria Graf in diesem Band.

[55]Verena Stefan, 'Häutungen. Autobiographische Aufzeichnungen. Gedichte. Träume. Analysen' (München: Frauenoffensive, 1975).

[56]Vgl. Georg Lukács, 'Die Theorie des Romans. Ein geschichtsphilosophischer Versuch über die Formen der großen Epik' (Berlin und Neuwied: Luchterhand, 1965, 3. Auflage), S. 127 ff.

[57]Marcel Reich-Ranicki, "Anmerkungen zur deutschen Literatur der siebziger Jahre", in: 'Entgegnung. Zur deutschen Literatur der siebziger Jahre' (Stuttgart: Deutsche Verlags-Anstalt, 1979), S. 21.

[58]Vgl. Hermann Kinder, 'Poesie als Synthese. Ausbreitung eines deutschen Realismus-Verständnisses in der Mitte des 19. Jahrhunderts' (Frankfurt a.M.: Athenaion, 1973).

[59]M. und S. Greiffenhagen, 'Ein schwieriges Vaterland', a.a.O., S. 244 ff. Vgl. ferner Richard Löwenthal, 'Gesellschaftswandel und Kulturkrise. Zukunftsprobleme der westlichen Demokratien' (Frankfurt a.M.: Fischer, 1979).

[60]Pierre Bertaux, 'Mutation der Menschheit' (Frankfurt a.M.: Suhrkamp, 1979), "Nachwort".

Nachbemerkung: Dieser Aufsatz erschien zuerst unter dem Titel "Von der Intelligenz zur Arbeiterschaft. Zur Darstellung sozialer Wandlungsversuche in den Romanen und Reportagen der Studentenbewegung" in: 'Deutsche Literatur in der Bundesrepublik seit 1965', hrsg. v. Paul Michael Lützeler und Egon Schwarz (Königstein: Athenäum, 1980), S. 115-134.

VOM WUNSCHTRAUM ZUM ALPTRAUM: DAS BILD DER USA IN DER DEUTSCHSPRACHIGEN GEGENWARTSLITERATUR[1]

Ronald Reagan berief vor drei Jahren eine eigene Präsidenten-Kommission ein zur Vorbereitung von Feiern, bei denen der nunmehr dreihundertjährigen Einwanderungsgeschichte von Deutschen nach Amerika gedacht werden sollte. Vor dreihundert Jahren hatten sich einige Dutzend Mennoniten entschlossen, der deutschen Heimat den Rücken zu kehren und in den neuen Kontinent, ins Land der Verheißung auszuwandern. Vom niederrheinischen Krefeld brachen sie 1683 auf, segelten mit dem Schiff 'Concord' nach Nordamerika und gründeten German Town, einen Ort, der heute zur Stadt Philadelphia gehört. Auch der bundesdeutsche Präsident Karl Carstens ließ in einer Art Musilscher Parallelaktion ein entsprechendes Festkomitee gründen. In den USA und in der Bundesrepublik entwickelte sich eine kleine, durch Regierungsgelder finanzierte Gedenkindustrie, die Broschüren, Posters, Kalender und Bücher produzierte, mit welchen die deutsch-amerikanische Freundschaft gefeiert, bejubelt, beschworen und befestigt werden sollte. Der offizielle, zweisprachige Band der Bundesregierung in Bonn, der aus diesem Anlaß erschien, trug den Titel 'Wir sind Freunde - We are Friends'.[2] Der amerikanische Vizepräsident besuchte Krefeld; Karl Carstens erschien zu einem Gedenk-Symposium in Philadelphia.[3] Die Gesten der Freundschaft wurden zu einem Zeitpunkt bekundet, als die deutsch-amerikanischen Beziehungen auf einem Tiefpunkt angelangt waren. Mit Krefeld verband sich im Bewußtsein der bundesrepublikanischen Bevölkerung nicht deutsch-amerikanische Allianz und Eintracht, sondern der Krefelder Appell der amerika-kritischen, ja amerika-gegnerischen Friedensbewegung. Das sollte der US-Vizepräsident Bush feststellen, der in Krefeld neben offiziellen Begrüßungen auch inoffizielle Beschimpfungen über sich ergehen lassen mußte.

Als sich die präsidialen Festkomitees diesseits und jenseits des Atlantiks formierten, veröffentlichte Hans Magnus Enzensberger 1982 einen sehr speziellen Gruß an die amerikanischen Germanisten: Auf der ersten Seite der literaturwissenschaftlichen

Zeitschrift 'Monatshefte', die in Madison/Wisconsin erscheint, publizierte er sein Gedicht: "Abgesehen davon".[4] Im offiziell arrangierten und auf Harmonie abgestellten Wunschkonzert deutsch-amerikanischer Freundschaft stellte das Gedicht Enzensbergers einen ersten Mißton dar. In der aktuellen Amerika-Diskussion, die weniger durch Gedenkfeiern als durch Nachrüstungsbeschluß und Atomwaffenstop bestimmt wird, erhielt das Enzensbergersche Poem besondere Brisanz. Da wird nicht das Utopia der Mennoniten von 1683, hier werden nicht die Leistungen deutscher Amerika-Auswanderer von General Steuben über Carl Schurz bis zu Wernher von Braun gepriesen; Enzensberger hält vielmehr bedrückende Aspekte amerikanischer Alltagsrealität fest. Die Intellektuellen, das machte sein Gedicht klar, waren für die beschönigenden, alle Konflikte zwischen den beiden Staaten ausklammernden Gedenkfeiern nicht zu gewinnen.

In Enzensbergers Gedicht "Abgesehen davon" heißt es:

(...) die schwangere Schwarze
mit ihrem riesigen Kopfhörer, die wirr
vor sich hinbetet am Washington Square;
der einsame Wassertank auf dem Dach,
wie er rostet und rostet;
die Zweireiher in ihren Bussen
hinter getöntem Glas;
und der Gallenkranke mit seinen Koffern,
der eine Dreizimmerwohnung sucht
für seine Schmetterlingssammlung:
Wer davon nicht absehen kann,
ist kein Theoretiker.
Ringsum geschehen sorglose Morde.
Je größer die Perspektiven,
desto kleiner wird alles.
Vor den Ampeln warten die Seelen,
bewegen sich, leicht wie Fliegen,
warten. Das Gefühl der Gefühllosigkeit
auf dem Parkplatz, die unterwegs
abhandengekommenen Beweggründe und Begierden,
die Frage, wo Ich geblieben ist, (...)

Enzensbergers "Abgesehen davon" ist bewußt gegen das

wohl bekannteste deutsche Amerika-Poem geschrieben, das wir kennen, gegen jenes Goethe-Gedicht mit dem Titel "Den Vereinigten Staaten"[5] nämlich, dessen erste Zeile häufig zitiert wird:

> Amerika, du hast es besser
> Als unser Kontinent, das alte,
> Hast keine verfallene Schlösser
> Und keine Basalte.
> Dich stört nicht im Innern
> Zu lebendiger Zeit
> Unnützes Erinnern
> Und vergeblicher Streit.

Bei Goethe Bewunderung, bei Enzensberger Verachtung für die neue Welt. Goethe lamentiert über die europäische Geschichtslast, symbolisiert im Schutt verfallener Schlösser; Enzensberger erschrickt über die Geschichts- und Gesichtslosigkeit verkommener amerikanischer Städte. Goethe imaginiert eine konfliktarme Gesellschaft in den USA, Enzensberger stellt den Klassengegensatz zwischen Arm und Reich heraus. Goethe begeistert sich am Neubeginn ohne Erinnerungslast, und Enzensberger sieht gerade darin den Ich- und Identitätsverlust der Amerikaner. Wie zwei Pole markieren die beiden Gedichte von Goethe und Enzensberger die gegensätzlichen Amerikaperspektiven in der deutschsprachigen Literatur, die sich schon immer bewegten zwischen Wunschbild und Zerrbild, Utopie und Apokalypse, Legende und Diffamierung, Vision und Desillusionierung, Idolatrie und Verdammung, Idealisierung und Verteufelung, Hoffnung und Enttäuschung, Vorbild und Schreckbild sowie Wunschtraum und Alptraum. Das war im 19. Jahrhundert nicht anders als heute. Der Kulturpessimismus, der im Deutschland der Metternichschen Restaurationszeit um sich griff, weckte bei vielen Intellektuellen Hoffnungen auf Amerika. Ein Ausdruck dieser Erwartungen war Ernst Willkomms 1838 publizierter Roman 'Die Europa-Müden'. Die Enttäuschung der Amerikafahrer ließ nicht lange auf sich warten, und siebzehn Jahre später erschien Ferdinand Kürnbergers Gegen-Roman 'Der Amerika-Müde'. Kürnberger läßt seinen Romanhelden Stadien immer massiver werdender Desillusionierung durchlaufen, und am Ende entschwindet ihm die Stadt New York, die anfänglich als eine Art Neues Jerusalem erschienen war, wie ein "trüber, häßlicher

Klecks zwischen Himmel und Erde".[6] Eine schonungslosere Überprüfung der Amerika-Legende an der amerikanischen Wirklichkeit als Kürnbergers Roman hat es im 19. Jahrhundert wohl kaum gegeben: Die idealisierten Vorstellungen weist der Autor als schlichte Selbsttäuschungen nach. Damit war aber die Amerika-Utopie noch keineswegs aus der Topographie der deutschen Literaturgeschichte verschwunden. Mit ihr wird in so bekannten Werken wie Kafkas 'Amerika', Hermann Brochs 'Esch oder die Anarchie' und Georg Kaisers 'Napoleon in New Orleans' operiert. Kafkas Karl Roßmann fährt mit großen Erwartungen in den New Yorker Hafen ein, und um die Freiheitsstatue spürt er "die freien Lüfte" wehen.[7] Auch Eschs anarchische Freiheitshoffnungen finden ihren symbolischen Ausdruck in der New Yorker Freiheitsstatue, wenngleich der Brochsche Romanheld sich zur geplanten Auswanderung dann doch nicht entschließen kann. Georg Kaiser schrieb 1938 im schweizerischen Exil das Napoleon-Stück, ein Drama, in dem noch einmal ungebrochen und unverfremdet die alte positive Amerika-Utopie zum Tragen kommt. Hier wird im Schatten der Bedrohung durch den Faschismus erneut Amerika als das Land der Freiheit und einer menschlichen Zukunft gepriesen.

Auch Thomas Mann setzte zu Beginn seines Exils ähnliche Hoffnungen in die USA. Auf seiner 1938 in den Vereinigten Staaten unternommenen Vortragsreise sprach er voller Überzeugung vom kommenden Sieg der Demokratie. In zahlreichen Essays und Radiosendungen gab er während der amerikanischen Emigrationsjahre dieser Hoffnung Ausdruck. Man denke vor allem an seine Mitarbeit am Buch 'The City of Man' von 1940, in dem die Vereinigten Staaten als zukünftiger Begründer einer Weltdemokratie gesehen werden.[8] Erst nach dem Ende der Roosevelt-Ära, am Beginn der sogenannten McCarthy-Zeit, setzten Enttäuschung und Ernüchterung ein, und so kehrte Thomas Mann desillusioniert 1952 nach Europa zurück.

Das tat auch Bertolt Brecht, wenngleich er sich nie hatte für Amerika begeistern können. Auch ohne direkte Amerika-Erfahrungen hatte Brecht schon früh Negativbilder aus dem amerikanischen Leben gezeichnet. Während seines Exils in Kalifornien hat Brecht im gesellschaftlichen und künstlerischen Leben der USA keine Wurzeln schlagen wollen oder können, und es hätte der Angriffe eines Komitees wegen angeblicher

"Unamerican Activities" nicht bedurft, um ihn zur Rückreise nach Europa zu bewegen. Brecht erhebt zwar noch nicht 'espressis verbis' den Vorwurf des Faschismus, aber er warnt vor den starken antidemokratischen Strömungen in den Vereinigten Staaten.

In den fünfziger Jahren hört man wieder positivere Stimmen. Zwar gibt es keine Neuauflage jener Idolisierung der amerikanischen Demokratie, wie sie sich in dem bereits 1912 erschienenen Reisebericht 'Amerika heute und morgen' von Arthur Holitscher findet, aber die Urteile sind abgewogen, selbstkritisch und freundlich. Man denke an Rudolf Hagelstanges Erlebnisbuch 'How do you like America? Impressionen eines Zaungastes' von 1959. Und Max Frisch warnte in einem 1952 verfaßten Essay vor "unserer Arroganz gegenüber Amerika". Frisch verspottet die europäischen Amerika-Bescheidwisser, wenn er schreibt:

> Vor die Frage gestellt: Wie ist Amerika? wird derjenige, der den amerikanischen Kontinent auch nur ein Jahr bereist hat, im Gespräch mit seinen Freunden, die Amerika noch nie betreten haben, sich eher durch Unsicherheit auszeichnen.[9]

Wolfgang Koeppen veröffentlicht 1951 sein Buch 'Tauben im Gras'. Dieser Roman hat zwar nicht Amerika zum Thema, aber es geht um Amerikaner im Nachkriegs-München. Koeppen will sowohl die Reaktionen der deutschen Bevölkerung auf die Besatzungsmacht festhalten, wie auch die deutsche Wirklichkeit um 1950 in den Erlebnissen der Amerikaner spiegeln. Er versucht, "typische" Amerikaner zu schildern, und dabei entgeht er keineswegs der Stereotypisierung. Man merkt dem Roman an, daß der Autor mit der amerikanischen Lebensweise nicht vertraut ist, und so begegnet man eher gängigen Klischees als realistischen Porträts. Da sind die sattsam bekannten Typen der wohlhabenden US-Touristen: oberflächlich, bequem, mittelmäßig, naiv, unkompliziert und harmlos. Die amerikanischen Besatzungssoldaten werden als "Kreuzritter der Ordnung", als "Ritter der Vernunft, der Nützlichkeit" charakterisiert. Gutmütig, anständig, vital und idealistisch sind die Schwarzen.

Solche Verkürzungen kommen kaum noch in Koeppens 1959 erschienenem Reisebuch 'Amerikafahrt' vor. Hier verarbeitet er wirklich in den USA Erlebtes. Gegenüber seinem Roman hat sich die Perspektive verschoben: Die Amerikaner erscheinen nicht mehr vor allem als Inkarnation politischer Macht, sondern als entfremdete Menschen, die in einer technokratisch orientierten Gesellschaft leben. Je nach den momentanen Erlebnissen fallen Koeppens Urteile in der 'Amerikafahrt' positiv oder negativ aus. Von Begeisterungsausbrüchen bis zu düsteren Visionen findet sich hier die ganze Skala der literarischen Äußerungen über Amerika.

Bewußt subjektive Berichte über die USA wie in Koeppens 'Amerikafahrt' finden sich auch in Max Frischs 'Tagebuch 1966-1971'. Bei Frisch gibt es kein fixiertes Bild über Amerika; besser sollte man bei ihm von Amerika-Perspektiven sprechen. Frisch hält Atmosphärisches fest, er notiert Erfahrungen, Einfälle, läßt seine Einbildung spielen. Neben die Darstellung von persönlichen Begegnungen, Eindrücken und Reflexionen treten öffentliche Verlautbarungen - etwa Dokumente aus Zeitungen -, die häufig mit den persönlichen Ansichten kontrastiert werden. Anders als bei Koeppen werden politische Konflikte benannt, z.B. der Krieg in Vietnam oder die Kämpfe der schwarzen Bürgerrechtler. Frisch präsentiert Amerikabilder, in denen die negativen Seiten schärfer hervortreten, weil auch die positiven nicht verschwiegen werden. Als positives Phänomen wertet er das offen eingestanden erschütterte Selbstvertrauen der Amerikaner. "Amerika", hält Frisch fest, habe "Angst vor Amerika",[10] und diese Angst mache das Land humaner. Frisch erwähnt durchaus die unbarmherzige Härte dieser Industriegesellschaft, die wegwirft, was sie nicht gebrauchen kann, ob es sich um Menschen oder um Autos handelt. Aber er spricht auch über das andere Amerika, die Vielfalt an Möglichkeiten, über das Rechtssystem, das er schätzt, und über die Selbstverständlichkeit amerikanischer Gastfreundschaft. In Frischs Roman 'Stiller' von 1956 beginnt mit dem Aufbruch des Romanhelden nach Amerika dessen Kampf um eine neue Existenzweise. Es ist der Versuch einer Befreiung von der Rolle, die ihm die Umwelt aufzuzwingen scheint. Frisch entwirft hier zwei Verhaltensweisen, wobei er die amerikanische unter dem Signalement "White" und die schweizerische unter der Chiffre "Stiller" analysiert. Die amerikanische Existenzform verfremdet zwar die schweizerische, aber die Heimkehr der Hauptperson deutet an, daß die Flucht in die amerikanische Existenzform und damit die Befreiung vom alten Rollenverhalten nicht gelungen ist. Die Unmöglichkeit der Flucht in ein neues Leben, die schon Broch an Hand der vergeblichen Amerika-

Sehnsucht seines Helden Esch exemplifiziert hatte, macht am Schluß die Essenz von Stillers Einsicht aus. Wie Eschs Amerika-Hoffnungen sind Stillers Amerikaerfahrungen nur Projektionen seines Selbst und seiner existentiellen Probleme. Damit hat es wohl auch zu tun, daß die Amerikapassagen in 'Stiller' eher schmenhaft als konkret wirken.

In dem nur kurze Zeit später veröffentlichten Roman 'Homo Faber' versucht Frisch das Thema Amerika von einer anderen Seite anzugehen. Nicht mehr die existentielle Thematik, sondern die Problematik des technischen Fortschritts herrscht vor. Frisch setzt nicht einfach Europa gegen Amerika, Kultur gegen Technik, 'homo ludens' gegen 'homo faber', sondern warnt vor der Verabsolutierung aller dieser Lebenshaltungen. Weder in der Überrationalisierung im System der Technik noch im Sichausliefern an das Unbewußte der Natur liegt für ihn eine Lösung. In 'Homo Faber' versucht Frisch jenen Menschentypus zu zeichnen, den er für repräsentativ in der amerikanischen Gesellschaft hält: den Menschen, der an die rationale Kalkulation und Machbarkeit der Dinge glaubt. Die bis zur unverhüllten Schmähung gehende Abrechnung Fabers mit Amerika während seines Aufenthalts in Kuba ist gleichzeitig eine kritische Auseinandersetzung mit seiner Berufs- und Lebensrolle. Walter Faber ist ein Europäer, der Amerika zu seiner Wahlheimat gemacht hat. Die Konfrontation Europas und Amerikas findet sich auf allen Ebenen und Schichten des Romans. Amerikanische Touristen in Rom, ihre Kommentare und Party-Gespräche machen Walter Faber nervös und reizen ihn zu verächtlichem Spott. Seine Anmerkungen zum 'American way of life' sind nicht gerade schmeichelhaft:

> Schon was sie essen und trinken, diese Bleichlinge, die nicht wissen, was Wein ist, diese Vitamin-Fresser, die kalten Tee trinken und Watte kauen und nicht wissen, was Brot ist, dieses Coca-Cola-Volk, das ich nicht mehr ausstehen kann - (...). Ihre falsche Gesundheit, ihre falsche Jugendlichkeit, ihre Weiber, die nicht zugeben können, daß sie älter werden, ihre Kosmetik noch an der Leiche, überhaupt ihr pornographisches Verhältnis zum Tod, ihr Präsident, der auf jeder Titelseite lachen muß wie ein rosiges Baby, sonst wählen sie ihn nicht wieder, ihre obszöne Jugendlichkeit - (...)
> Mein Zorn auf Amerika! Ich schaukle und fröstle - THE AMERICAN WAY OF LIFE! Mein Entschluß, anders zu leben -[11]

Für Frisch ist dieser Roman eine der vielen Formen seiner Auseinandersetzung mit Amerika, einer Diskussion, die auf subjektiv-privater Ebene auch in seiner autobiographischen Erzählung 'Montauk' von 1975 fortgeführt wird. Montauk ist die nördlichste Spitze von Long Island und liegt etwa hundert Meilen vom Zentrum New York Citys entfernt. Hier verbringt der alternde Frisch ein Wochenende mit der einunddreißigjährigen amerikanischen Verlagsangestellten Lynne. Ähnlich wie früher in 'Stiller' erfährt man direkt über die USA nur wenig. Der Ort Montauk scheint nichts als ein Irgendwo zu sein, an dem der Autor Halt macht und auf sein vergangenes Leben zurückblickt. Und wie Stiller kehrt Frisch in die Schweiz zurück, wo er sein ständiges Domizil wünscht. Frischs Amerikaperspektiven lassen sich weder auf den Nenner eines Vorbildes bringen noch auf ein Schreckbild reduzieren. Ihm gerät das Amerika-'Image' eher zum Suchbild, zu einer komplexen Metapher, welche die Ebenen des Existentiellen und des Politischen umgreift, und deren Vitalität aus der Reibung zwischen europäischen und amerikanischen Erfahrungen resultiert.

Auch Frischs Landsmann Friedrich Dürrenmatt hielt Eindrücke einer Reise durch die USA fest. 1969 besuchte er den Kontinent und berichtete darüber in seinem Buch 'Sätze aus Amerika'.[12] Der Titel bezeichnet die Form des Reports ziemlich genau: Es handelt sich weder um ein Tagebuch, noch um einen Essay und auch nicht um einen Roman, sondern schlicht um Notizen, die durchlaufend von 1 bis 91 numeriert sind. Die Bemerkungen gruppieren sich um Themen wie Rassismus, Religion, Medien und Politik. Dürrenmatt will wissen, wie die Indianer in den USA leben. Er notiert:

> Ein Professor (...) berichtete, der Indianer hätte sich in den Vereinigten Staaten vollständig abgesondert und schicke auf die Universitäten nur Leute, um sie als Rechtsanwälte ausbilden zu lassen, die dann freilich so tüchtig wären, daß die Indianer jeden Prozeß mit den Vereinigten Staaten gewännen. Wir gehören demnach einer Rasse an, mit welcher der Indianer bloß noch mit Rechtsanwälten verkehrt.

Mit dem bösen Blick des europäischen Kulturkritikers erfaßt Dürrenmatt besonders die Eigenheiten des religiösen Prediger-wesens in den Vereinigten Staaten. Sarkastisch merkt er dazu an:

> Ein Meisterredner wird 'Toastmaster' genannt. Der größte 'Toastmaster', den ich sah, war Billy Graham. Er ist der 'Toastmaster' Gottes. An drei Abenden wurde seine 'Crusade' nach Südkalifornien aus dem Fußballstadion von Anaheim bei Los Angeles in Farbe übertragen. Es war die einzige Fernsehsendung, die von keiner Reklame unterbrochen wurde. Die Sendung kostete denn auch den 'Toastmaster' Gottes eine Million Dollar. Zuerst sang in Weiß der 'Crusade'-Chor, dann sang in Baß ein bekehrter Opernsänger, dann predigte Billy Graham. Jedesmal sportlich, jedesmal in einem andern Anzug, dezent rot kariert, dezent grün kariert, dezent blau kariert, jedesmal mit einer anderen Krawatte, ein 'Top Manager', der seine Ware an den Mann brachte. Es fanden denn auch jedesmal Massenbekehrungen statt. Blitzbekehrungen. Gottes Hand schien durch Billy Graham persönlich einzugreifen. Amerika wurde auf dem Bildschirm christlich. Alles war ergriffen. Dann erst kamen die Reklamen für Seife, Deodorants, Waschmittel und Autos wieder.

Ähnlich wie vorher schon Brecht und wie etwa gleichzeitig Enzensberger und Lettau spricht auch Dürrenmatt von der Gefahr des Faschismus in den USA. Er beobachtet:

> Die Gärung ist allgemein, die Unordnung wächst. Ungewiß ist nur, wohin die Revolution zielen würde, fände sie statt. Der Ruf nach einer starken Regierung wird unüberhörbar. Doch läuft das Land Gefahr, gegen die Minderheiten vorzugehen, die es für die Ursache des Übels hält, etwa gegen die Neger, usw. Auch wird der Nationalismus angeheizt. Die Vereinigten Staaten werden daher in steigendem Maße für jeden Faschismus anfällig.

Dürrenmatt schließt apokalyptische Entwicklungen in Amerika nicht aus, wenn er diagnostiziert:

> Die Vereinigten Staaten stellen in der heutigen Welt einen der unberechenbarsten Faktoren dar. Wenn wir sie ein instabiles Gebilde nannten, so dachten wir dabei an jene instabilen Sterne, die wir von der Astronomie her kennen. Wir besitzen noch zu wenig Erfahrung und Wissen, genaue Voraussagen

> zu treffen. Eine Sonne kann anwachsen, kann sich zusammenziehen, aber sich auch mit unvorstellbarer Gewalt in eine Supernova verwandeln, indem sie ihre Materie in den Raum fegt und alles zerstört.

Hier drückt sich die ganze Unsicherheit zeitgenössischer europäischer Autoren gegenüber den USA aus, ihre Angst und ihre Befürchtungen. Die von Max Frisch so hochgeschätzte neue Selbstkritik der Amerikaner konstatiert auch Dürrenmatt, aber er bemerkt einschränkend:

> In den Vereinigten Staaten ist die Selbstkritik nicht zu übersehen. Die Intellektuellen sind alarmiert, die Jugend beginnt zu denken, die politischen Morde rütteln die Nation auf. Leider nur deren Oberfläche.

Dürrenmatt gesteht wiederholt seine Ratlosigkeit gegenüber Amerika ein. "Die Vereinigten Staaten", so gibt er zu, "sind schwierig zu diagnostizieren. Die Symptome widersprechen sich, und ihre Unzahl verwirrt."

Auf der Suche nach einem Bild von den Vereinigten Staaten, das das offizielle wie das 'andere' Amerika umgreift, ist vor allem Uwe Johnson. Es gibt keinen deutschsprachigen Autor, der sich - relativ gesprochen - so intensiv auf die Widersprüchlichkeiten und die Vielfalt der USA eingelassen hat wie Uwe Johnson in seiner Roman-Tetralogie 'Jahrestage'. Indem der Autor das Buch aus der Perspektive einer Deutschen, Gesine Cresspahl, erzählen läßt, bleibt die europäische Sicht amerikanischer Verhältnisse immer unverdeckt deutlich. Hier werden nicht aus fremder Anschauung heraus vorschnell Schlüsse gezogen, Lobeshymnen angestimmt oder Verwerfungen ausgesprochen. Johnson erreicht etwas für den deutschsprachigen Roman der Gegenwart Einmaliges: In der Erinnerung Gesine Cresspahls wird deutsche Vergangenheit (Hitlerzeit, DDR-Jahre und Bundesrepublik-Erfahrung) gleichzeitig mit dem Leben in New York am Ende der sechziger Jahre vermittelt. Anfänglich war Gesines Entschluß, in die USA auszuwandern von einer utopischen Amerika-Vorstellung bestimmt. Trotz anfänglicher Enttäuschung entschließt sie sich, in den Vereinigten Staaten zu bleiben. Das politische Geschehen lernt Gesine durch die Lektüre der 'New York Times' kennen. Diese Zeitung, auf die Gesine auf keinen Fall verzichten möchte, ist ihr dennoch ein ständiges Ärgernis. Als eine Art Tante aus guter Familie, mit Erfahrung und Haltung, ist die 'New York Times' modern, strebt Objektivität an, ist aber gleichzeitig so konservativ wie ihre Aufmachung. Die 'New York Times' verkörpert für Gesine das Beste des amerikanischen Lebens: "Das Gewissen der wünschbaren USA".[13] Gesine beantwortet Desillusionierungen weder mit radikalen Verdammungsurteilen noch mit der Flucht in neue Utopien. So läßt Uwe Johnson seine Romanheldin im zweiten Band der 'Jahrestage' spotten über die ideologische Selbstgerechtigkeit der "durchreisenden Kulturkritiker"[14] aus der Bundesrepublik.

Mehr als nur "durchreisender Kulturkritiker" wollte Günter Kunert sein. Vier Monate lang war er vom September 1972 bis zum Januar 1973 Gast der Deutschen Abteilung der University of Texas in Austin. Seine Erlebnisse hat er in seinem Reisebuch 'Der andere Planet' (1974) festgehalten. Damals war Kunert noch ein Autor aus der DDR, und so ist sein Bericht eigentlich der erste Versuch eines ostdeutschen Schriftstellers, die USA in einem besseren Licht zu zeigen, von einer Warte aus zu sehen, wie sie das offiziell gepflegte Amerika-Feindbild der DDR nicht kennt. Kunert äußert offen seine Skrupel, sich trotz geringer Sachkenntnis über die USA zu äußern, und in der Einleitung seines Buches finden sich Überlegungen zu den "Schwierigkeiten beim Erinnern der Wahrheit". Kunert hütet sich vor pauschalen Verallgemeinerungen, lieber hält er Erlebnisse und Eindrücke fest, die ihm persönlich bemerkenswert erschienen. Wie "Aladin mit der Wunderlampe" - so die Überschrift eines Kapitels - wandelt er durchs amerikanische Wunsch- und Alptraumland. Ob in New Orleans, Chicago oder New York, überall trifft Kunert auf Ungewöhnliches, und als solches hält er es in seinem Bericht fest. 'Der andere Planet' hat wie Wolfgang Koeppens 'Amerikafahrt' eine antithetische Struktur: Das Buch erzählt von Momenten der Erfüllung als auch von Augenblicken der Entfremdung, ja des Horrors.

Dies hat Kunerts Reisereport gemeinsam mit Handkes 1972 erschienenem Bericht 'Der kurze Brief zum langen Abschied'. Mehr noch als bei Kunert ist für Handkes Erzähler Amerika ein Vehikel zur Bewußtwerdung seiner selbst. In Handkes Reisebuch fällt der Bereich des Gesellschaftlich-Politischen fort oder ist nur in Andeutungen vorhanden. Die Amerikareise wird für den Erzähler - darin Frischs 'Stiller' verwandt - zum Versuch, sich zu wandeln, hat mit dem Verlangen zu tun, aus privaten Problemen zu flüchten. Amerika, Verkörperung des Fremden, Andersartigen, soll den Erzähler zu sich selbst führen, ihn für die Zukunft verändern. Das Ineinander von Reisebeschreibung und subjektivem Psycho-Report wird deutlich beim New-York-Erlebnis, von dem es heißt:

> Das Muster von New York breitete sich friedlich in mir aus, ohne mich zu bedrängen. Ich saß entspannt und neugierig da ... und erlebte die zusammengedrängte, immer noch nachdröhnende Stadt als ein sanftes Naturschauspiel.[15]

Handkes Amerika-Utopie kann man als Wunschbild subjektiver Möglichkeiten in einer abstrakten Zukunft beschreiben. Die Amerika-Utopie wird aus ihren gesellschaftlichen Bezügen herausgelöst und subjektiv verinnerlicht in die Seelenlandschaft eines nur sich selbst beobachtenden Individuums. Einzelheiten aus Landschaften oder Städten werden immer nur dann beschrieben, wenn die Innenwelt des Erzählers gerade zur Wahrnehmung aufgelegt ist.

Handkes subjektivistische Amerika-Eindrücke kann man kaum in Zusammenhang bringen mit der gegenwärtigen politischen Diskussion, in deren Zentrum die Rüstungspolitik der USA steht. Gert Heidenreich bezieht sich auf historische Fakten, wenn er in seinem neuen Drama 'Der Wetterpilot' die Geschichte jenes Aufklärer-Fliegers gestaltet, der am 6. August 1945 die Wetterlage über Hiroshima überprüfen mußte, bevor der Abwurf der Atombombe erfolgte, ein Kriegsgreuel, das der Pilot psychisch nicht zu verkraften vermochte.

Die Gegnerschaft zur amerikanischen Rüstungspolitik ist in der Literatur der Bundesrepublik nicht neu. Sie fing an mit Heinar Kipphardts 1964 uraufgeführtem Dokumentarstück 'In der Sache J. Robert Oppenheimer', einem Drama, das von der Friedensbewegung der 80er Jahre gleichsam als prophetisches Werk gepriesen wird. Die Handlungsgrundlage des Stückes gibt jenes Verfahren ab, das die Atomenergie-Kommission der USA 1954 gegen den prominenten amerikanischen Physiker Julius Robert Oppenheimer anstrengte. Oppenheimer wurde vorgeworfen, er habe das Dringlichkeitsprogramm zum Bau der Wasserstoffbombe bewußt verzögert. Kipphardt studierte das Verhandlungsprotokoll des Untersuchungsausschusses und stellte folgende drei Aspekte des Prozesses in den Vordergrund: 'Erstens' Oppenheimers frühere Verbindungen zu kommunistischen Kreisen; 'zweitens' seine Beteiligung an geheimen militärischen Projekten und 'drittens' das Entsetzen über den Abwurf der Atombomben in Japan. Oppenheimer empfindet eine größere Loyalität der Menschheit als dem amerikanischen 'Staat' gegenüber. Er bekennt: "Wir haben die Arbeit des Teufels getan" und macht sich und anderen Naturwissenschaftlern den Vorwurf, daß sie ihren Regierungen gegenüber "eine zu große, eine ungeprüfte Loyalität" geübt hätten.[16]

Scharfe Kritik wurde erneut Ende der sechziger Jahre an der Militärpolitik der USA laut. Hans Magnus Enzensberger hielt sich im Herbst 1967 in den Vereinigten Staaten auf. Die Wesleyan University in Middletown/Connecticut hatte ihm ein Stipendium am 'Center for Advanced Studies' gewährt, aber Anfang 1968 verließ Enzensberger schon wieder die Vereinigten Staaten. In einem damals in der 'Zeit' veröffentlichten Brief an den Präsidenten der Wesleyan University begründet der Autor seinen Schritt. Er sagt in diesem "Warum ich Amerika verlasse" überschriebenen Dokument:

> Ich halte die Klasse, welche in den Vereinigten Staaten von Amerika an der Herrschaft ist, und die Regierung, welche die Geschäfte dieser Klasse führt, für gemeingefährlich. Es bedroht jene Klasse, auf verschiedene Weise und in verschiedenem Grad, jeden einzelnen von uns. Sie liegt mit über eine Milliarde von Menschen in einem unerklärten Krieg; sie führt diesen Krieg mit allen Mitteln, vom Ausrottungs-Bombardement bis zu den ausgefeiltesten Techniken der Bewußtseins-Manipulation. Ihr Ziel ist die politische, ökonomische und militärische Weltherrschaft. Ihr Todfeind ist die Revolution.[17]

Enzensberger formulierte hier Vorwürfe, die vorher ähnlich bereits amerikanische Intellektuelle selbst gegen die US-Regierung erhoben hatten. Noam Chomsky zum Beispiel setzte sich 1967 in seinem Essay "Vietnam und die Redlichkeit des Intellektuellen"[18] mit der Verantwortung des Wissenschaftlers in der Politik auseinander. Wie Chomsky stellt Enzensberger in seinem offenen Brief die Verbindung her zwischen dem europäischen Faschismus der Hitlerzeit und der amerikanischen Militärpolitik in Vietnam. Am Schluß des Briefes gibt er an, daß er nach Kuba gehen wolle. "Ich habe", argumentiert er, "einfach den Eindruck, daß ich den Cubanern von größerem Nutzen sein kann als den Studenten der Wesleyan University, und daß ich mehr von ihnen zu lernen habe". 1970 erschien dann das literarische Zeugnis des Aufenthalts in Kuba, sein Stück 'Das Verhör von Habana'. Es hat die neun Jahre zuvor gescheiterte Invasion kubanischer Emigranten zum Gegenstand. In einer ausführlichen Einleitung schildert Enzensberger die politischen Vorgänge, die unter Präsident Eisenhower und dann unter Kennedy zu der vom CIA vorbereiteten Invasion in der Schweinebucht führte. Wieder geht es Enzensberger darum, faschistische Tendenzen in der amerikanischen Politik aufzuzeigen. Die hatte er übrigens schon Anfang der sechziger Jahre entdeckt. 1964 erschien sein Band 'Politik und Verbrechen'. In der darin enthaltenen "Chicago-Ballade" - der Einfluß Brechts ist unübersehbar - wird Al Capones Verbrecher-Syndikat zum "Modell einer terroristischen Gesellschaft"[19] im 20. Jahrhundert erklärt. Ideologie und Praxis der Gangster gleiche aufs Haar derjenigen der Kapitalisten.

Die simple, von wenig Geschichtskenntnis zeugende Gleichsetzung von amerikanischem Kapitalismus und europäischem Faschismus findet sich auch bei Reinhard Lettau, und zwar in seinem 1971 erschienenen Dokumentarbericht 'Täglicher Faschismus'. Der Untertitel seiner Montage aus Zeitungsartikeln lautet "Amerikanische Evidenz aus 6 Monaten". Das Resümee seiner Lektüre der 'Los Angeles Times' zwischen dem Herbst 1969 und dem Frühjahr 1970 faßt er so zusammen:

> Bei spürbar werdender Unruhe im Land, offene, aber fast unmerkliche Vorbereitungen zum Abbau der Bürgerrechte, Bremsung oder Einstellung früherer Sozialreformprogramme, wachsende Inflation, während gleichzeitig der offenen Diskussion dieser Fragen durch manipulative Maßnahmen, Drohungen, Beschwörungen einer eben erfundenen patriotisch 'schweigenden Mehrheit' entgegengearbeitet wurde.[20]

Man fragt sich, wie etwa die 'Watergate'-Affäre aufgedeckt worden wäre, wenn das US-Nachrichtenwesen so manipuliert würde, wie Lettau annimmt. Den Faschismusvorwurf enthält indirekt auch Lettaus kleine dialogische Skizze "Frühstücksgespräche in Miami". Hier erscheinen die USA als Heimstatt, Rettungsort und Revanchebasis aller verjagten lateinamerikanischen Diktatoren.

Während des Vietnam-Kriegs nahm auch Martin Walser zur amerikanischen Militärpolitik Stellung. Um nicht durch Schweigen schuldig zu werden wie die deutschen Intellektuellen zur Zeit des Hitlerregimes, greift Walser das Verhalten der deutschen Bundesregierung an. In seiner 1968 gehaltenen Rede "Amerikanischer als die Amerikaner" sagt er:

> Momentan gelten wir aber in der Welt als Helfershelfer der kriegführenden Johnsonregierung. Unser Parlament schweigt sich sorgfältig an jeder Haltung vorbei. Ist die Regierung dafür, daß die Truppen in Süd-Vietnam 'free world forces' heißen? Warum liefern unsere Politiker ihre Zustimmung nur immer in Amerika ab? Warum schweigen sie hierzulande?[21]

Walsers Rede enthält einen aus Sarkasmus und Wehmut gemischten Rückblick auf die fünfziger Jahre; sie verdeutlicht stärker als viele andere Texte der Zeit den Übergang von der Amerika-Hoffnung zur Amerika-Enttäuschung. Er fordert die Bundesregierung auf, nicht das offizielle, sondern das 'andere' Amerika zu unterstützen, jenes Amerika, das selbst gegen den Krieg der USA in Vietnam protestierte. Da dies aber nicht geschehe, resümiert Walser: "Wir sind der atlantische Untertan geworden, wie wir einmal der deutsche Untertan waren".[22]

Den deutschen Schriftstellern kann man nicht den Vorwurf machen, sie hätten sich nicht für die Demokratie eingesetzt. Günter Grass zum Beispiel wollte der bundesdeutsche Walt Whitman werden, als er in direkter Anlehnung an Whitmans "Of Thee I sing Democracy" für die SPD mit dem Schlachtruf "Dich singe ich, Demokratie" 1965 in den Wahlkampf zog. Wie Walt Whitman als der Dichter der amerikanischen Demokratie in die Geschichte seines Landes einging, will Günter Grass das demokratische Gewissen in Westdeutschland verkörpern. In Grassens Romanen spielt das Amerika-Motiv keine große Rolle, aber es kommt doch vor. In der 'Blechtrommel' berichtet Oskar Matzerath von seinem Großvater, einem Brandstifter, der vielleicht bei seiner Flucht vor der Polizei im Danziger Hafen ertrunken ist, vielleicht aber auch auf einem Schiff - das bezeichnenderweise 'Columbus' heißt - nach Amerika entwischen konnte. In der Phantasie Oskars geistert dieser Großvater herum als Multimillionär, der im Riesenbüro eines Wolkenkratzers herrscht, bekleidet mit einer Feuerwehr-Uniform und kostbare Ringe an seinen Fingern tragend. Hier wird mit dem populären Mythos vom reichen Verwandten in Amerika gespielt, einem Mythos, der in den fünfziger Jahren seine Wirkkraft noch nicht eingebüßt hatte. Diesem Trivial-Mythos begegnet Grass wieder bei Walt Disney, nämlich in dessen 'Comic-Book'-Figur Onkel Dagobert. Dem reichen Onkel Dagobert setzte Grass Ende der sechziger Jahre in einem Gedicht ein bemerkenswertes Denkmal. Das Onkel-Dagobert-Gedicht trägt den Titel "Advent" und erschien 1967 in dem Band 'Ausgefragt'. Es gibt Aufschluß über den Lernprozeß, den Günter Grass in den sechziger Jahren vom Walt-Whitman-Schüler zum Kritiker der USA durchlief. Im "Advent"-Gedicht heißt es:

> Wenn Onkel Dagobert wieder die Trompeten vertauscht,
> und wir katalytisches Jericho mit Bauklötzen spielen,
> weil das Patt der Eltern
> oder das Auseinanderrücken im Krisenfall
> den begrenzten Krieg,
> also die Schwelle vom Schlafzimmer zur Eskalation,
> weil Weihnachten vor der Tür steht,
> nicht überschreiten will,
>   wenn Onkel Dagobert wieder was Neues,
>   die Knusper-Kneisschen-Maschine
>   und ähnliche Mehrzweckwaffen Peng! auf den Markt wirft,
>   bis eine Stunde später Rickeracke ... Puff ... Plops!
>   der konventionelle, im Kinderzimmer lokalisierte Krieg
>   sich unorthodox hochschaukelt,
>   und die Eltern,
>   weil Weihnachtseinkäufe
>   nur begrenzte Entspannung erlauben,
>   und Tick, Track und Trick, -
>   das sind Donald Ducks Neffen, -
>   wegen nichts Schild und Schwert vertauscht haben,
>   ihre gegenseitige, zweite und abgestufte,
>   ihre erweiterte Abschreckung aufgeben,

nur noch minimal flüstern, Bitteschön sagen, (...)
denn Onkel Dagobert sagt immer wieder:
Die minimale Abschreckung hat uns bis heute, -
und Heiligabend rückt immer näher, -
keinen Entenschritt weiter gebracht.[23]

Onkel Dagobert steht hier für 'Uncle Sam', also die amerikanische Regierung, und seine kleinen Neffen stellen die schwächeren militärischen Partner in Europa vor. Auf ähnlich kritische Weise spielen Urs Widmer in der Erzählung "Alois", Bodo Kirchhoff in "Wer sich liebt" und Urs Widmer in seinem Roman 'Die Forschungsreise' mit amerikanischen Trivialmythen wie jenen von Donald Duck und Superman. Im Klartext und ohne jede literarische Verklausulierung hat sich Günter Grass im vorletzten Jahr in seinem offenen Brief an die Abgeordneten des Deutschen Bundestages gegen das Prinzip der maximalen militärischen Abschrekkung ausgesprochen. In diesem am 25. November 1983 in der 'Zeit' veröffentlichten Schreiben forderte Grass - allerdings vergeblich - die bundesdeutschen Politiker auf, nein zu sagen zur Stationierung amerikanischer Pershing-Atomraketen auf deutschem Boden.

Abschließend sei ein Sammelband erwähnt, der anläßlich des eingangs erwähnten Jubiläums 1983 als Sonderheft der Zeitschrift 'Dimension' unter dem Titel 'The Image of America in Contemporary German Writing' erschien. Die meisten der fünfzig Beiträge stammen von Autoren der mittleren und jüngeren Generation. Fast alle Schriftsteller berichten von längeren oder kürzeren Aufenthalten in verschiedenen Städten und Staaten Nordamerikas, und so ergibt sich eine Art literarischer Amerika-Baedeker: Nach dem Transatlantikflug mit Erica Pedretti schließen wir uns in New York City dem Fremdenführer Dieter Kühn an, der uns zur Einstimmung Manhattan mit wenigen Strichen skizziert. In Boston lernen wir durch Elisabeth Plessen die Dämonie eines amerikanischen Glückwunschkartenladens kennen. Guntram Vesper doziert in Chicago, daß sich hier seit Al Capones Zeiten viel verändert habe. In Madison (Wisconsin) sind wir mit Gabriele Wohmann zu Gast bei den dortigen Feministinnen, wobei die Schriftstellerin allerdings auf ironische Distanz geht zum Kreis der "geräuschvollen Frauensachenfrauen". Michael Schulte gibt in Memphis (Tennessee) Satirisches auf die Success Story von Elvis Presley zum besten. Der junge Basler Autor

Frank Geerk lädt uns zum Mitmachen bei einer texanischen Radrenntour von Austin nach Corpus Christi ein, wobei wir das Ziel nicht erreichen, da wir uns von den letzten Hippies auf Abwege locken lassen.

In Miami (Florida) fordert uns Hubert Fichte zum Besuch des Hundefriedhofs auf. Horst Bienek will uns in San Francisco nichts als die schönste Buchhandlung der Welt (City Light Books) zeigen; Gerhard Roth hingegen weist mit finsterer Miene hin auf die Schattenseite der Stadt, aufs Bettler- und Lumpenvolk. Mit Hans Christoph Buch, den seit seiner Ankunft in Kalifornien ein Brechreiz plagt, gedenken wir in Del Mar und La Jolla des Propheten der Studentenbewegung, Herbert Marcuse. Los Angeles schauen wir uns aus Schweizer Perspektive mit Walter Vogt an, suchen so verzweifelt wie vergeblich nach einem Stadtzentrum.

Erst wenn sie am Ende des Aufenthaltes in den USA an die Heimkehr denken, werden die Angriffe auf den American Way of Life schwächer. Ludwig Fels wird am Schluß seiner New-York-Beschimpfung gar sentimental, wenn er ausruft: "Oh, New York, du Weltstadt mit dem Steinherz, aber immerhin Herz, hättest du mich doch behalten!" Hilde Spiel fürchtet sich im gastfreundlichen Kalifornien vor der Rückkehr nach Wien, vor den "übelwollenden Freunden" und "bösartigen Nachbarn" daheim. In seiner Lamentatio über Los Angeles gesteht Walter Vogt: "Vermutlich würde ich mir besser Gedanken machen über die Schweiz, ein Land, das ich kenne, und wo meine Äußerungen noch nicht einmal völlig ohne jeden Einfluß sind. Aber kann man das: 'Hier' sich Gedanken machen über die Schweiz -? Vieles käme einem komisch vor. Gewisse Aufregungen begriffe man gar nicht."

Die unterschiedlichen literarischen Spiegelungen mit ihren Such- und Schreckbildern vermitteln einen Eindruck von der Komplexität des Verhältnisses der deutschsprachigen Gegenwartsautoren zu den USA. Dabei geht es oft nicht ohne polemische Reduktionen ab, was angesichts der von offizieller Seite aus allzu häufig betriebenen Schönfärberei keineswegs schadet. Insgesamt läßt sich freilich beobachten, daß man in den genannten Amerika-Büchern oft weniger über die USA selbst erfährt als über ihre Verfasser, ihre politischen Ansichten, Ängste und

Hoffnungen. Das wird besonders deutlich, wenn man sie vergleicht mit jener amerikanischen Literatur, die es sich schon vor Jahrzehnten zum Ziel setzte, den American Dream zu demontieren. Ich denke an die Schriftsteller der zwanziger und vierziger Jahre, an F. Scott Fitzgerald, Hart Crane, Thomas Wolfe, William Faulkner, Eugene O'Neill und Arthur Miller. Hier wird ein kritischer Realismus an den Tag gelegt, wie es ihn in dieser Konkretheit in der deutschen Amerika-Literatur nicht gibt und wohl auch nicht geben kann.

ANMERKUNGEN

1 In diesem Überblick wurde ausführlicher nur auf solche Texte eingegangen, die in anderen Untersuchungen zum Thema nicht oder kaum behandelt wurden. Zu einer Reihe von mir erwähnter Autoren liegen Spezialuntersuchungen vor, auf die verwiesen sei. Beachtung verdienen vor allem folgende Buchpublikationen: Sigrid Bauschinger et. al. (Hrsg.), 'Amerika in der deutschen Literatur' (Stuttgart: Reclam, 1975); Manfred Durzak, 'Das Amerika-Bild in der deutschen Gegenwartsliteratur' (Stuttgart: Kohlhammer, 1979); Anita Krätzer, 'Studien zum Amerikabild in der neueren deutschen Literatur' (Bern: Peter Lang, 1982); Wolfgang Paulsen (Hrsg.), 'Die USA und Deutschland: Wechselseitige Spiegelungen in der Literatur der Gegenwart' (Bern, München: Francke, 1976); Alexander Ritter (Hrsg.), 'Deutschlands literarisches Amerikabild' (Hildesheim: Olms, 1977); Richard Ruland, 'America in Modern European Literature' (New York: New York University Press, 1976).

2 'Wir sind Freunde. Deutsche und Amerikaner - Germans and Americans. We are Friends', mit einem Vorwort von Hansjürgen Doss MdB (Mainz: Schmidt & Bödige, 1983).

3 Veranstaltet von Frank Trommler im Herbst 1983 an der University of Pennsylvania, Philaldelphia.

4 Hans Magnus Enzensberger, "Abgesehen davon", in: 'Monatshefte' 74/2 (1982), S. 121.

5 Johann Wolfgang von Goethe, "Den Vereinigten Staaten", Hamburger Ausgabe 1/II. S. 333.

[6] Ferdinand Kürnberger, 'Der Amerika-Müde' (München, Leipzig: Georg Müller, 1910), S. 567.
[7] Franz Kafka, Amerika (Frankfurt a.M.: S. Fischer, 1956), S. 5.
[8] Herbert Agar et. a. (Hrsg.), 'The City of Man. A Declaration on World Democracy' (New York: The Viking Press, 1941).
[9] Max Frisch, "Unsere Arroganz gegenüber Amerika", in: M. F., 'Öffentlichkeit als Partner' (Frankfurt a.M.: Suhrkamp, 1967), S. 25.
[10] Max Frisch, 'Tagebuch 1966-1971' (Frankfurt a.M.: Suhrkamp, 1972), S. 314.
[11] Max Frisch, 'Homo Faber' (Frankfurt a.M.: Suhrkamp, 1957), S. 248-252.
[12] Friedrich Dürrenmatt, 'Sätze aus Amerika' (Zürich: Arche, 1970), S. 9, 16-17, 67-69.
[13] Uwe Johnson, 'Jahrestage 2. Aus dem Leben von Gesine Cresspahl' (Frankfurt a.M.: Suhrkamp, 1971), S. 516.
[14] Ibid., S. 636.
[15] Peter Handke, 'Der kurze Brief zum langen Abschied' (Frankfurt a.M.: Suhrkamp, 1972), S. 47.
[16] Heinar Kipphardt, 'In der Sache J. Robert Oppenheimer' (Frankfurt a. M.: Suhrkamp, 1968), S. 140-141.
[17] Hans Magnus Enzensberger, "Warum ich Amerika verlasse", in: 'Die Zeit', 01.03.1968, S. 16 (zuerst auf Englisch erschienen am 29.02.1968 in: 'New York Review of Books').
[18] Noam Chomsky, "Vietnam und die Redlichkeit des Intellektuellen", in: 'Kursbuch' 9 (1967), S. 164 (zuerst auf Englisch im gleichen Jahr erschienen in: 'New York Review of Books').
[19] Hans Magnus Enzensberger, "Chicago-Ballade", in: H.M. E., 'Politik und Verbrechen' (Frankfurt a.M.: Suhrkamp, 1964), S. 95.
[20] Reinhard Lettau, 'Täglicher Faschismus' (München: Hanser, 1971), S. 11.
[21] Martin Walser, "Amerikanischer als die Amerikaner", in: M. W., 'Heimatkunde: Aufsätze und Reden' (Frankfurt a.M.: Suhrkamp, 1968), S. 102.
[22] Ibid., S. 100.
[23] Günter Grass, "Advent", in: 'Ausgefragt' (Berlin, Neuwied: Luchterhand, 1967), S. 22-23.

Nachbemerkung: Dieser Aufsatz erschien zuerst unter dem gleichen Titel in: 'Weimar am Pazifik. Literarische Wege zwischen den Kontinenten', Festschrift für Werner Vordtriede zum 70. Geburtstag. Hrsg. v. Dieter Borchmeyer und Till Heimeran (Tübingen: Max Niemeyer, 1985), S. 173-189.